그림 속 숨겨진 이야기

화가는 왜 그렇게 그렸을까?

박홍순 지음
그림속
숨겨진
이야기
화가는 왜 그렇게 그렸을까?

Redian
레디앙

:: 저자의 말

강한 자극, 부드러운 성찰과 그림의 힘

정보는 더 많이 쏟아지는데 사고의 폭은 더 좁아지는 역설적 상황이 이제는 낯설지 않다. '정보 과잉 사회'다. 스마트폰, 유튜브, SNS의 대중적 보급과 함께 나타난 현상이다. 이를 통해 스며드는 정보가 우리 의식에 연결된 거의 모든 영역에 가장 큰 영향을 미친다.

단지 뉴미디어가 기존 대중매체 자리를 대신 차지하는 수준의 변화가 아니다. 기존 매체는 관심을 가진 사람이 원하는 정보를 선택할 수 있었다. 하지만 뉴미디어에서 쏟아져 나오는 정보의 바다에서 개인의 선택권은 힘을 쓰지 못한다. 스마트폰은 필수품을 넘어 이제는 우리의 일부가 되었다. 한시도 떨어뜨려 놓지 못한다. 아침에 눈 뜨자마자 들여다보기 시작해서 온종일 가장 가깝게 지내는 존재다. 일방적으로 쏟아지는 정보에 무방비 상태에서 노출될 수밖에 없다. 정보의 바다가 아니라 정보의 늪이다.

문제는 뉴미디어가 제공하는 정보가 단편적이고 단절적이라는 점이다. 기기의 특성상 텍스트나 그림은 손바닥보다 작은 화면 안에서 한 번에 보여주는 정보에만 손이 간다. 동영상은 1~2분 안에 전달하는 정보로 한정된다. 그 결과 주장을 뒷받침하는 근거가 제대로 마련되기 어렵다는 점에서 단편적, 피상적이다. 또한 짧은 시간에 다양한 정보 사이를 널뛰기한다. 정보들 사이에 맥락이 없기 때문에 단절적이다.

정보가 넘쳐날수록 사고력이 약해지는 역설이 생겨나는 이유다. 사고의 깊이가 얕아지고, 폭은 좁아진다. 사고력이 약화되면 성찰할 수 있는 힘이 약해진다. 성찰 없는 사고는 현상의 표면만 인식한다. 성찰은 겉으로 드러난 현상의 이면으로 사고가 천착해 들어갈 때 만나는 선물이다. 성찰은 세계와 인간에 대한 원리를 이해하고, 변화의 동인을 알아챌 수 있게 해준다.

다만 성찰적 사고는 그 과정이 지루하다는 약점이 있다. 재미없는 것에 장시간 몰입하는 것을 끔찍하게 싫어하는 사람들에게 성찰은 그냥 듣기에만 좋은 고루한 단어일 뿐이다. 성찰의 과정은 너무 딱딱하고 험해서 금방 지치게 한다.

성찰로 가는 말랑말랑한 길이 필요하다. 이를 위한 효과적인 매개체가 바로 미술 작품이다. 미술 작품 감상이 쉽다는 뜻이 아니다. 끈기와 고민이 요구된다. 하지만 지레 겁을 먹거나 거부감을 가질 이유는 없다. 인간은 그림에 친근감을 느끼는 본성을 가지고 있다. 특히 고도의 추상 회화가 아닌 이상, 그림은 이미지 안에 이야기 구조를 갖추고 있다. 아이들이 그림이 실린 동화를 좋아하듯 그림을 감상하는 사람의 생각은 그림 속 숨겨진 이야기를 따라가게 된다.

그림 속에 수수께끼처럼 숨어 있는 이야기에서 답을 찾아가는 즐거움도 크다. 그림에서 화가가 숨겨 놓은 진실이 자기 모습을 곧이곧대로 드러내지 않는 이유는 여러 가지다. 우선 화가는 스토리를 압축해서 그림으로 표현하기 때문이다. 화가는 한 점의 작품 속에 여러 시점을 동시에 담는 등 복잡한 설정을 해놓는데 이를 뚫고 작가의 생각을 읽어내야 한다.

또한 상징과 은유로 가득한 이미지 속에 이야기를 숨겨놓곤 한다. 특히 지금까지 널리 주목을 받는 동서양 미술가는 정말 하고 싶은 이야기를 이미지 안에 비틀어 표현하는 데 능숙하다. 직설적으로 이야기를 전달하면 정치나 상업 포스터 느낌을 주기 때문일 수도 있다. 시대에 따라서는 억압적인 체제나 사회 분위기 안에서 검열과 통제의 눈길을 피하기 위해 은밀하고 교묘한 상징과 은유를 활용하기도 한다.

그러므로 그림 감상자의 눈길이 표면으로 드러난 이미지에만 머물면 작가와 제대로 만나기 어렵다. 인물의 눈길이나 입 모양의 미세한 변화, 팔이나 손가락의 섬세한 움직임, 발의 방향은 물론 그의 몸을 꾸미는 각종 사물, 나아가서는 타인과의 관계가 풍기는 분위기를 파고 들어야 한다. 때에 따라서는 주인공으로 등장하는 사람이나 사물의 사소한 배경에서 이야기의 단서를 찾아내야 한다. 역사적인 사건과 맞물려 있을 때는 그 시대에 관한 약간의 배경 지식을 찾아 도움을 받아야 한다. 이 과정에서 이미지의 순간적인 매력을 넘어, 숨겨진 이야기가 제공하는 세계관이나 인생관의 깊은 울림과 만나는 성찰과 깨달음의 순간이 찾아온다.

그림이 우리를 성찰로 이끄는 데는 다른 요소도 있다. 미술은 문제작일수록 통념을 넘어서는 이미지 충격을 준다. 익숙한 것을 낯설게 바라보게 만드는 힘이 있다. 신선한 충격이 깊이 있는 사고를 자극한다. 우리의 의지와는 무관하게 일방적으로 주어진 사실을 넘어 진실에 다가서기 위해서는 상식의 세계에서 벗어나야 하는데 이때 미술이 효과적인 자극을 준다. 이 책이 다양한 주제와 소재에 대해 깊이 있는 사고로, 성찰로 다가서는 계기가 되길 바라는 마음이다.

2024년 1월

박홍순

:: 차례

3부 인생의 지혜를 구하다

4부 문명의 그림자를 보다

1부 예술의 본질을 묻다

작가는 작품의 주인이 아니다

고흐 〈한 켤레의 구두〉
하이데거 《예술작품의 근원》

구두의 주인은 누구일까?

고흐 〈한 켤레의 구두〉 1886년

빈센트 반 고흐Vincent van Gogh, 1853~1890는 한국인이 사랑하는 서양화가로 첫 손가락에 꼽힌다. 해바라기 그림이 가장 유명하지만, 회화로 다시 태어난 파리 밤거리도 익숙하다. 자기 귀를 자르는 등 정신적으로 고통 받던 시기의 자화상도 바로 머리에 떠오른다. 그의 대표적 작품만이 아니라 가난하고 굴곡진 일생까지 비교적 널리 알려져 있다.

하지만 〈한 켤레의 구두〉는 낯설다. 제목 그대로 구두 한 켤레가 캔버스를 가득 채운다. 배경이 뚜렷하지 않아서 어떤 공간인지, 누가 어떤 용도로 신었는지 알기 어렵다. 구두는 한 번도 닦은 적이 없는 듯 아주 낡았다. 색도 여기저기 바랬고, 끈도 해져서 여러 번 끊어진 걸 다시 묶어서 쓰곤 했으리라. 비가 오는 날이면 밑창으로 빗물이 스며들어 질척거렸을 듯하다. 한쪽 신발은 목이 위로 올라와 있지만 다른 쪽은 더 심하게 낡아서 접혀 있다.

덩그러니 구두만 한 켤레 그려놓은 것 자체가 획기적이다. 기존 화가들에게는 상식 이하의 엉뚱한 짓이다. 물론 손이나 발처럼 신체의 일부, 혹은 생활도구의 하나로 신발을 그리기는 했다. 하지만 그때 신발 그림은 전체 작품의 각 부분을 세부 묘사하기 위한 것이었다. 다른 배경이나 사물 없이 오직 신발 하나만을 작품으로 완성하는 경우는 찾아보기 어렵다.

유럽에서는 근대 중반까지만 해도 현재 우리에게 익숙한 풍경화나 정물화조차 독자적인 회화 작품으로 인정받지 못했다. 중세와 근대 초기까지 풍경은 인물의 뒤편에서 주인공을 부각시키기 위한 배경이었다. 정물화도 배경 요소가 강했다. 탁자 위의 과일이나 주전자가 독자적 가치를 지니지는 않았다.

고흐가 화가의 길로 들어섰을 때는 세잔을 비롯한 선구적인 몇몇 화가에 의해 정물화가 더 이상 낯선 작업은 아니었다. 하지만 낡은 구두 한 켤레만 덜렁 놓고 그대로 묘사하는 경우는 그 이전까지 좀처럼 보기 힘든 장면이었다. 그런 점에서 〈한 켤레의 구두〉는 꽤 의미 있는 시도다.

이 그림이 주목을 받는 데에는 소재 말고 또 다른 이유가 있다. 이 그림은 뜨거운 철학적 논쟁을 촉발시켰다. 미술 작품을 둘러싼 논쟁은 꽤 자주 있는 편이다. 그림은 감상자에게 예술적 감흥을 불러일으키는 이미지에 머물지 않는다. 사물의 재현을 넘어 그 시대의 조건과 사고방식을 반영한다. 세상과 인간에 대한 화가의 생각, 나아가서는 시대가 품고 있는 문제 상황을 담곤 한다. 시대에 예민한 예술가의 감수성은 그 시대를 앞서가는 변화의 징후를 작품에 남겨 놓기도 한다.

철학자들이 자기 생각을 정당화하거나 상대방 입장을 비판할 때 그림이 매개가 될 수 있었던 까닭이다. 고흐의 이 그림도 날카로운 논란을 불러일으켰다. 대표적인 실존주의 철학자인 하이데거Martin Heidegger, 1889~1976가 《예술 작품의 근원》에서 이 그림의 해석을 통해 철학과 미학에 대한 자신의 사유와 문제의식을 명료하게 드러낸다.

> 도구의 성격을 파악하기 위해서는 쓰임새를 살펴야 한다. 밭일하는 농촌 아낙네는 구두를 신고 있다. 이때 비로소 구두는 구두 자신의 본질로 존재한다. (…) 그림 속 구두를 막연히 쳐다보는 한 우리는 도구의 존재 의미를 알 수 없다. (…) 구두의 안쪽 어두운 틈새에서 밭일을 나선 고단한 발걸음이 엿보인다. 구두라는 이 도구의 수수하고 질긴 무게 속에는, 드넓은 밭고랑 사이를, 거친 바람을 맞으며 천천히 걸어가는 농촌 여인의 강인함이 배어 있다. 구두 가죽 위에는 기름진 땅의 습기와 풍요로움이 깃들어 있으며, 구두 바닥으로는 저물아가는 들길의 고독함이 밀려온다. (…) 이 도구는 대지에 속해 있으며, 농촌 아낙네의 세계속에 포근히 감싸인 채 존재한다.

언뜻 들으면 그저 그런 말이다. 문학적 수사가 가득한 작품 비평으로 다가오기 십상이다. 감성을 담뿍 담아 과장에서 과장으로 건너뛰는, 조금은 낯간지럽게 말랑말랑한 글 말이다. 하지만 가만히 내용을 들여다보면 날카로운 비수가 그 안에 들어 있다. 기성의 권위를 누리고 있던 철학이나 미학에 대한 따가운 비판을 포함하여 진지한 내용으로 가득하다.

구두처럼 인간이 사용하는 도구가 묘사된 그림을 어떻게 감상해야 하는가? 하이데거는 구두를 그저 응시하는 것은 아무 의미 없는 관찰일 뿐이라고 말한다. 구두라는 도구의 진정한 의미를 알 수 없다. 막연한 응시는 검은색에 목이 긴 모양의 낡은 가죽 신발이라는 객관적 정보를 확인하는 데 머문다. 기존 철학이나 미학이 가진 경험주의나 합리주의 경향에 대한 비판이다. 경험론 경향은 사물을 객관적이고 과학적인 눈으로 관찰하는 데서 출발한다. 미술 작품을 접할 때도 객관 정보를 중심으로 한 실증적인 태도를 보인다.

합리주의 경향도 냉철한 이성을 중심으로 한다는 점에서 비슷하다. 진리 세계는 인간의 감각과 분리된, 되도록 멀리 떨어진 곳에서 찾을 수 있다고 여긴다. 사물과 인간의 감각 사이에 만리장성을 쌓는다. 정확한 정보에 근거하여 논리적으로 입증 가능한 접근 방식만을 허용한다. 이를 넘어서는 내용은 불필요한 상상이나 신뢰할 수 없는 주관적 감상으로 치부한다.

하지만 하이데거는 이와 같은 작품 해석에 정면으로 반기를 든다. 고흐 그림의 구두에서 촌 아낙네의 근심과 기쁨, 나아가 대지를 느껴야 한다. 예술 작품은 "저 나름의 방식으로 묘사된 사물의 존재 의미를 열어 놓음으로써 그 사물의 진리"에 접근하도록 도와주기 때문이다. 사물의 '진리'라는 거창

한 표현은 과장이 아니다. 기존의 예술은 대개 '아름다운 것'을 묘사하는 작업으로 여겨졌다. 하이데거는 이에 대해 예술은 구체적인 시공간 안에서 존재하는 사물의 본질을 드러낸다는 점에서 아름다움을 넘어선 진리를 보여준다고 생각했다.

특히 고흐 그림 속의 구두처럼 일상 생활의 도구라면 사용하는 사람의 실제 삶을 함께 고려해야 한다. 감상자는 발이 들어가는 구두의 어두운 틈을 통해 촌 아낙네의 고통을 느껴야 한다. 구두를 신었을 시골 사람의 삶을 떠올리고, 감정의 공유가 이뤄질 때 작품이 말하는 진정한 의미에 접근할 수 있다. 즉 구두라는 사물의 본질, 바로 진리와 만나게 된다.

농부가 구두를 신고 느꼈을 대지의 거친 숨결도 이 작품은 전달해주고 있다. 처음부터 농토였던 땅이 어디 있겠는가. 나무와 돌이 뒤섞인 들판을 농토로 바꾸기 위해 얼마나 고된 노동을 했겠는가. 비가 오지 않아 마른 먼지가 날리기도 하고, 홍수로 1년의 노고가 한 순간에 날아가기도 한다. 하지만 고통의 나날만 이어지는 것은 아니다. 작물이 쑥쑥 자라나고 곡식 알갱이가 열릴 때의 기대, 곡식을 거두었을 때의 풍요도 묻어난다. 고흐가 그린 구두를 보며 대지의 거친 숨결과 그 안에 스며든 농부의 삶도 함께 볼 수 있을 때 제대로 작품을 감상한 것이라 할 수 있다.

작품의 감상과 해석에는 작품 속 도구를 사용한 사람의 삶과 일상이 녹아 있어야 한다. 하이데거는 실존주의를 대표하는 철학자답게 도구로서의 구두에 의해 규정되는 실존적인 삶의 응축으로서 작품을 본다. 도구는 형태와 재질이 아니라, 쓰이는 구체적 상황과 연동시켜 사유할 때 실존적인 의미가 드러난다.

예술 작품의 대상과 주체, 형식과 내용의 통일이라는 문제의식을 포함한다. 형식은 그리는 대상의 형태와 색조, 상황 등을 의미한다. 내용은 그 안에 응축된 일상적인 삶의 모습이다. 작품은 단순히 사물이 외적으로 드러내는 특징의 재현이 아니다. 그렇다고 대상과 형식을 참고로만 삼고 감상자의 주관적 느낌에만 의존해서도 안 된다. 대상과 주체, 형식과 내용이 통일되었을 때 훌륭한 작품이 된다. 이때의 작품은 사물을 통해 실현된 고유한 의미를 갖게 된다.

하이데거 vs 샤피로 vs 데리다

고흐 〈세 켤레의 구두〉 1886년

하이데거의 해석 방법론에 대해 미국의 미술사학자 샤피로Meyer Shapiro, 1904~1996가 반박한다. 그에 따르면 구두는 농부가 아닌 고흐의 것이다. 아낙네가 아닌 남정네의 신발이다. 농촌이 아니라 도시에서 신던 구두일 가능성이 높다. 샤피로의 비판이 전혀 근거 없는 이야기는 아니다.

이 작품을 그린 1886년에 고흐는 동생 테오와 파리에 있었다. 이전까지 아버지가 목사로 있던 네덜란드 남부의 시골마을 누넨에서 농민의 삶을 주로 그렸던 고흐는 신경과민증이 심해져 1886년 3월부터 파리에 머물렀다. 이 시기 그의 작품은 도회적인 느낌이 강하다. 그 유명한 해바라기도 이때 그렸다. 자연이 아니라 화병에 꽂힌 도시의 해바라기다. 〈한 켤레의 구두〉를 비롯하여 신발 그림도 7점이나 남겼다. 그러니 들일을 나간 농촌 여인의 신발이 아니라 파리의 온갖 거리를 돌아다니던 도시인의 신발일 가능성이 아주 높다. 신발에 묻은 것은 농토의 끈적끈적한 붉은색 진흙이 아니라 대도시 골목의 건조한 먼지일 테고.

비슷한 시기에 그린 〈세 켤레의 구두〉를 봐도 샤피로 주장이 일리가 있다. 비슷한 모양의 구두가 세 켤레다. 바닥이 보이는 구두도 있다. 어디에도 농촌의 진흙이 덕지덕지 묻은 흔적은 없다. 신발을 그린 다른 작품을 봐도 그렇다. 목이 짧거나 없는 모양의 구두도 나온다. 하나같이 농부의 것이라고 보기 어려운 신발이다.

게다가 샤피로는 당시 네덜란드 농부들은 너무 가난해서 가죽 구두를 신을 형편이 아니었다는 점도 근거로 든다. 이 역시 상당히 타당한 지적이다. 고흐가 누넨에 머무는 동안 그린 작품을 보면 농민은 가죽 구두를 신지 않았다. 하나같이 뭉툭한 나막신이었다. 나무를 파서 발 전부를 감싸도록 만든 신이다. 나막신은 질척거리는 땅에서 신고 다니기 편리했기 때문에 바다보다 땅이 낮아 유독 진흙땅이 많았던 네덜란드 농촌에서는 20세기 초반까지도 나막신을 신고 다녔다. 고흐는 자기가 머물던 농촌의 이 익숙한 모습을 그림에 담았다.

샤피로가 보기에 하이데거는 구두가 고흐의 자아 표현이었다는 사실을 놓쳤다. 샤피로는 예술작품은 작가 자의식의 표현이며, 특히 화가가 일상에서 사용하던 신발·옷·책상·의자 등의 그림은 일종의 자화상이라고 해석했다. 화가는 대상에 자신을 투영하기 때문에, 외부 대상을 그렸지만 본질적으로는 자화상 성격을 지닌다.

예술 작품의 본질은 바로 여기에 있다. 고흐는 자신의 그림에 자신이 살았던 도회적 삶의 사고방식이나 느낌을 담았을 것이다. 샤피로는 하이데거가 예술가의 주관성보다는 작품 속에 은폐될 수 없는 의미를 중심으로 파악한 것이 문제라고 봤다. 예술 작품은 묘사된 사물의 의미보다는 이를 묘사한 작가의 내면 세계를 살피는 데 초점을 맞춰야 한다. 이러한 샤피로의 관점은 작품에 대한 주관적 접근의 중요성을 강조한 것이다.

그런데 이번에는 구두 논쟁에 포스트모더니즘 철학자인 데리다Jacques Derrida, 1930~2004가 뛰어들어 하이데거와 샤피로의 견해 모두를 비판한다. 먼저 하이데거에게는 구두가 촌 아낙네의 신발이라고 단언할 근거가 어디에 있느냐고 묻는다. 샤피로의 말대로 그림에서 근거를 찾을 수 없고, 당시 고흐를 둘러싼 상황을 고려해도 별로 가능성이 없다. 데리다는 샤피로도 동일하게 비판한다. 고흐 자신의 구두라는 결정적 근거는 또 어디에 있느냐는 의문이다. 옆집이나 주변 사람의 신발이 아닌 이유를 찾을 수 없다는 것이다.

데리다는 여기에 그치지 않는다. 굳이 한 '켤레'로 보는 이유는 무엇인지 다시 묻는다. 다른 신발의 짝, 즉 각각 다른 켤레에 속하는 왼 짝과 오른 짝일지 모른다며 샤피로를 추궁한다. 그럴 듯한 면이 있다. 보통 신발은 발 모양 때문에 발 바깥쪽이 튀어나와 있다. 〈한 켤레의 구두〉를 보면 두 개 모두 같은 쪽으로 둥글게 튀어나온 느낌이다. 왼쪽 신발만 두 개일 수 있다. 한쪽이 더 낡은 것으로 봐 같은 짝이 아닐 수도 있다.

〈세 켤레의 구두〉도 데리다의 주장을 뒷받침하는 근거가 될 수 있다. 비슷한 모양의 구두 세 켤레로 보이지만, 단조로운 느낌을 피하기 위해 낡은 정도가 서로 다른 구두를 그렸을지도 모른다. 고흐의 구두라는 샤피로의 주장도 그리 타당해보이지 않는다. 가난한 화가가 같은 종류의 구두를 세 켤레나 갖고 있을 가능성은 높지 않기 때문이다. 또한 캔버스에 담았다고 해서 모두 화가의 신발이라고 한다면, 이 즈음 작업한 7점의 구두 그림에 등장하는 모든 구두가 고흐의 것이 돼야 한다. 적어도 예닐곱 켤레 전부가 고흐의 것이라 할 수는 없는 노릇이다. 그림 작업을 위해 이웃의 신발을 그렸을 가능성도 있다. 논리적으로 데리다 말에 설득력이 있다.

데리다의 비판이 단지 정확한 사실 파악만을 목표로 한 것은 아닐 것이다. 그의 비판에 들어 있는 철학적, 미학적 메시지를 찾아내는 일이 중요하다. 그의 비판에는 포스트모더니즘 문제의식이 포함되어 있다. 데리다는 하이데거와 샤피로 모두 구두에 대해 하나의 해석만이 있다고 전제한 것은 오류라고 지적한다.

데리다에 의하면 구두 그림을 다양하게 해석할 수 있는 것처럼 하나의 작품에 오로지 하나의 최종적 의미만 있다는 믿음, 또는 진리를 독점할 수 있다는 태도 자체가 오류다. 예술 작품에 하나의 해석은 없다. 현실에서는 대상과 주체가 모두 불확실하다. 데리다는 예술 작품은 '해석학적 대상'이 아니라 '개념화될 수 없는 것의 보존'이라며 특유의 해체론적 시각을 펼친다.

구두를 매개로 얘기했지만 데리다가 보기에 현상이나 사물에 대한 인식과 이론도 마찬가지다. 그의 해체 철학은 주체와 인식의 확실성을 인정하지 않는다. 인간의 인식 능력에 대한 맹신이 문제라고 본다. 사물이나 현상이 대상으로서 명확하다고 전제하고 단일하게 규명할 수 있다는 사고방식을 벗어나야 한다. 완결적인 논의와 체계를 인정하지 않는다. 그러한 의미에서 해체 논리다. 그냥 그것이 거기에 있을 뿐이고, 우리는 그것을 본다. 그나마 부분만 본다.

그림 감상 때는 오만해도 좋다

고흐 〈누넨의 농가〉 1885년

그러면 하이데거는 아무런 근거도 없이 허무맹랑한 감상을 늘어놓은 것일까? 이미 도시인이 된 고흐에게 농촌 정서를 무모하게 들이댔을까? 고흐는 분명히 1886년에 파리로 갔지만 항상 환경과 내면의 변화가 동시에 일어나는 것은 아니다. 1884년에서 1885년까지 2년 동안 농촌에서의 삶과 작업은 그리 쉽게 지워지지 않는 경험이었기 때문이다.

고흐는 화가로 사는 동안 2년 이상을 한 곳에 머물며 안정적으로 작업한 경우가 드물다. 그러나 고흐는 농촌생활에서 스스로 마음의 안정을 느꼈고 꽤 만족스러워했다. 작업에도 열정적이었다. 시골 마을 곳곳을 다니며 농촌과 농부의 모습을 그렸다. 땅을 갈고 씨를 뿌리는 농부들, 가축을 키우거나 가사 일을 하는 농촌 여인들을 주로 그렸다.

〈누넨의 농가〉는 고흐가 농촌생활을 하면서 매일 접하던 마을의 익숙한 모습을 그린 그림이다. 한눈에 봐도 시골의 허름한 농가다. 마당에는 염소에게 다가서는 아낙이 있고, 왼편 구석에는 몇 마리의 닭이 열심히 먹이를 찾는다. 어디 한 군데 꾸민 흔적이 없는 작은 초가여서 가난한 살림살이가 그대로 느껴진다. 집은 생활에 필수적인 공간만 있고, 그나마 집안 곳곳에 온갖 농기구들이 놓여 있을 듯하다. 집 앞의 작은 마당도 평소 다듬을 여유가 별로 없는지 여기저기 잡초가 듬성듬성 자라나고 있다. 시골 아낙이 집안일을 하다 염소에게 풀을 먹이러 데리고 나가는 순간으로 보인다.

어느 날 여행을 왔다가 담은 신기한 광경이 아니다. 고흐의 마음에 스며든 익숙함이 느껴진다. 당시 동생 테오에게 보낸 편지에 이런 내용이 있다. "농촌을 그리려면 농부처럼 밭에 나가서, 여름에는 땡볕에서, 겨울에는 눈과 서리를 견디면서 (…) 농부와 똑같이 살아야 한다는 거야. (…) 겨울에 당근을 캐던 아낙을 보았는데, 그녀를 요 며칠 열심히 쫓아다녔어."

고흐는 꽤 오랜 기간 농촌에서 밭일을 하는 아낙을 관찰했다. 그들의 삶이나 고단한 일상, 수확의 기쁨, 출산의 조바심, 출산 이후 육아의 어려움 등을 봐왔다. 농촌과 농부의 모습을 제대로 그리기 위해 농부의 삶을 집중해서 봐야 했다. 심지어 자기 스스로 농부가 된 것처럼 일상을 같이했다. "여기서 작업할수록 농촌 생활에 빠져. (…) 농민이나 노동자만큼 그리기 어려운 대상도 없어! 땅을 갈고, 씨를 뿌리고, 요리와 바느질하는 농촌 아낙을 그리는 법을 배울 수 있는 학교는 단 한 군데도 없어."

방법은 오직 하나 스스로 그들과 함께 지내면서 묘사하는 수밖에 없다. 자신의 작업과 농촌의 삶을 밀착시켰던 고흐였다. 그런데 파리로 와서 단 몇 개월 만에 도시적인 정서로 뒤바뀌었다고 봐야 할까? 몸은 도시에 있지만 상당 기간 농촌의 관성이 더 지배적인 상태로 유지됐을 가능성은 얼마든지 있다.

화가가 일상에서 접하는 도구를 캔버스에 묘사하는 일도 마찬가지다. 도시에서 쓰는 도구를 보며 그리면 늘 도시적인 내면과의 연관성만 나타날까? 비록 눈으로는 당장 주변에서 구할 수 있는 구두를 보지만, 마음으로는 얼마 전까지 매일 접했던 농촌의 나막신을 떠올리며 그림 작업을 할 수 있는 일이다. 그러므로 도시에 거주할 때의 작품이라는 점, 파리의 거리를 걸을 때 신던 구두라는 점만으로 농촌과의 연관성을 제거해야 옳은 해석이라고 단정할 이유도 없다. 하이데거의 해석을 터무니없는 수다로만 치부할 필요는 없는 것이다.

순수하게 실증적 · 논리적인 측면으로만 보자면 데리다의 논의가 상대적으로 더 설득력이 있기는 하다. 분명 농촌 아낙의 신발일 가능성은 희박하고, 고흐의 신발이라거나 한 쌍이라고 말할 근거도 엄밀하지는 않다. 그렇다고 고흐의 구두가 아니라고 확신할 근거도 없다. 노동자의 구두일 수도 있다. 부목사 시절 탄광에서 파업이 일어났을 때 노동자 편에 서서 싸웠다는 이유로 자격을 잃기도 했던 고흐를 염두에 두면 노동자에 대한 관심의 표현일 수도 있다. 혹은 그저 이웃의 구두일지도 모른다.

지인에게 보낸 편지에도 이와 관련된 내용은 없다. 당시 고흐와 작업이나 생활을 함께한 사람이 아니고서야 구두의 주인이 누구인지, 같은 신발의 쌍인지 아닌지 알 수 없다. 차라리 불확실함을 그대로 인정하고, 그런 한계 안에서 감상과 해석을 권하는 데리다가 적어도 논리적으로는 더 정확할 수 있다.

하지만 그렇기 때문에 예술 작품은 '해석학적 대상'이 될 수 없다는 데리다의 생각에는 동의하기 어렵다. 아니 동의하고 싶지 않다. 만약 데리다의 생각대로라면, 의도했든 안 했든 예술 작품에 대해 우리가 할 수 있는 일이라곤 단편적이고 건조한 응시뿐이다. 우리가 얻을 것이라고는 누구의 것인지 모를 구두가 저기 있구나, 낡아서 색이 바래고 더러운 검정색 구두구나 등의 정보 흡수밖에 없다. 데리다의 주장에 따르면 작품에 대한 나름의 일관되고 체계적인 해석은 무의미할 뿐만 아니라 오만이 된다. 그렇게 되면 그의 의도와는 반대로, 미술 작품은 '재현'이라는 앙상한 뼈다귀로만 남을 위험성도 있다.

나는 차라리 '오만'하고 싶다. '자기만족'에 빠지는 편이 나을 수 있다. 적어도 예술 작품을 대할 때는 말이다. 어차피 작품이란 작가의 손을 떠나는 순간 더 이상 작가 자신의 독점물이 아니다. 또한 작가가 속했던 시간과 공간의 구체적 '사실' 영역과 엄밀하게 일치시켜야만 감상의 자격이 주어지는 것도 아니다. 예술은 감상하는 사람의 입장과 처지에 따라 일정한 변신이 허용된다. 그러한 의미에서 예술은 사람의 상상력을 자극하고, 사람들은 그 상상력으로 예술 작품을 해석한다. 작품이 표현하는 바와 감상하는 사람의 상상력이 만날 때 비로소 화석으로서의 예술이 아니라 살아 숨 쉬는 생생한 예술이 될 수 있지 않을까?

작품을 감상하면서 시대적 조건이나 작가의 삶을 무시할 수는 없다. 또한 작품이 다루는 대상에 대한 이해도 간과할 수 없다. 하지만 그렇다고 해서 실증적 이해만으로 제한하는 것은 곤란하다. 실증의 울타리를 벗어나지 못한다면 고지식한 율법학자와 다름없게 된다. 반대로 사실 규명의 어려움을 이유로 작품 해석의 가능성에 고개를 가로젓는 것도 예술을 하나의 우연적 현상 또는 일종의 해프닝으로 만들어버리는 우를 범한다.

고흐는 자화상을 많이 그린 화가로 유명하지만 자신이 거주하는 작업실의 풍경이나 일상용품도 자주 그렸다. 모델을 구할 돈이 없는 가난한 화가, 평생 그림이라고는 한 점밖에 팔아본 적이 없는 고흐로서는 자신과 주변 사물 묘사에 의존해야 하는 형편이었다. 그 물건의 주인이 누구이든 고흐의 '대지'를 보고, 그 시대를 살던 가난한 군상의 모습을 떠올릴 수 있다. 혹은 고흐의 내면을 반영하는 자화상을 연상할 수도 있다.

그러한 점에서 예술 작품에 관한 한 하이데거나 샤피로의 접근방식이 개인적으로는 더 끌린다. 하이데거와 샤피로가 첨예한 논쟁을 벌였지만, 본질적으로는 상당한 공통점도 있다. 모두 구두라는 대상을 놓고 눈에 보이는 것을 넘어서 보이지 않는 무엇인가를 찾으려 한다. 구두라는 물질로부터 그 너머에 있는 인간의 삶이나 정신을 끄집어내려는 노력이다.

사실관계에 대한 논란을 뒤로 한다면, 두 사람의 발상을 모두 수용하는 방향도 가능하다. 고흐가 접한 가난한 사람들의 고단한 삶을 구두에 표현했을 수도 있고, 그림에서 그것을 볼 수 있는 한, 구두 그림은 고흐의 자화상이기도 하다. 어느 하나만 정답이라고 생각할 필요는 없다. 그림의 감상 포인트와 해석 방식은 보는 사람마다 다르다.

보이는 것에서 보이지 않는 것으로 감상과 인식의 지평을 확장한다는 점에서 풍부한 예술 작품 감상의 기회를 열어준다. 나아가 세 사람의 견해만으로 감상의 통로가 제한되지도 않는다. 열 가지, 스무 가지로 넓어진다. 감상자 스스로 어떤 방식으로 접근하고 이끌어낼지 창조적 시도를 하면 될 일이다. 그것으로 족하지 않은가? 예술 작품에 대한 서로 다른 해석이 흠이나 한계로 논의될 까닭은 없다.

클림트 〈음악〉
니체 《비극의 탄생》

그림으로 음악을 그리다

클림트 〈음악 I〉 1895년

오스트리아 화가 구스타프 클림트Gustav Klimt, 1862~1918는 우리나라 사람들에게 꽤 익숙하다. 한국에서 열린 대형 전시회에 많은 관람객이 찾았다. 이름이 낯설게 느껴지는 경우라도 그의 대표작 〈키스〉는 금방 떠오른다. 에로티시즘을 표현한 작품으로 첫 손에 꼽힌다. 특별히 미술과 관련된 공간이 아니어도 수시로 접할 수 있는 그림이다. 도시인들이 일상적으로 찾는 카페의 벽면을 장식하는 단골 그림이다. 화려한 색채 감각에 장식적인 느낌까지 풍부해서 대중적인 인기를 누린다.

그의 주요 그림들은 황금빛이 찬란하게 빛나면서 몽환적인 분위기를 풍기기에 발길을 멈추게 하는 매력이 있다. 하지만 단순히 장식적인 아름다움이나 에로틱한 장면으로만 기억한다면 클림트의 진면목과 만날 기회를 잃게 된다. 적지 않은 그의 작품은 예술과 문명의 발전에 대한 고민, 나아가 당시 인류가 맞닥뜨린 현실과 시대정신을 담고 있다. 〈음악 I〉도 그러한 진지한 작품 중의 하나다.

분위기만 보면 〈키스〉를 비롯한 주요 작품과 비슷하다. 황금을 연상케 하는 노란 계열의 색이 가득하다. 배경도 추상적인 처리를 통해 꿈속을 걷는 듯한 몽롱한 느낌을 준다. 곳곳에 사물과 상징을 문양처럼 꾸며서 아름다운 장식의 멋을 내고 있다. 전면을 가득 채우고 있는 인물이 들고 있는 악기는 물론이고 심지어 여인도 장식의 일부처럼 보인다.

일단 머리에 화관을 쓴 여인이 하프의 일종인 리라를 연주하고 있어서 제목과 어렵지 않게 연결된다. 고개를 숙이고 눈을 감은 채로 연주에 몰입하고 있다. 리라의 줄을 튕기는 섬세한 손가락에서 감미로운 선율이 전달된다. 무언지 모를 배경에 꽃처럼 피어난 흰 점들도 오선지 위의 음표인 양 음악의 세계로 우리를 이끈다.

그런데 수수께끼처럼 고개를 갸웃거리게 하는 몇몇 이미지가 보인다. 양쪽 끄트머리에 괴물을 떠올리게 하는 형상이 있다. 여인의 등 뒤로 단단히 화가 난 듯한 표정의 두상이 그려져 있다. 앞으로는 긴 머리카락의 여인 얼굴에 동물의 몸을 한, 큰 항아리가 놓여 있다. 다분히 고대 그리스의 분위기를 풍긴다. 험악한 표정의 두상은 그리스 비극에서 사용하는 가면을 연상시킨다. 오른편은 그리스에서 와인을 담아두던 큰 항아리가 떠오른다. 뒤편으로 가지에 매달려 있는 검은색 열매도 무엇인지 분명하지 않다.

각각 특정한 모양을 하고 있는 점으로 볼 때 화가가 단순히 장식의 일부로 그렸다고 보기 어렵다. 수수께끼와 같은 이미지를 가진 장치를 둔 것은 감상자들에게 어떤 메시지를 전달하려는 의도로 이해하는 게 자연스럽다. 음악을 회화적으로 표현했을 뿐이라고 막연하게 생각하며 지나치기에는 이러한 장치들이 풍기는 분위기가 심상치 않다. 당연히 음악이라는 주제와 연관된 메시지일 것이다. 리라를 비롯하여 그 시대의 분위기가 다분한 여러 상징을 고려한다면 고대 그리스의 문화나 당시 그리스인들이 지녔던 생각과 연결시키면서 그의 문제의식을 읽어낼 필요가 있다.

먼저 리라는 그리스 신화의 주요 신 가운데 하나인 아폴론의 악기다. 서양회화에서는 음악의 신이라는 표시로 리라를 든 모습으로 등장하는 경우가 많다. 리라는 빛의 신이기도 한 아폴론의 성격과 긴밀하게 연결된다. 리라와 빛 모두 인간의 냉철한 이성을 상징한다. 아폴론은 인간이 지닌 이성의 힘을 담당한다.

음악과 이성이 무슨 관계인가, 의아하게 생각하는 사람이 많을 듯하다. 통념적으로 음악이라고 하면 감성과 관계를 맺는 영역으로 여기니 말이다. 하지만 이는 고대 그리스인의 상식이나 역사적인 이해와는 거리가 멀다. 악보 위에 그려진 음계는 수학적 질서를 반영한다. 정교한 수의 세계는 이성이 실현한 핵심적인 성과다.

그리스철학의 중요한 한 부분이자 "만물은 다 수數이다."라고 규정한 피타고라스학파는 세계 이해를 수의 인식에서 찾았다. 만물은 서로 수를 통해 비율적으로 관계한다. 수의 관계, 즉 비례와 조화의 개념을 바탕으로 세계를 설명했다. 그리고 음계는 정교한 수학적 질서를 구체적으로 드러낸 결과물이라고 생각했다.

피타고라스학파는 "음악은 만물의 조화를 표현한다."고 믿었다. 리라는 공명 상자에 두 개의 지주를 세우고 줄을 걸어 연주하는 현악기다. 여러 개의 현으로 다양한 음계를 구사하는데, 피타고라스의 음계론은 이 악기를 중심으로 만들어졌다. 그들이 보기에 음계를 통해 구현되는 음악의 조화는 수의 조화와 정확히 일치한다. 음악이 신의 질서를 표현한다. 수학적 규칙에 의해 만들어진 협화음은 곧 우주의 조화이기도 했다.

아폴론이 빛의 신이라는 점도 이성의 역할을 반영한다. 아무리 짙은 어둠이 있더라도 한 줄기 빛이 비추는 순간 사물의 정체가 분명하게 드러난다. 무지와 억지로 인해 정신이 혼란 속에 있다가도 이성이 제 역할을 하면 사리분별이 생겨나는 것과 비슷한 맥락이다. 결국 그림은 빛의 신이자 음악의 신인 아폴론의 리라를 통해 음악이 이성과 맺는 적극적인 관계를 보여준다.

충돌하는 것들의 공존

클림트 〈음악 II〉 1898년

이번에는 무엇을 묘사한 것인지 한 눈에 들어오지 않는 상징들을 살필 차례다. 추상적이거나 모호하게 그려서 사람들에게 보다 뚜렷한 메시지 전달에 실패한 점에 대해 화가 자신도 아쉬움이 있었던 듯하다. 클림트는 3년 후에 후속 작품으로 〈음악 II〉를 제작했다. 전체적인 구도나 장치들은 그대로 유지하면서도 세부 묘사에서 보다 분명하게 자신의 의도가 드러나도록 했다.

하지만 이 그림은 불행한 일을 겪었다. 제2차 세계대전 와중에 독일의 나치 군대가 오스트리아에서 퇴각하면서 클림트 그림 10여 점을 불태워버렸다. 〈음악 II〉도 이때 세상에서 사라져버렸기 때문에 이제는 원래의 그림을 접할 방법은 없다. 그나마 불행 중 다행으로 위에 실어놓았듯이 당시 찍어놓은 흑백사진에 다른 사람이 색을 입힌 복원 그림을 통해서나마 접할 수 있게 됐다.

안전하게 잘 보존되어 있는 〈음악 I〉의 색채를 염두에 두면서 보면 머릿속으로 어느 정도는 분위기를 짐작하는 게 가능하다. 또한 두 그림이 어떻게 기본적인 문제의식을 공유하고 있는지, 어떤 점에서 서로 다른 묘사를 통해 메시지를 보다 선명하게 전달하는지를 알게 해준다. 차이에 주목하면서 〈음악 II〉를 살펴보자.

먼저 뒤에 매달린 거무스름한 것이 무엇인지가 뚜렷해졌다. 작은 알갱이가 주렁주렁 달린 포도다. 또한 뒤편에 뿌옇게 추상적으로 묘사된 무늬도 단순한 장식이 아니다. 이파리와 줄기의 모양을 볼 때 포도나무 넝쿨이다. 그림에 그리스를 연상케 하는 상징적 비유가 가득하다. 클림트는 그리스 문화를 매개로 자신의 의도를 표현하고 있는 것이다.

배경 전체를 차지하는 포도에 화가가 특별한 의미를 두고 있음이 분명하다. 그리스 신화에서 리라가 아폴론을 상징한다면 포도는 디오니소스의 분신이나 다름없다. 디오니소스는 여러 지역을 방랑하며 고난의 세월을 보내던 중에 포도 재배법과 과즙 짜내는 법, 포도주 만드는 법을 발견한 신이다. 우리에게는 로마식 이름인 바쿠스로 더 익숙하다. 서양화에서는 머리에 포도넝쿨을 쓴 모습으로 자주 등장한다. 술이 그러하듯 디오니소스는 육체적 욕망과 황홀경을 추구한다. 이성을 대표하는 아폴론과 대조적이다.

직접 연주하지는 않지만 그와 인연이 깊은 악기도 있다. 디오니소스 축제에서는 작은 북, 탬버린과 유사한 팀파논, 놋쇠로 만든 심벌즈인 킴발라 등의 타악기가 주로 사용된다. 아폴론의 리라는 현악기이기 때문에 복잡한 음계를 연주하며, 수학적 비례에 의해 만들어진 음의 조화로서 화음을 중시한다. 하지만 타악기는 집단적으로 두드리면서 무아지경 속에 춤을 출 때처럼 황홀경에 어울리는 악기다.

왼쪽과 오른쪽의 기괴한 형상도 조금 더 뚜렷하게 담아낸다. 그리스 비극 공연에서 배우들이 쓰던 가면도 디오니소스와 연결된다. 비극은 그리스인들에게 가장 인기가 있던 디오니소스 축제를 대표하는 연극이었다. 가면극 형식이었는데 다양한 연령과 신분, 표정을 가진 수십 개의 가면이 사용되었다. 가면은 곧 인간의 풍부한 감정을 표현하는 통로였다. 특히 비극이기 때문에 공포 · 노여움 · 증오 · 절망과 같은 격렬한 감정을 풍부하게 담아냈다. 이성이 가지고 있는 냉철함이나 조화와 달리, 비극에서의 감정은 충동적이고 폭발적인 특성을 지녔다.

반은 인간이고 반은 동물 모습을 한 형상도 그리스 항아리 모양을 걷어내고 자기 모습을 보다 온전하게 보여준다. 여성 얼굴이고 가슴도 봉긋하게 나와 있다. 사자와 같은 맹수의 몸과 다리를 갖고 있다. 위로는 둥글게 날개도 있다. 그리스 신화에 등장하는 스핑크스의 모습이다. 인간과 동물이 합체된 신화 속 존재다.

스핑크스가 등장하는 그리스신화의 가장 유명한 장면은 오이디푸스 이야기다. 아버지를 죽이고 어머니와 결혼할 운명을 갖고 태어난 오이디푸스가 테베로 향하는 길에서 스핑크스를 만난다. 스핑크스는 길을 지나가는 사람에게 어려운 수수께끼를 내고 답을 못 맞추면 죽였다. 이로 인해 테베 사람들이 공포에 떨었다. 오이디푸스에게 내준 수수께끼는 오전에는 네 발로 걷고, 낮에는 두 발로 걷고, 저녁에는 세 발로 걷는 존재가 뭐냐는 것이었다. 오이디푸스가 맞힌 답은 인간이었다. 아기 때는 기어 다니고, 자라서 두 발로 걷고, 노인이 되면 지팡이를 짚으니 말이다.

클림트는 이 그림에 왜 스핑크스를 넣었을까? 언뜻 생각하기에 음악과 연관성이 없어보여서 생뚱맞은 느낌이 들 수 있는데 말이다. 반인반수의 스핑크스를 통해 인간과 동물 요소의 결합을 상징적으로 보여주는 게 아닌가 싶다. 또한 아버지를 살해하고, 어머니와 결혼하는 오이디푸스의 운명은 세상의 질서에 대비되는 무질서를 상징한다.

그림에 사용된 여러 상징적 비유는 아폴론과 디오니소스의 공존으로 집약된다. 가장 대조적인 성격을 가진 두 요소의 대비와 결합이다. 이성과 감성, 차가운 정신과 뜨거운 욕망, 인간적인 특징과 동물적인 특징, 조화와 부조화, 질서와 무질서, 절제와 황홀 등 현상적으로 서로 충돌하는 것처럼 보이는 요소들이 하나의 캔버스 위에서 공존한다.

제목이 '음악'이라는 점을 고려하면 이제 클림트가 이 안에 어떤 문제의식을 담으려 했는지 가늠이 된다. 역사적으로 중세와 근대에 이르기까지 유럽인들은 음계를 중심으로 한 음악을 이성의 영역이라고 여겼고, 어려서부터 그 질서 안의 세계에 적응해왔다. 클림트의 그림에는 이에 대한 비판적 사고가 묻어있다고 봐야 한다.

음악은 이성적 요소로만 생겨나지 않았고, 이성에만 의존할 때 발전할 수도 없다. 환희와 정열을 담은 욕망이 함께 섞여 들어가야 진정한 음악이고 예술이라는 점을 보여주는 게 아닐까? 예술과 문명만이 아니라, 인간 스스로도 두 요소가 결합될 때 온전해진다. 그러한 점에서 스핑크스는 괴물이 아니다. 정신으로서의 머리와 동물로서의 육체가 하나로 어우러진 스핑크스일 때 제대로 인간이 된다는 생각을 담은 듯하다.

클림트는 당시 오스트리아를 대표하는 음악가 구스타프 말러와 친분이 있었다. 음악과 미술이 어우러진 이벤트를 함께 만들기도 했다. 말러는 으뜸음을 중심으로 화성에 따른 질서를 구축하는 조성음악 일변도의 전통을 넘어서려 했다. 이성적 규칙과 질서에 갇히지 않기 위해 조성과 무조성의 경계를 넘나들었다. 불협화음에도 열린 생각을 가져서, 망치를 타악기로 사용하는 파격적인 실험도 했다. 또한 분출하는 풍부한 감정을 담은 후기 낭만주의 음악을 정점으로 올려놓았다. 클림트는 말러와 교류하면서 음악에 대한 문제의식에 공감하고, 〈음악〉은 이를 회화적으로 표현한 게 아닌가싶다.

니체

디오니소스의 죽음과 예술의 후퇴

클림트 〈음악 II〉 복원도

불에 타버려 흑백사진으로만 남아 있는 〈음악 II〉의 아쉬움을 위의 복원도를 통해 조금은 달랠 수 있다. 〈음악 I〉과 가장 뚜렷하게 다른 이미지가 리라를 연주하는 여인이다. 앞에서는 고개를 숙이고 있어서 표정이 보이지 않았다. 하지만 여기에서는 우리를 정면으로 응시한다. 음악에 심취한 느낌보다는 도발적 시선에 가깝다. 마치 그림을 보는 감상자들을 강렬하게 유혹하는 분위기다.

보다 정확하게 표현하자면 날카로운 표범의 눈빛이 느껴진다. 금방이라도 다가설 듯 움츠린 자세, 입고 있는 줄무늬 옷이나 피부에서도 맹수의 기세를 만난다. 이 역시 디오니소스를 연상하도록 유도한다. 서양화에서 디오니소스를 상징하는 동물이 표범이다. 도발적으로 유혹하는 시선, 표범의 충동적인 눈빛 역시 조화와 질서의 세계와 거리를 둔다.

클림트가 음악이라는 주제를 던져놓고 이토록 온갖 상징적 비유를 통해 집요하게 디오니소스를 떠올리게 하는 이유가 무엇일까? 곳곳에 상징을 통해 숨겨두었다는 것은 역설적으로 상반된 현실을 직시하게 하려는 의도가 아닐까? 그만큼 현실에서 디오니소스적인 요소가 음악과 무관하게 치부되고, 음악에 해로운 요소로 인식되어 있기 때문이 아닐까?

음악과 예술에 대한 클림트의 문제의식과 상당한 친근성을 가진 철학자가 있다. 당시 유럽에서 중요한 철학적 영향을 미치던 독일 철학자 프리드리히 니체Friedrich Wilhelm Nietzsche, 1844~1900다. 어쩌면 니체의 발상을 그림에 녹여내 담았을 수도 있다. 니체는 《비극의 탄생》에서 다음과 같이 그 시대의 예술을 진단한다.

> 예술의 발전은 아폴론적인 것과 디오니소스적인 것의 이중성에 결부되어 있다. (…) 전율에 황홀을 덧붙일 경우에 우리는 디오니소스적인 것의 본질을 엿본다. (…) 디오니소스적인 것의 마력 아래에서는 인간

과 인간의 결합 회복만이 아니라, 소외되고 적대시되어 왔던 자연도 잃어버린 탕아인 인간과 다시 화해의 축제를 벌이게 된다. (…) 인간은 자신을 신으로 느끼며, 자신이 신처럼 황홀해지고 고양된다. (…) 비극의 쾌감은 불협화음의 쾌감과 같다. 고통에서조차 느껴지는 근원적 쾌감이 음악과 비극적 신화의 공통 모태다.

니체에 의하면 예술의 발전은 아폴론적인 것과 디오니소스적인 것의 이중성에 결부된다. 다시 말해 이 두 가지가 결합될 때 예술은 발전한다. 반대로 이 두 요소가 분리될 때 예술은 타락하고 후퇴한다. 유럽의 예술이 후퇴한 이유가 여기에 있다. 분리는 디오니소스를 죽이는 방식으로 나타났다.

디오니소스는 중세에서 근대까지 신으로서 존경받기보다는 무시와 냉대는 물론이고, 적개심과 배척의 대상으로 취급받았다. 하지만 이는 보통 사람들의 자발적 판단에 따른 것은 아니었다. 그리스 민주정이나 로마 공화정 시기가 예외였을 뿐, 이후 모든 시대의 지배세력은 디오니소스를 신이 아니라 악마로 여기도록 강제했다. 사람들에게 미치는 그의 영향을 증오하고 부정하려는 권력자들에 의해 수많은 사람들이 박해를 받았다.

소크라테스적인 이성만 남겨놓고 욕망과 감정을 죽였다. 수천 년의 서양철학과 사고방식이 그러했다. 음악에서도 동일한 과정이 반복되었다. 그 결과 이성의 질서 안에 음악이 머물렀다. 이성에 대비되는 충동적이고 돌발적으로 폭발하는 감정은 뭔가 수준이 떨어지는 것으로 취급받았다.

니체는 이 한계가 서양의 예술을 망쳐놓았다고 진단한다. 니체가 보기에 예술과 정신이 새롭게 발전하려면 아폴론적인 요소와 디오니소스적인 요소가 결합하고 균형을 이루어야 한다. 이를 위해서는 무엇보다도 먼저 오랜 기간 서구의 사고방식과 문화에서 죽임을 당한 디오니소스를 살려내야 한다. 몇 겹의 두껍고 단단한 바위로 입구가 막힌 무덤에서 그를 꺼내 부활시켜야 한다. 인간의 감성과 욕망을 살려내고 이성과 공존하게 만들어야 예술과 정신은 비로소 온전한 상태로 나아간다.

보다 구체적으로는 전율과 황홀을 강조한다. 전율은 질서의 세계가 무너지고, 기존의 인식 체계가 무너질 때 오는 상태를 의미한다. 황홀은 자연적인 것에서 오는 감정이다. 니체는 "자연의 가장 깊은 곳에서의 환희가 곧 황홀이다."라고 했다. 인간에게 자연은 육체다. 육체적 황홀이 디오니소스의 본질이다.

이를 통해 인간은 스스로 자신을 신으로 느낀다. 어떻게 보면 발칙한 발상이다. 기독교 사고방식에 대한 비판이기도 하다. 이성에 의해 획일적으로 정해진 규칙과 규범 안에서만 느끼고 생각하며 살아가도록 강제하는 현실에 대한 비판이다. 각자의 내적 욕망을 자유롭게 펼치는 쪽으로 사고의 지평을 확장해야 한다. 스스로 내적 충동에 의해 판단하고 선택하는 주체로 발돋움한다는 점에서 인간은 신으로 고양된다.

마지막으로 비극의 쾌감은 불협화음의 쾌감과 같다고 한다. 그리스 비극은 꿈틀거리는 인간의 감정과 갈등을 직접 표현한다. 비극이 가진 감정의 분출은 거칠고, 때로는 고통이 따르기도 한다. 음악에서는 조화로운 화음의 질서를 넘어선 불협화음이 같은 역할을 한다. 생경하고 귀를 찢을 듯 투박한 경우도 있다. 고통 비슷한 불균형을 가진 불협화음이 오히려 비극의 쾌감과 맞닿아 있다. 불협화음과 비극이 주는 쾌감은 디오니소스적인 요소와 결합될 때 실현된다.

니체의 말을 염두에 두면서 클림트의 그림을 보면 상당한 연관성이 느껴진다. 인간과 동물, 정신과 육체가 결합된 스핑크스는 아폴론과 디오니소스의 결합을 상징한다. 리라가 상징하는 아폴론과 포도넝쿨이 상징하는 디오니소스의 결합이다. 그 안에서 음악의 예술적 성취, 인간의 온전한 삶, 인류의 밝은 미래에 대한 니체와 클림트의 문제의식을 발견할 수 있다.

클림트의 그림 가운데 〈음악〉만 그러한 게 아니다. 사실 〈키스〉도 단순한 에로티시즘은 아니다. 그의 에로틱한 그림들은 오랜 기간 굳어진 도덕적 질서에 대한 도전장이다. 아폴론적 질서와 도덕률에 대한 디오니소스적 반발과 도전으로 이해하면 보다 깊은 접근이 가능하다. 언뜻 그냥 음악의 회화적인 구현, 장식적인 분위기를 살려 예쁘게 그린 것만 같은 그림 속에서 시대와 예술을 읽는 작가의 눈을 본다. 나아가 인류의 역사와 정신, 문화의 발현 과정을 정면으로 응시했던 클림트의 메시지를 발견한다.

직관이 그린 집에 '거짓의 방'은 없다

마네 〈튈르리 공원 음악회〉
쇼펜하우어 《의지와 표상으로서의 세계》

인상주의 미술의 출발을 알린 그림

마네 〈튈르리 공원 음악회〉 1862년

한국인이 가장 좋아하는 미술 사조는 단연 인상주의다. 서양 미술가 가운데 떠오르는 화가의 최소한 반 이상이 인상주의 계열이다. 아무리 미술에 관심이 별로 없는 사람이어도 대략 대여섯 명 정도의 이름을 술술 퀜다. 마네, 모네, 르누아르, 드가, 세잔 등이 대표작 몇 점과 함께 머리에 떠오를 것이다. 학창 시절에 많이 접해서 친근감과 호감을 주기 때문이다.

오랜 기간 인상주의 미술의 상징처럼 통하는 작품이 모네의 〈인상, 해돋이〉다. 강 위로 해가 뜨는 장면을 어렴풋하게 그린 작품 말이다. 방금 하늘로 고개를 내민 해가 강물을 붉게 물들이고, 강변의 건물들이 점차 모습을 드러내는 장면을 스케치하듯 그렸다. 이 그림 제목에서 인상주의라는 말이 생겼다. 당시에는 경멸적인 표현이었다. 제대로 된 그림이 아니라 단지 인상만 담은 밑그림에 불과하다는 야유였다.

하지만 모네의 그림 이전부터 인상주의 미술이 추구하는 경향은 있었다. 프랑스 파리를 중심으로 모인 일부 젊은 예술가들 사이에서 기존의 화풍을 넘어서려는 새로운 시도가 꿈틀거렸다. 그들 중에서도 혁신적인 묘사에서 중심 역할을 하던 화가가 에두아르 마네Édouard Manet, 1832~1883다. 마네는 인상주의 미술의 창시자로 통하며, 당대의 화풍에 돌파구를 열고자 갈망하는 미술가들에게 많은 영감을 주었다. 모네를 비롯해 피사로, 드가, 르누아르 등이 자연의 빛을 묘사하려는 마네의 시도에 적극적으로 호응했다.

특히 모네의 〈인상, 해돋이〉보다 10년 전에 그려진 마네의 〈튈르리 공원 음악회〉는 인상주의 시작을 알리는 신호탄이었다. 인상주의 미술의 전형적 특징으로 자리 잡게 될 선구적인 시도가 이 그림에서 많이 나타난다. 일단 전체적인 상황과 분위기를 보자. 공원에 나름대로 격식을 갖춰 옷을 차려입은 사람들이 모여 있다. 음악회를 하기 직전의 상황인 듯 어수선하다. 한낮의 공원이어서 밝은 햇살이 사람들을 환하게 비추고, 시원한 나무 그늘 아래 삼삼오오 모여 이야기꽃을 피우는 중이다.

먼저 이 그림에는 별도의 주인공이 없다는 점이 특징적이다. 음악회에 모인 모든 사람이 주인공이다. 기존의 미술 작품은 대부분 한 명 혹은 소수의 주인공을 통해 특정 주제나 메시지를 표현하고, 전달했다. 하지만 인상주의 미술은 삶의 평범한 순간에 주목한다. 특별하지 않은 일상의 한 단면을 스냅사진 찍듯이 담아낸다. 보통은 가장 중요한 인물을 캔버스 전면에 크게 묘사하기 마련이다. 이 그림에서 왼쪽에 노란색 옷을 입은 두 여인이 두드러지지만 특별히 주인공이라고 보기 어렵다. 여러 명의 청중 가운데 일부다. 오른쪽 아이들이나 중절모를 쓴 남성도 마찬가지다.

다음으로 공원의 나무나 사람을 아주 거칠게 묘사한 점이 눈이 띈다. 나무는 가지든 이파리든 굵은 붓으로 순식간에 그린 기색이 역력하다. 사람은 이에 비해 더 공을 들이긴 했지만 짧은 시간에 묘사한 점은 마찬가지다. 인상주의 이전까지 미술가들은 작업실에 틀어박혀 있었다. 자연의 모습을 담더라도 눈으로 익혀둔 모습을 연상하며 이상적인 모습을 그리는 경우가 많았다. 화구를 들고 밖으로 나가는 경우라 해도 스케치 정도만 하고 실내로 돌아와 여러 날에 걸쳐 정교한 작업을 했다. 하지만 인상주의 미술가들은 직접 야외에 나가 그렸기 때문에 빠른 손놀림이 필요했다. 특정한 시간과 장소에서만 일회적으로 느낄 수 있는 분위기를 살리기 위해서는 빠르게 그려야 했다. 동일한 사물이나 상황이라도 다른 날에는 다른 분위기로 다가오니 말이다.

무엇보다도 자연의 빛이 만들어내는 효과에 주목한 점이 두드러진다. 공원 전체적으로 햇볕이 강렬하게 내리쬔다. 밝게 비추는 부분과 그늘진 부분의 대비가 뚜렷해서 차이를 한 눈에 확인할 수 있다. 과거의 화가들 중에도 빛의 효과에 주목한 경향이 있기는 했다. 예를 들어 바로크 미술가들은 무대 조명처럼 인위적인 빛의 효과에 의존했다. 명암의 극적인 대비를 통해 평면의 캔버스에 입체적인 삼차원의 느낌을 살리는 데 주의를 기울였다. 하지만 인상주의 미술가들은 실내의 인위적인 빛이 아니라 야외에서 작렬하는 자연의 빛에 관심을 둔다.

마네 〈튈르리 공원 음악회〉 부분도

자연의 빛이 만들어낸 효과가 어떻게 회화적으로 구현되는지를 보기 위해서는 〈튈르리 공원 음악회〉의 부분도를 꼼꼼하게 들여다볼 필요가 있다. 전면에 가장 크게 그려진, 노란색 옷을 입은 두 여인을 보면 전통적인 회화와 상당히 다르다. 명암이 상당 부분 무시됐다. 이목구비 정도만 표시해 놓았을 뿐 나머지는 입체감을 드러내는 데 목적을 두었다고 보기 어렵다. 특히 옷을 보면 노란색을 평평하게 채워놓은 느낌이다. 일정하게 명암 처리를 했지만 그렇게 공을 들였다고 보기 어렵다.

이 여인들 뒤 나무 밑에 있는 사람들은 더욱 심하다. 얼굴이 거의 안 보인다. 심하게 말하면 이목구비를 뭉개놓은 것 같다. 그냥 남자와 여자 정도의 구별만 가능하다. 중절모를 쓴 남성 뒤에 여인이 있지만 얼굴로는 구분이 안 간다. 거리가 너무 멀어서 그런 것도 아니다. 오히려 이들보다 더 뒤에 있는, 나무 옆의 남자가 맨 앞의 여인들보다 눈코입이 뚜렷하다. 빛이 상당 부분 차단된 짙은 그늘 아래에서 사람들의 형태는 무너지기 마련이다. 기존 화가들이 집착했던 형태의 완결성보다는 빛이 만들어내는 모습 그대로를 구현하고자 했다.

원래 한낮의 태양이 정면으로 내리쬐는 상황에서는 사물의 형태를 뚜렷하게 분별하기 어렵다. 형태는 빛과 그림자의 대비가 분명할 때 잘 드러난다. 그림 속 여인들의 얼굴이 그러하듯 빛이 정면을 향하면 음양의 경계가 불분명해진다. 관찰자도 눈을 가늘게 뜨고 어렴풋이 보게 된다. 이러한 조건에서 사물의 입체성이 살아나기 어렵다. 특히 햇볕이 강렬하기로 유명한 유럽의 한낮이라면 더욱 그러하다. 현실의 시선에서는 평면적인 느낌이 강화된다. 빛이 상당 부분 차단된 그늘 아래에서도 밝은 공간과의 대비가 지나치게 확연하기에 모든 사물이 희미해 보인다. 나무 그늘 아래 사람들처럼 형태가 무너진 모습으로 다가온다.

동일한 시간과 공간에서도 빛의 조건에 따라 어떻게 다르게 나타나는지를 부분도의 오른쪽에서 더욱 자세히 살펴볼 수 있다. 남성의 얼굴은 일부가 중절모에 가려 그늘이 지고, 측면을 향하고 있기 때문에 형태가 선명하고 명암도 뚜렷하다. 하지만 여과 없이 빛에 노출되어 있는 바지 앞부분에서는 입체감을 거의 찾아볼 수 없다. 특히 이 남성의 앞은 더욱 그러하다. 뭐가 그려져 있는지 잘 알기 어렵다. 유심히 보면 여성이 의자에 앉아 있다. 얼굴에 베일을 썼고, 흰색 치마를 입고 있다. 무심코 지나치면 사람이라고 보기 어렵다. 추상적인 색의 조합으로 보일 만큼 형태가 사라졌다.

여인이 앉아 있는 의자는 훨씬 심하다. 선 몇 개만 달랑 '표시'해 놓은 상태다. 그만큼 빠르게 묘사하면서 형태가 무너졌다. 의자라는 느낌만 전달하는 데 목적을 두고 있다. 형태보다는 빛에 주목하고 순간적이고 직관적인 느낌을 표현하는 데 주력하고 있다. 전통적인 회화의 입체 기법을 완화시키거나 무시하면서, 밝은 빛 아래에서 목격하는 평면 느낌을 최대한 살리려는 의도가 곳곳에 묻어난다.

오른쪽 밑의 양산은 입체감을 의도적으로 무시한다. 양산의 형태와 필요한 색만 보인다. 어디 한 군데 명암을 살리려고 노력한 흔적이 없다. 특히 상식적으로 보면 안쪽을 어둡게 처리해야 할 텐데, 그냥 밝은 색이다. 입체감보다는 형태만을 보여준다. 느낌만 직관적으로 보여주는 데 머문다. 더 이상 파고들지 않는다. 인상주의 미술가들이 추구한, 자연의 빛이 연출하는 다양한 효과를 본격적으로 표현한 최초의 그림이다. 그러한 면에서 역사적인 의미를 갖는 작품이다.

있는 그대로
보이는 그대로

마네 〈발코니〉 1869년

마네가 몇 년 지나서 그린 〈발코니〉는 자연의 빛을 둘러싼 조건의 변화에 따라 사물의 묘사가 어떻게 달라지는지를 더욱 자세히 보여준다. 밖의 발코니에 나와 있는 두 여인에게는 햇볕이 아무 제한 없이 그대로 쏟아진다. 워낙 강한 빛을 정면으로 받아서 입체감이 완전히 사라지고 이목구비 형태만 남는다. 콧날은 사라지고 코 밑의 약간 어두운 부분만 남는다. 흰 드레스를 입고 있는데, 명암을 무시하고 화사한 느낌만 전달한다. 전통적인 미술에서는 본격적인 작업 이전의 밑그림으로 치부될 상태다.

흥미로운 것은 뒤편의 남성이다. 여인들보다 뒤에 있어서 당연히 화가의 시선에서 멀리 떨어져 있다. 그럼에도 불구하고 오히려 앞에 있는 여인들에 비해 얼굴 각 부분의 묘사가 더 구체적이다. 콧날이 훨씬 선명하고, 광대뼈 아래나 입주변의 명암이 살아있다. 여인의 손가락이 희미한 데 비해 남성은 분명하다. 심지어 옷소매의 작은 단추까지 상세하게 보인다. 남성이 서 있는 곳이 발코니 바로 안쪽이어서 건물에 의해 가려져 있다. 빛과 어둠이 일정하게 섞인 상태에서는 오히려 사물의 경계가 더 드러나고 입체감도 더 풍부해진다.

당연히 저 안쪽의 실내는 바깥의 밝은 빛에 대비되어서 어둡다. 그런데 주의를 기울여서 잘 보면 어른거리는 모습이 있다. 한 소년이 손으로 무언가를 들고 지나가는 중이다. 짙은 어둠에서는 사물의 윤곽도 제대로 안 보인다. 유령처럼 어스름한 느낌으로만 남는다. 어차피 짙은 어둠 때문에 잘 보이지도 않는 소년을 화가는 왜 굳이 그렸을까? 안 그려도 되는 소년을 일부러 그렸다고 봐야 한다. 공간의 조건에 따라 맨 앞의 여성과 중간의 남성, 안쪽의 소년에게 빛의 효과가 어떻게 다르게 나타나는지를 보여주기 위해 의도적으로 대비하여 묘사한 듯하다.

당시 파리에서 활동하던 인상주의 화가들의 삶과 작업, 그리고 미술에 대한 문제의식을 가장 생생하게 담고 있는 소설이 있다. 프랑스 작가이자 언론인 에밀 졸라Émile Zola, 1840~1902의 《작품》이다. 그는 같은 시기에 파리에서 작가로 살아가면서 여러 분야의 예술가들과 긴밀한 관계를 맺었다. 특히 마네와 세잔을 비롯하여 인상주의 미술가들과 두터운 교분을 쌓았다.

마네의 〈에밀 졸라〉는 그들 사이의 가까운 관계를 잘 보여준다. 졸라가 책을 펼쳐들고 있고, 책상 위에도 책이 가득하다. 바로 앞에 수북하게 쌓여 있는 서류 뭉치 사이에는 마네에 대한 자료도 놓여 있다. 벽에는 세 개의 그림이 걸려 있는데, 원본이 아닌 사진으로 찍어놓은 것이 섞여 있다. 그 중의 하나는 마네의 대표작 중의 하나인 〈올랭피아〉다. 졸라는 누구보다도 마네의 치열한 고민을 잘 알고 있었다. 졸라는 자신이 만난 예술가들의 생각과 현실을 이 소설에 충실하게 담았다. 소설에 나오는 인상주의 미술가들의 대화 내용이다.

친구가 "이 그림의 제목을 뭐라고 할 건가?"라고 묻자 미술가가 "야외."라고 답한다. "야외란 아무 의미가 없잖아."라며 의아해 하자 미술가가 설명한다. "아무것도 의미할 필요가 없어. 여자들과 한 남자가 햇빛을 받으며 숲 속에서 쉬고 있는 것, 그 외에 또 뭐가 필요해? 보라구. 이걸로 걸작을 만들기에 충분해. (…) 젠장, 아직도 너무 어두워! 내가 아직도 빌어먹을 들라크루아의 시각을 탈피하지 못한 거야. 게다가 이 손을 봐! 이건 쿠르베의 손이잖아……."

그림에서 특정한 추상적인 의미나 역사적인 메시지를 찾을 필요가 없다. 야외에서 대지와 사람을 비추는 햇볕을 묘사하는 것만으로도 예술적 가치는 충분하다. 우려되는 점이 있다면 오직 최상의 빛을 받고 있는 자연을 선택한 것이 아닐지도 모른다는 점이다. 다리가 있는 강의 풍경을 한낮의 빛 아래 그리기는 했지만 확신이 서지 않는다. 아침 빛이 더 낫지 않았을까? 흐린 날을 고르는 것이 더 낫지 않았을까? 망설임이 떠나지 않아 같은 공간을 몇 달 동안 되풀이 찾아가 관찰하기도 한다.

마네 〈에밀 졸라〉 1868년

또한 기존 화가들의 화풍에서 벗어나지 못한 자신의 현실을 자책한다. 꿈틀거리는 감정을 표현하기 위해 극적인 장면을 연출한 낭만주의 회화의 습성이 어른거린다. 들라크루아처럼 화려한 색채 구사에 적극적이었던 화가조차 자연의 빛이 주는 느낌을 살려내기에는 여전히 어둡다. 아직도 자신도 모르게 정확한 형태에 집착하는 모습에 몸서리치기도 한다. 순간적인 인상을 담겠다고 하면서도 여전히 사실주의 화가인 쿠르베의 관성에서 벗어나지 못한 자신에 대한 실망이다.

소설 《작품》에는 기존의 전통적이고 아카데믹한 화풍을 고집하는 경향이 얼마나 우스꽝스러운지 잘 보여주는 사례도 소개된다. 미술학교에서 선생이 다가와 "두 다리의 균형이 틀렸군."이라고 지적한다. 학생이 "직접 보세요. 그렇게 생겼잖아요."라고 반발하자, 선생은 격노하여 "만약 그녀가 그렇게 생겼다면 그건 그녀가 틀린 거야."라고 소리친다. 그 자리에 있던 젊은 화가들 모두가 떼굴떼굴 구르며 웃는다.

학생이 있는 대로 그렸더니 모델이 잘못되었다고 한다. 전통적인 시각에 의하면 회화에 인물의 몸이 이상적인 모습으로 묘사되었을 때 훌륭한 작품이 된다. 만약 실제의 모델이 완벽한 균형을 갖고 있지 않다면 모델이 틀린 게 된다. 모델을 수정해서라도 이상적인 비례와 균형에 맞게 그려야 한다. 젊은 화가들의 웃음은 고루한 사고방식에 대한 비웃음이다. 인상주의 미술가들의 문제의식을 잘 드러내주는 소설 내용이다.

현실을 있는 그대로 그려야 한다. 이상화된 균형과 비례에서 벗어나 사물을 현실로 되돌려놓는 데서 예술이 출발해야 한다. 현실을 '그 자체로 사랑하는 것' 그리고 '고상하게 만들려는 어리석은 생각을 피하는 것, 소위 추함이라는 것도 오직 여러 특성 중의 두드러진 현상임을 이해하는 것'이야말로 진정한 예술을 향한 길이다.

마네가 그린 〈에밀 졸라〉의 벽에 걸려 있는 마네의 유명한 〈올랭피아〉는 소설 속의 이 일화와 연관성이 깊다. 한 여성이 실오라기 하나 걸치지 않은 나체 모습으로 감상자를 응시하는 그림이다. 당시 관객들은 이게 무슨 미술 작품이냐고 비난을 퍼부었다. 그 이유 중의 하나는 전통적인 누드화와 전혀 다른 분위기 때문이었다. 기존에는 균형 잡히고 풍만한 여인의 몸을 입체적으로 묘사했지만, 마네의 그림 속 여인은 빈약한 몸에 꼬고 있는 다리도 균형이 안 맞는다. 아카데믹한 화풍에 물들어 있던 기존 화가나 관객들이 보기에는 미숙한 미술 초보자의 그림에 불과했을 것이다. 에밀 졸라는 이 그림을 매개로 소설 속의 이야기를 만들어냈던 듯하다. 마네의 시각에서는 여인의 몸이 환한 빛을 정면으로 받고 있어서 평면적인 느낌으로 다가왔으니 자신이 받은 인상 그대로를 캔버스에 옮겼던 것이다.

인상주의 미술가들이 입체감의 강박관념에서 벗어나 자유롭게 평면의 세계로 나아가는 데는 〈에밀 졸라〉 그림의 벽에 걸린 또 하나의 그림도 일부 영향을 주었다. 일본 옷을 입고 있는 남성 그림이다. '우키요에'라는 일본 채색 판화다. 17세기에서 20세기 초까지 일본에서 유행한, 사람들의 일상생활이나 풍경, 풍물 등을 묘사한 그림이다. 화려한 색을 지녔지만 판화이기에 평면적인 느낌이 강했고, 당시 유럽에서 꽤 인기를 끌었다. 특히 인상주의 미술가들의 애장품이었다. 평면이지만 훌륭하게 사물의 효과와 분위기를 살리는 이 판화들을 보면서 인상주의 미술가들은 평면에 대한 자유로운 발상을 갖게 되었다.

빛의 효과에 의해 형태가 무너지고 경계가 흐려지는 현상을 회화에 과감하게 구현하는 발상에 영향을 준 그림도 〈에밀 졸라〉의 벽면에 걸려 있다. 뒤편에 가려져 일부 모습만 보이는 그림이 벨라스케스의 〈디오니소스의 승리〉다. 벨라스케스의 작품은 마네를 포함한 많은 인상주의 화가들에게 귀감이 되었다. 이 그림에서 모자나 나무에 가려 그늘이 진 인물들의 얼굴에서 눈코입이 사실상 보이지 않는다. 그저 어두운 색으로 된 면으로 느껴지기 십상이다. 기존 사고방식으로는 어처구니없을 정도로 파격적인 묘사 방법에서 마네는 새로운 표현을 위한 돌파구를 발견했던 듯하다. 〈튈르리 공원 음악회〉에서 짙은 그늘 아래 있는 인물의 얼굴 경계를 뭉갤 수 있었던 것은 그 영향 때문일 것이다.

쇼펜하우어
직관은 예술의 문을 여는 열쇠

인상주의 미술가들의 문제의식과 새로운 시도는 당대의 철학적 · 미학적 발상과 상당히 유사하다. 그들은 당시 유행하던 철학 경향 중의 하나인 생철학에서 적지 않은 영향을 받았던 것 같다. 독일 철학자 쇼펜하우어Arthur Schopenhauer, 1788~1860의 대표작인 《의지와 표상으로서의 세계》에 나오는 다음 내용이 꽤 흥미롭다.

> 순수하게 직관적인 태도를 취하는 한 모든 것은 명백하고 견고하며 확실하다. (…) 순수한 예술 작품처럼 순전히 직관에서 비롯되고 언제까지나 직관에 충실한 것은 결코 거짓일 수 없다. 시간 흐름에 따라 부정되지도 않는다. 의견이 아닌 사물 자체이기 때문이다. 그러나 추상적인 인식과 이성이 생기면, 이론적인 면에서는 의혹과 오류가 나타나고, 실제적인 면에서는 불안과 후회가 나타난다. (…) 환상은 이념 인식을 위한 수단이며, 그 인식을 전달하는 것이 예술이다.

쇼펜하우어의 철학과 미학을 관통하는 핵심을 설명하는 내용이다. 정신이든 예술이든 직관이 본질에 접근하는 가장 중요한 통로다. 직관은 추리 · 연상 · 판단 등의 사유 과정을 거치지 않고, 대상과 직접 관계하며 즉각적으로 얻는 인식이다. 그러한 점에서 여러 단계의 엄밀한 추상과 개념화 과정을 통해 체계적인 인식에 도달하는 이성적 사유와는 구별된다. 객관적인 증거나 논리적인 추론 과정을 거치기보다는, 대상을 경험하며 받은 인상이라는 점에서 굳이 구분하자면 감성 영역에 가깝다.

쇼펜하우어에 의하면 이성적 논증보다 직관에 의한 통찰이 사물의 본질을 정확하게 포착하는 데 적합하다. 치밀해 보이는 이성적 사고에서 오히려 혼란이 생긴다. 경험론이든 합리론이든, 독일 관념론이든 치밀한 이성적 인식을 했고, 이런 태도는 수백 년간 근대 철학을 지배했다. 그런데 이성은 사고를 펼치는 과정에서 기존 이론에 대해 의심하고 또 의심하는 작업을 되풀이한다. 의견과 의견이 충돌하면서 불가피하게 의혹이 자라난다. 이성의 특징인 분석과 종합, 개념화로 나아가면서 과도한 추상화 · 정식화에 따른 오류도 피하기 어렵다.

쇼펜하우어를 비롯한 현대철학은 이에 대한 비판과 극복, 이성을 넘어서려는 시도와 함께 시작됐고, 다양한 모색이 이루어진다. 객관적이고 과학적인 관찰보다 직관을 통한 인식에서 새로운 돌파구를 열고자 했던 것이 생철학이었다. 그가 보기에 이성적 관찰과 분석보다는 순간적으로 얻은 직관이 정신활동에 더 적합하다. 직관은 대상 자체와 직접 관계하고, 복잡한 추상화에 거리를 두기 때문에 사태의 진실에 가까워질 가능성이 커진다. 사물의 본질에 단박에 도달할 수 있는 기회를 제공한다.

예술도 정신활동의 일부인 한 마찬가지다. 예술에서 기존의 미술이 수행한 역할은 여러 측면에서 철학에서 이성이 수행한 역할과 비슷했다. 입체적인 삼차원 공간에 존재하는 현실의 사물을 이차원의 평면 공간인 캔버스에 담아내기 위해 치밀한 계산이 뒤따랐다. 대상의 형태를 정확히 반영하기 위해 기계적 장치가 동원되기도 했다. 그 정도는 아니라 해도 명암과 원근을 자로 잰 듯 계산해서 그리는 작업을 중시했다.

하지만 예술은 단순히 사물의 외적인 형태만 모방하는 활동이 아니다. 현상으로 드러난 형태를 기계적으로 옮기는 작업이라면 예술이라기보다는 기술에 가깝다. 예술은 현상 너머의 본질과 만나는 기회다. 이런 경우 이성에 의한 계산적 접근이 아닌 직관이 더 큰 힘을 발휘한다. 순간적인 직관을 실어내는 것이 진정한 예술이다. 이런 예술관은 인상주의 미술의 많은 부분과 교집합을 형성한다. 순간적으로 파고든 직관적인 인상을 회화적으로 구현한다는 점에서 서로의 문제의식이 상당히 가깝다. 그 시간과 공간이 아니면 마주치기 어려운 일회적 현상을 매개로 직관을 이용해 본질과 만나려는 마네와 인상주의 미술가의 모색은 쇼펜하우어의 생각과 겹친다.

직관에 의해 획득한 예술적 성취가 시간 흐름에 따라 부정되지 않는다는 언급도 의미심장하다. 내 스스로의 경험을 생각하면 쇼펜하우어의 말에 고개가 끄덕여진다. 성장기에 특정한 시간과 공간에서 받은 인상이 어른이 되어서도 강렬하게 유지되고, 나아가 평생 살아 있는 경우가 적지 않다. 시간의 흘러도 인상과 직관이 사라지지 않을 만큼 강렬하다. 이를 예술로 승화시켜 표현한다면 영원성을 가진 작품이 탄생할 수 있다. 또한 환상은 이념 인식을 위한 수단이라고 한다. 환상은 직관적 인식의 연장이다. 쇼펜하우어는 직관에 충실할 수 있는 것이 예술이라는 점에서 예술의 탁월성을 강조한다.

쇼펜하우어의 생각을 염두에 두고 마네의 〈튈르리 공원 음악회〉를 보면 작품에 대한 이해의 폭이 보다 넓어진다. 인물과 풍경, 보다 정확하게는 자연의 빛을 묘사하기 위한 화가의 과감하고 섬세한 시도에 눈길이 간다. 어떤 점이 새로운 시대를 여는 혁신적 시도이고, 대담한 발상의 전환인지 이해가 된다. 많은 젊은 미술가들이 이 그림을 보며 받았을 풍부한 영감을 떠올리게 된다. 나아가 앞으로 현대미술이 과거와 어떻게 달라야 하는지, 어떻게 새 술을 새 부대에 담아야 하는지를 고민하도록 자극한다.

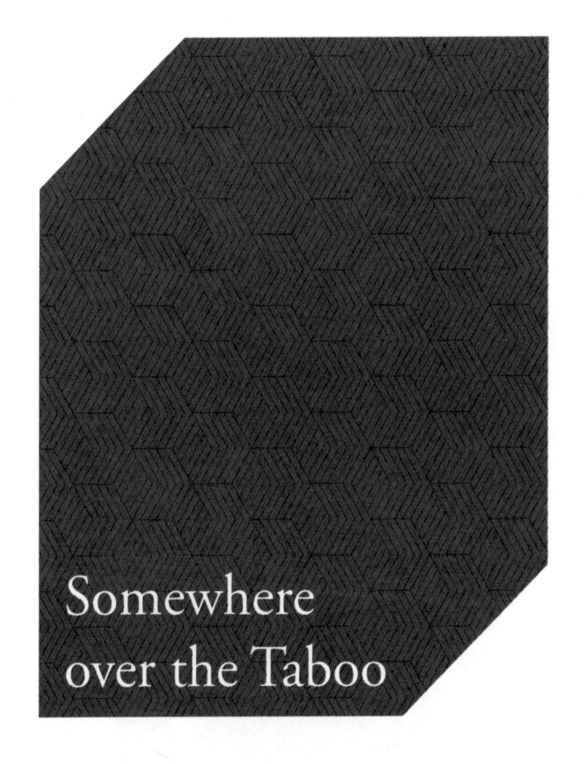

백남준 〈인간 첼로〉
리히터 《다다, 예술과 반예술》

쇼팽 연주와 가위, 넥타이, 샴푸

백남준 〈인간 첼로〉 1965년

백남준白南準, 1932~2006은 세계적으로 널리 알려진 한국 예술가 중 한 명이다. 우리 나라 사람들은 대통령 이름은 몰라도 마네나 피카소 등 주요 경향을 대표하는 화가 이름은 안다. 세계인에게 백남준도 비슷한 위상을 지닌 사람이다. 예술에 어느 정도 관심을 갖고 있는 외국 사람이라면 현대 예술에 뚜렷한 족적을 남긴 인물로 그를 기억한다.

한국인에게 백남준은 '비디오 아트'의 선구자로 통한다. 말 그대로 비디오라는 대중적 매체를 표현 수단으로 활용한 예술이다. 비디오 아트는 비디오, 컴퓨터의 영상과 소리, 여러 개의 모니터 수상기를 통한 구성, 모니터와 다른 사물의 조합 등을 통해 메시지를 전달하는 예술이다. 그는 이 분야를 개척하고 발전시킨 선구자였다.

하지만 그가 예술가로서 세계인에게 강렬한 인상을 남긴 것은 비디오 아트보다 훨씬 앞선 1960년대부터다. 유럽과 미국의 예술가들과 대중에게 새로운 영감을 불어넣은 퍼포먼스, 일종의 행위예술로 두각을 나타냈다. 당시에는 백남준과 같은 행위예술 경향을 플럭서스 아트Fluxus Art라고 했다. 플럭서스는 라틴어로 흐름과 변화를 의미한다. 그만큼 새로운 예술을 뜻하는 아르누보, 혹은 전위예술의 성격을 담고 있다. 미술만이 아니라 음악 · 문학 등 다양한 분야에서 나타난 경향이다. 이 중에서도 가장 파격적으로 발상의 전환을 자극했던 예술가가 백남준이다. 아방가르드 중의 아방가르드였다.

〈인간 첼로〉는 1960년대 대표적인 퍼포먼스 중의 하나다. 여성 첼리스트가 백남준의 몸을 악기로 삼아 연주하는 중이다. 상체를 드러낸 백남준이 두 손으로 첼로 줄을 팽팽하게 당긴다. 앞에서는 수십 명의 관객이 숨을 죽인 채 이 광경을 본다. 몸으로 하는 음악, 액션 뮤직Action Music이다. 여러 예술적 요소들을 이 퍼포먼스 안에서 종합한다. 이 작품은 여러 해에 걸쳐 여러 곳에서 이루어졌다.

행위예술에 참여하고 있는 여성은 아메리칸 심포니의 첼로 수석 연주자이자, 백남준의 예술적 동반자로 유명한 샬롯 무어먼이다. 그녀는 1960년즈음 존 레논의 연인이자 행위예술가였던 오노 요코와 공동생활을 시작하면서 아방가르드 예술에 대한 새로운 시야를 가지게 됐다. 그녀는 백남준의 단순한 예술적 동조자가 아니었다. 자신과 퍼포먼스를 함께할 사람을 찾는 과정에서 백남준을 만났고, 그를 통해 자신의 새로운 영감을 실현했다.

〈인간 첼로〉는 돌발적 해프닝이 아니다. 그녀는 오랜 기간 클래식 음악의 정통 코스를 밟아 탄탄한 입지를 다진 연주자다. 상체를 드러낸 남자 몸에 줄을 달고 연주를 하는 순간, 구설수에 오르고 경력에 큰 흠이 생길 거라는 점을 모를 리가 없다. 백남준도 꽤 오래 클래식 음악 수업을 받았으니 누구보다 잘 알고 있다. 게다가 상체를 벗은 채 스스로 악기가 되어 여성 연주자와 끌어안는 자세를 취하는 것은 다분히 성적인 이미지를 연상시킨다. 기존 예술의 권위적 전통에 대한 도발이자 예술과 성의 경계를 허물어뜨리려는 의도로 보인다.

1960년대에 본격적으로 퍼포먼스를 하기까지 걸어온 예술의 발자취를 살펴보더라도 그의 문제의식이 어디로 향하고 있는지를 짐작할 수 있다. 처음부터 남다른 면이 있었다. 일제강점기에 태어나 청소년 시절부터 피아노를 중심으로 음악 공부를 했다. 일본 도쿄대학으로 유학 가서 미술사학과 미학, 작곡과 음악사학을 연구했다. 이때부터 이미 새로운 예술을 향한 갈증을 느꼈다.

그의 졸업논문이 〈아놀드 쇤베르크 연구〉다. 쇤베르크는 클래식 음악을 하는 사람들에게는 잘 알려진, 20세기 현대 음악의 돌파구를 연 음악가다. 기존의 장조와 단조 중심의 규칙적인 조성음악 체계를 넘어 새롭고 자유로운 음악을 전개했다. 전통 음악의 고정된 음계에서 벗어나기 위해 12음계로 작곡을 하는 획기적인 시도를 했다. 현대 음악을 추구하는 사람들에게는 큰 기둥이다.

졸업논문은 학창시절부터 백남준이 새로운 예술에 대한 갈망이 얼마나 강했는가를 보여준다. 새로운 시대의 음악은 아주 달라야 한다는 쇤베르크의 생각을 자신의 신념으로 삼았다. 1956년에 독일 뮌헨대학, 쾰른대학에서 미술 · 철학 등 다방면에 걸친 공부를 했다. 이 과정에서 자기 나름의 예술적인 발상을 가다듬었다.

나아가 유럽 전위 음악의 선두 주자였던 존 케이지와 교류하면서 많은 영향을 받았다. 존 케이지도 쇤베르크를 스승으로 삼아 고전음악의 굴레에서 벗어나고자 했다. 존 케이지는 우리에게 전위 음악의 상징처럼 여겨지는 '연주 없는 연주'의 장본인이다. 1952년 뉴욕 공연에서 연주자는 연주를 하지 않고 4분이 넘는 시간 동안 침묵만 지키다 퇴장했다. 객석에서 관객들의 기침이나 부스럭거리는 소리, 공연장 밖의 자동차 소음도 음악일 수 있음을 보여준 시도였다. 백남준은 평소 "내 인생은 존 케이지와의 만남 이전과 이후로 나뉜다."라고 말했다.

전통적 권위를 부정하고, 우연한 상황에서 예술의 새로운 가능성을 찾으려는 점에서 존 케이지와 백남준은 공감대를 형성했다. 〈피아노 포르테를 위한 습작〉이라는 퍼포먼스는 존 케이지에 대한 경의와 공감을 상징적으로

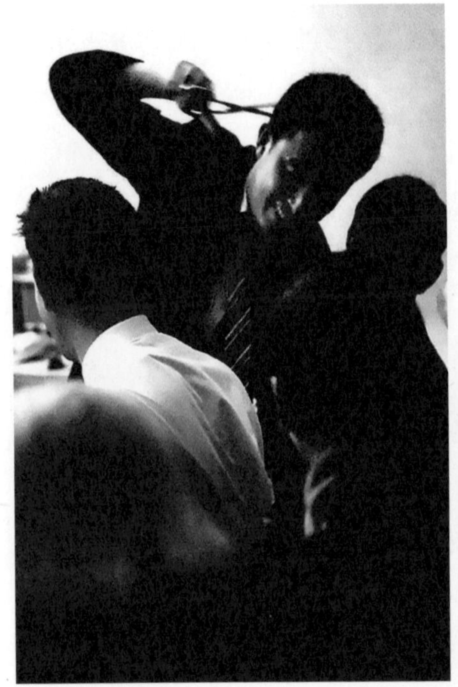

백남준 〈피아노 포르테를 위한 습작〉 1960년

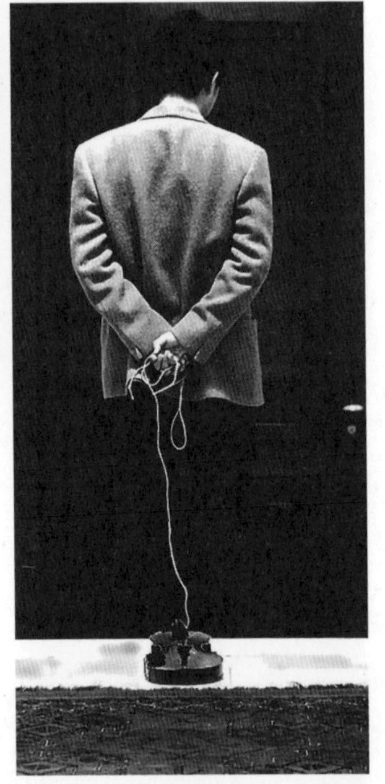

백남준 〈걸음을 위한 선〉 1963년

보여준다. 백남준은 쇼팽을 연주하다가 피아노를 부수고 관중석으로 내려간다. 느닷없이 가위를 들어 존 케이지의 넥타이를 자른다. 이어서 옆에 있던 다른 연주자의 머리를 샴푸로 감긴다.

사진은 오른 손에 가위를 들고, 다른 손으로 넥타이를 잡아 자르기 직전 모습이다. 넥타이를 자른다는 것은 전통과의 단절을 의미한다. 서양에서 넥타이와 양복은 격식을 차린 자리에 참석할 때 갖춰 입는 가장 일반적인 옷차림이다. 이를 파괴하는 것은 전통에서 벗어난다는 뜻이며, 백남준 퍼포먼스의 출발점이다.

〈걸음을 위한 선〉도 같은 맥락에서 이해할 수 있다. 길거리에서 바이올린을 줄에 매달아 끌고 다니는 장면이다. 비슷한 퍼포먼스를 거의 10년에 걸쳐 여러 차례에 걸쳐 조금씩 다르게 펼쳤다. 1961년 쾰른 거리에서 처음 시작했을 때는 바이올린과 함께 석고 두상 조각, 작은 종 등을 줄에 매달아 끌고 다녔다.

관객석과 실외의 소음을 음악 안으로 끌어들인 존 케이지의 파격적인 시도와 맞닿아 있다. 바이올린은 조화로운 선율을 내는 악기다. 하지만 줄에 매달린 바이올린이 바닥과 부딪히며 내는 소리 역시 연주의 일환이 될 수 있음을 보여준 행위다. 피아노와 바이올린은 클래식 음악의 가장 전통적인 악기다. 이를 부수고, 끌고 다니는 행위는 과거와의 단절 선언이며, 자유를 향한 메시지다.

함께 끌고 다닌 석고 두상이나 작은 종도 분야만 다를 뿐 같은 의미로 봐야 한다. 미술에서 석고 두상은 음악에서 피아노가 갖는 위상과 비교된다. 석고 두상은 대부분 그리스와 로마의 조각을 원본으로 해서 만들어진다는 점에서 서양 미술의 뿌리다. 또한 미술가로서의 훈련 과정에서 형태와 선, 명암 등의 기량을 쌓는 데 석고 데생은 필수적인 과정이다. 작은 종은 종교적인 상징으로 사용된 듯하다. 음악 · 미술 · 종교 등 모든 분야에서 새 술을 새 부대에 담아야 한다는 발상을 담은 퍼포먼스다.

섹스 앤 더 뮤직

백남준 〈테마에 따른 변주곡〉 1966년

백남준이 전 세계적으로 이름을 떨치게 된 가장 큰 계기는 예술과 성을 연결시킨 작업이었다. 〈테마에 따른 변주곡〉이 분기점이 되었다. 백남준은 음악이 처한 현실에 큰 불만을 갖고 있었다. 미술이나 문학은 예전부터 성을 중요한 주제로 삼았다. 누드나 소설 속의 이야기로 표현했다. 하지만 음악은 성의 묘사가 거의 금기시되어 있었다. 그는 음악이 다른 예술 분야보다 표현의 자유가 억압되고, 뒤처져 있다고 생각했다. 인간의 모든 감정과 욕구를 표현해야 하는 음악이 미술과 문학의 성취를 따라가지 못한 것으로 보였다.

그는 평소에 섹스를 주제로 한 오페라를 작곡하고 싶어했다. 이를 퍼포먼스로 표현한 것이 〈테마에 따른 변주곡〉이다. 백남준은 이 퍼포먼스를 기획하면서 발가벗은 여인이 연주하는 〈월광 소나타〉를 상상했다. 무어먼과 대화하면서 어떻게 실현시킬지를 고민했다. 이번에도 무어먼이 주인공이 되어 첼로 연주를 한다. 언뜻 흰색 드레스를 입은 듯하지만 자세히 보면 비닐 옷이다. 투명한 비닐 안으로 속옷조차 걸치지 않은 알몸이 보인다. 우리는 비닐 옷이라고 하면 한국의 유명한 댄스 가수를 떠올린다. 방송에 출연하여 비닐 바지를 입고 춤을 추는 파격으로 잘 알려져 있다.

그런데 비닐 옷의 원조는 백남준이 연출한 퍼포먼스다. 그나마 한국의 가수는 속옷을 입었다. 하지만 무어먼은 사실상 누드에 가까운 상태다. 복장만이 아니라 상황도 다분히 성적인 분위기다. 의자가 아니라 남자의 등에 앉아 있다. 첼로도 남자가 누워 받치고 있다. 수십 명의 관객이 가는 숨소리까지 들리는 거리에서 이 과정을 그대로 감상한다. 이미 〈인간 첼로〉에서도 백남준과 무어먼이 상체를 벗었다. 이 작품에 와서는 더욱 적극적으로 성적인 이미지와 행위예술을 연결시킨다.

이런 방면에서 가장 획기적인 사건은 오페라 〈섹스트로닉〉 퍼포먼스다. 1967년에 미국 맨해튼 극장에서 개최된 공연이다. 초대장을 받은 많은 예술가와 관객이 자리를 채웠다. 무대에 오른 무어먼이 첼로 연주 중에 헬멧을 쓰거나 이상한 복장을 한다. 그리고 옷을 하나씩 벗고, 나중에는 알몸 상태로 연주한다. 이 순간에 뉴욕 경찰이 들이닥치고 두 사람을 풍기문란 혐의로

체포한다.

이어서 뉴욕 법정에서 세계의 이목이 집중된 재판이 열린다. 예술이냐 외설이냐, 예술에서 표현의 한계가 어디까지 두어야 하느냐를 둘러싸고 뜨거운 공방이 오간다. 재판에서 최종적으로 예술 행위에서의 누드는 외설이 아니라는 판결이 내려진다. 이 재판을 계기로 예술에서 누드가 허용되는 새로운 법이 미국과 유럽에서 제정된다. 이후 서구에서 영화 · 연극 · 무용 · 퍼포먼스에서 누드를 통한 표현이 가능해졌다. 그 돌파구를 연 것이 바로 백남준의 퍼포먼스다. 에피소드도 전해진다. 승소 다음날 뉴욕의 어느 나이트클럽에서 백남준과 무어먼에게 거금의 출연료를 줄 테니 나와달라고 요청했지만 거절했다. 예술과 상업적 행위는 다르다는 이유였다.

이후에 더 과감해져서 〈섹스트로닉〉은 여러 변형된 행위로 나타난다. 1968년의 공연에서는 남성의 성기 모양을 사람의 몸만큼 크게 과장해서 만든 모형물에 줄을 걸어놓고 무어먼이 연주한다. 예술과 성적인 이미지를 연결시키는 백남준의 파격적인 시도는 많은 행위 예술가에게 영향을 줬다.

대표적인 사례가 전위 행위예술가로 잘 알려진 오노 요코의 1966년 퍼포먼스인 〈컷 피스Cut Piece〉다. 백남준과 요코는 그 이전부터 예술적 관계를 맺었다. 아방가르드 예술의 선구자로서 서로 영향을 주고받았다. 〈컷 피스〉는 단정한 옷차림의 요코가 한 줄기 빛이 있는 무대에 오른 후에 관객들에게 가위를 나눠주는 것으로 시작된다. 한 명씩 차례로 무대로 올라가 요코의 옷을 한 조각씩 자른다. 옷이 전부 잘리고 완전히 알몸이 될 때까지 이어진다.

그녀는 잘게 잘린 옷 조각을 공연 후에 관객들에게 나눠준다. 집에 가져가서 애인에게 주고 섹스를 하라고 권한다. 이 행위는 어떤 메시지를 담고 있을까? '피스'는 비슷한 발음을 가진 두 단어로 사용된다는 점에서 이중적인 의미를 가진다. 먼저 제목으로 사용된 'Piece'는 현상적으로 잘린 옷 조각이다. 하지만 이 공연이 진행된 시기를 고려할 때 '피스'는 평화Peace를 떠올리게 한다.

1966년은 베트남 전쟁이 본격적으로 전개되고 있던 때다. 1964년에 미국이 통킹만 사건을 빌미로 북베트남에 선전포고를 한다. 곧이어 전면적인 폭격과 대대적인 지상군 투입에 나선다. 전 세계를 전쟁의 참화로 몰아넣은 제2차 세계대전이 끝난 지 오래되지 않은 상황에서, 베트남 전쟁은 다시 대규모 전쟁의 공포를 불러일으켰다.

요코의 행위는 잔인한 폭력에 의존하는 전쟁을 거부하고 평화의 길로 나서길 촉구한 것이다. 서로 배척하고 적대하며 싸우기보다는 사랑하자는 메시지다. 그 사랑의 상징이 섹스다. 그래서 자기 옷을 잘라서 애인에게 주고 섹스를 하길 권한 것이다. 연인이었던 비틀즈의 존 레논도 동참한다. 요코와 함께 작업하여 1968년에 낸 유명한 음반 〈투 버진스〉가 결과물이다. 음반 커버 사진으로 두 사람의 알몸을 싣는다. 성과 예술을 연결시키고, 전쟁과 섹스를 대비시키려는 그들의 노력이었다.

리히터

광란의 세계 맞선 반란의 몸부림

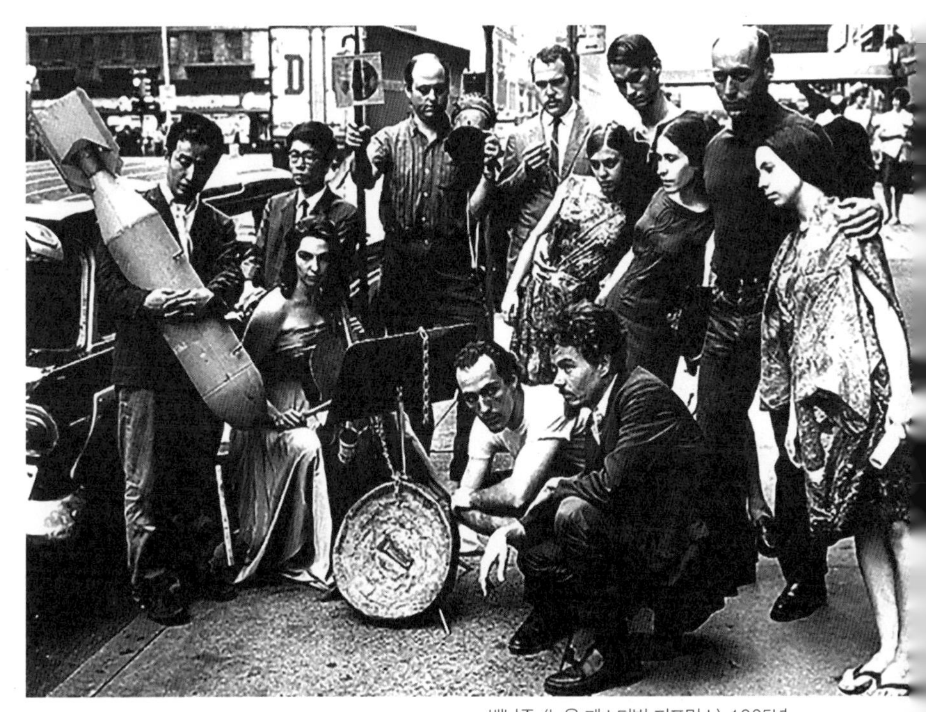

백남준 〈뉴욕 페스티벌 퍼포먼스〉 1965년

백남준도 행위예술에 직접 사회적 메시지를 담는 작업을 했다. 〈뉴욕 페스티벌 퍼포먼스〉가 대표적이다. 왼쪽에 연주를 하던 중인지 첼로를 들고 무어먼이 앉아 있다. 그 옆으로 백남준이 커다란 폭탄 모형물을 들고 있다. 제2차 세계대전 막판에 투하되어 수십만 명의 희생자를 내며 세계인을 경악케 한, 일본 히로시마와 나가사키에 떨어진 원자탄을 의미할 수도 있고, 1965년이라는 시기를 봐서는 미국의 대규모 북베트남 폭격에 대한 비판일지도 모른다. 전쟁 반대를 촉구하는 예술인들의 표현과 행동은 미국과 유럽에서 반전 운동을 촉발시키는 역할을 했다.

자세히 보면 무어먼의 첼로가 쇠사슬로 무언가에 연결되어 있다. 둥근 모양이나 가운데 손잡이 등을 볼 때 쓰레기통 뚜껑이다. 폭탄과 연결해서 생각하면 사회적 의미가 드러나는 것 같다. 국가와 인간의 부패와 타락이 전쟁의 원인이 된다는 점을 보여주는 게 아닐까? 국가 이익이라는 게 사실은 소수 강자의 부의 축적이고, 이는 부패의 다른 말일 뿐이라는 비판적 문제의식을 담은 듯하다.

섹스와 예술을 연결시키고 사회의 억압과 부패를 비판하는 백남준의 퍼포먼스는 1968년에 유럽과 미국, 나아가 세계를 뒤흔든 '68혁명'의 정신과도 밀접하게 연결된다. 68혁명은 기숙사에 이성 친구가 출입할 수 있는 자유를 허용하라는 대학생들의 요구에서 시작됐다. 사랑과 섹스는 개인의 자유로운 권리인데 왜 대학 당국이 막느냐는 반발이다. 학생들의 항의를 국가가 봉쇄하고 처벌하면서 결국 억압의 본질이 사회에 있다는 인식이 확대된다.

시작은 성의 자유였지만, 사회 전체의 자유를 요구하는 시위로, 반전 운동으로, 여성이나 흑인의 권리운동으로 확장된다. 성의 자유에서 혁명이 시작되었다는 점이 의미심장하다. 백남준이 추구한 자유로운 성 표현과 맞물린다. 성을 개인의 욕망을 넘어 반전 · 평화 · 부패 · 정의 등 사회적 메시지와 연결시켰다는 점에서 그러하다.

백남준이 한국인들에게 주로 비디오 아티스트로만 소개된 점도 억압적인 사회체제와 맞물린다. 파격적인 퍼포먼스를 통해 제도와 법을 바꾸어내는 데 최선두에 섰던 게 약 60년 전이다. 반세기 이상이 지난 지금 〈섹스트로닉〉을 한국에서 공연하면 어떤 일이 벌어질까? 경찰에 의해 즉각 연행되고 법정에서는 유죄 판결을 받을 게 분명하다. 백남준이 세계적으로 워낙 유명하니까 소개를 하긴 해야겠는데, 그런 퍼포먼스를 소개하면 국가의 통치 이념이나 억압적 제도와 맞지 않는다. 그래서 역대 정권에서는 부담이 덜한 비디오 아티스트로만 그를 소개했다고 봐야 한다.

백남준의 퍼포먼스를 '네오 다다Neo-Dada' 경향으로 분류하는 견해가 많다. '네오'라는 단서가 붙었으니 이전의 다다를 전제로 한다. 원래 다다는 제1차 세계대전 중 유럽과 미국에서 일어난 예술운동이다. 전쟁을 피해 스위스로 모인 유럽 예술가들이 기존의 전통적 형식을 파괴하는 파격적 행위를 시도한다. 종이를 이용하여 생전 듣도 보도 못한 이상한 옷을 만들어 입고, 아무 의미를 갖지 않는 소리를 지르는 것으로 시낭송을 대신한다. 문학 · 음악 · 미술 등 기존 예술 영역의 경계가 무너지고 표현 재료나 방법도 생소한 '물건'이 대신한다.

세계대전이라는 암울한 현실에 절망하며 예술가들은 그 근원적 뿌리 역할을 한 합리적 이성과 문명 전반에 대한 회의와 부정을 노골적으로 드러냈는데, 이를 '다다이즘'이라고 한다. 백남준을 비롯한 전위적인 행위예술가들의 퍼포먼스는 제2차 세계대전이라는 최악의 참상을 초래한 서구 문명을 향한 환멸과 연결된다. 문제의식의 내용적인 배경과 해프닝 퍼포먼스라는 형식을 볼 때 다다와의 연관성이 깊다. 그래서 이를 '네오 다다'라고 부른다.

다다운동에 동참했던 전위예술가이자 저술가 한스 리히터Hans Richter, 1888~1976가 《다다, 예술과 반예술》에서 주장한 다음 내용은 백남준을 이해하는 데 적지 않은 도움을 준다. 제2차 세계대전 후 네오 다다의 특징을 설명하는 내용이다.

> 과거보다 더 광란으로 향하는 세계에 대한 반발에서 나오는 몸부림이다. 세계를 정상으로 되돌릴 수 있을 전망은 현재로서는 보이지 않는다. 그러나 감정을 풍자적으로 나타냄으로써 폭발시킬 수 있는 가능성을 이 세계는 예술에 부여하고 있다. (…) 네오 다다는 충격을 하나의 자족적인 가치로 확립하려는 시도였다. 네오 다다이스트들은 '예술'에 대해 반물신反物神이라는 속성을 회복시키려고 시도한다. 더 이상 충격을 주지 못하는 충격 효과를 동원해 보이는 것은 터무니없는 일이다. (…) 충격이라는 이런 치유법 덕택에 우리는 제로 포인트에 도달하게 된다.

'세계에 대한 반발에서 나오는 몸부림'이라는 점에서 기본적으로 사회비판적 시각을 담고 있다. 세계는 오히려 처음 다다가 출현했던 제1차 세계대전 후의 상황보다 더욱 심각하다. 제2차 세계대전은 유럽을 넘어 전 세계를 전쟁터로 만들었다. 또한 과학기술의 비약적인 발달이 가공할 위력을 지닌 대량살상무기 개발로 나타나 사상자 수도 비교할 수 없을 만큼 증가했다. 게다가 수백만 명에 이르는 유대인 학살까지 자행되었다. 두 차례의 세계대전 사이에는 대공황이 발생해 10년에 걸쳐 전 세계를 기아와 빈곤으로 몰아넣었다.

수렁에 빠진 서구 문명은 개선은커녕 오히려 더욱 악화일로는 걸었다. 현실의 세계에서 정상화를 향한 길은 기대하기 어려워보였다. 예술이야말로 상상력을 통해 반발의 감정을 폭발시킬 수 있는 가능성을 담고 있었고, 이를 실천에 옮긴 것이 바로 네오 다다이다. 워낙 세계에 뿌리 내린 부조리와 부패의 골이 깊었기 때문에 변화를 위해서는 예술적 상상력을 통한 충격이 필요했다.

백남준의 퍼포먼스가 그러하듯이 기존의 발상을 뒤집어엎는 충격적인 표현이 이어진다. 나체의 여성이 액체 도료 속에 몸을 흠뻑 담갔다가 캔버스 위를 뒹굴면서 나타나는 우연적인 표현에서 새로운 의미를 발견한다. 유모차 속에 인형 모양의 시체를 둠으로써 암울한 현실을 드러낸다. 혹은 존 케이지처럼 침묵의 피아노 연주회를 개최한다. 장면이라고 할 움직임이나 대사가 없는 희곡을 보여준다. 장난감 곰에게 으깨어진 달걀을 먹이기도 한다.

사물에 대해 갖고 있던 기존 고정관념을 깬다. 더 나아가 음악이든 미술이든 특정한 도구로만 표현하는 고정된 관성에서 벗어난다는 점에서 반물신 경향을 보인다. 이를 통해 예술과 세상에 대한 특정 통념에서 탈피하여 제로 포인트에 다가선다. 음악의 음계, 미술의 데생, 희곡의 대본처럼 '꼭 필요했던 것'을 '없어도 되는 것'으로 함으로써 예술을 해방시킨다. 마치 원시 예술처럼 자유롭게 무한한 표현의 가능성을 연다.

비디오 아트도 단순히 기계장치를 사용한다는 기술적 · 형식적인 의미를 넘어선다. 백남준의 〈TV 첼로〉에서 무어먼은 TV 3대와 첼로 모양을 연결한 장치에 앉아 연주한다. 모니터에는 실시간으로 연주하는 모습이 영상으로 나온다. 살아있는 조각이고, 음악까지 결합된 종합 예술이다. 백남준이 평소에 했던 말을 유념할 필요가 있다. "TV로 작업할수록 신석기시대가 떠오른다. (…) 나는 사유재산 이전의 과거를 생각하는 걸 좋아한다. 비디오는 누가 독점할 수 없고, 쉽게 공유할 수 있는 공동재산이다."

비디오는 독점할 수 없는 공동재산이다. 백남준은 평소에 정보의 결핍이 없었다면 세계대전이나 베트남 전쟁도 없었을 것이라고 생각했다. 제2차 세계대전을 일으킨 나치는 TV · 영화 등 영상물을 이용한 선전을 통해 사람들의 의식을 전쟁으로 이끌었다. 일방적인 영상 제작과 보급으로 대중의 사고를 조작했다. 그 결과 다수가 나치에 공감하고 전쟁에 휘말려 들어갔다.

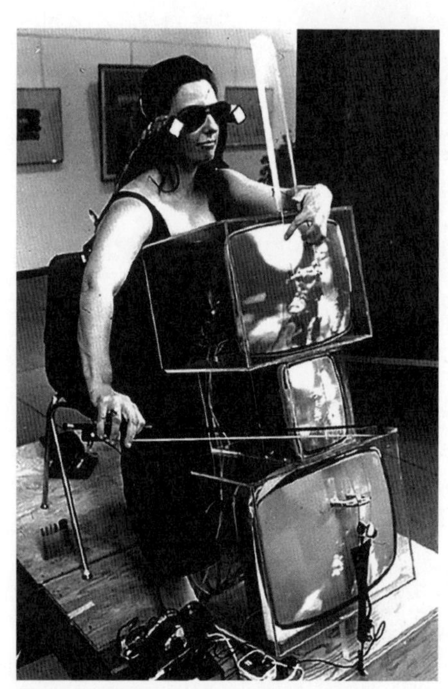
백남준 〈TV 첼로〉 1972년

백남준은 기존의 TV를 '일방향적 정보전달 방식'이라고 한다. 나아가 '현대사회 독재자'이자 '반민주주의 상징'이라고 한다. 특히 그는 가장 나쁜 적으로 가짜뉴스를 꼽았다. 요즘 우리도 가짜뉴스가 기승을 부리며 심각한 사회문제가 되어 있다. 백남준은 이미 오래 전부터 이를 넘어설 수 있는 영상 참여에 주목했다. 현실의 영상을 넘어선 대안적 영상을 만들어야 한다고 보았다.

그는 비디오와 영상이 일방향성을 넘어서 서로 소통하고 참여할 수 있는 방식으로 공동재산이 되어야 한다는 문제의식을 비디오 아트에 담으려 했다. 〈TV 첼로〉는 자유의 상징이고, 새로운 표현, 새로운 사회에 대한 열망을 담아낸 작품이었다. 백남준의 문제의식과 시대정신을 읽어낼 때 진정으로 그에게 다가서는 길이 열린다.

이미지
실제를 지배하다

최북 〈서설홍청〉
보드리야르 《시뮬라시옹》

이토록 정성스레 그린 쥐, 왜?

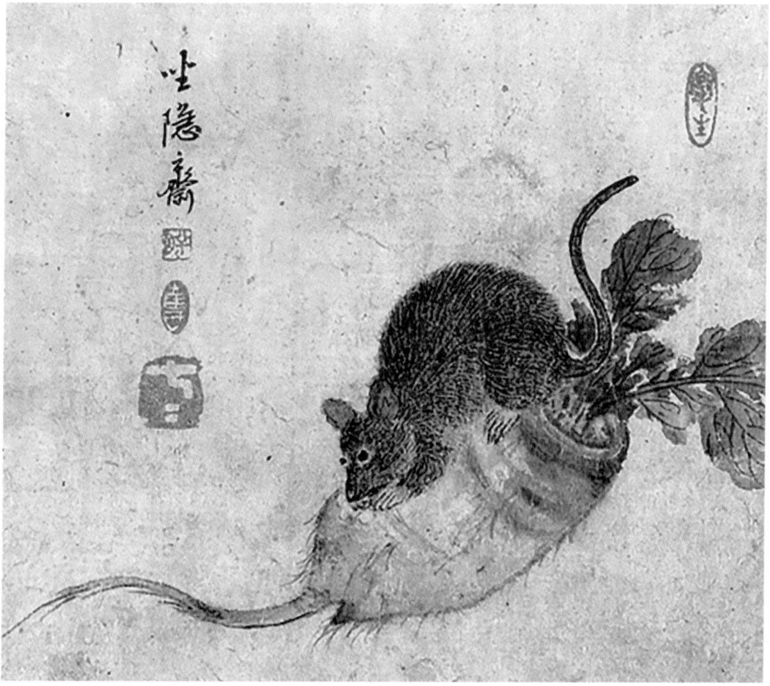

최북 〈서설홍청〉 18세기 중반

조선 화가 최북崔北, 1712~1760의 〈서설홍청鼠囓紅菁〉은 우리를 참 당황스럽게 한다. 최북은 옛 그림에 관심 없는 사람에겐 생소한 이름이다. 대체로 김홍도나 신윤복, 정선 등 대표적인 화가가 아닌 한 누구지, 하며 갸웃거리기 마련이다. 설사 최북을 알더라도 대표적인 산수화 한두 점과 송곳으로 자기 눈을 찌른 기행 정도를 기억하는 경우가 대부분이다.

그림을 가득 채운 검은 쥐 한 마리는 보는 이들을 당황스럽게 한다. 붉은 무를 갉아먹는 중이다. 홍당무와는 다른 채소다. 강화도 특산품으로 많이 나오는 순무다. 별다른 배경이나 설정은 없다. 오직 검은색 쥐 한 마리가 주인공이다. 온몸을 덮고 있는 짧고 짙은 털이나 갉아먹는 동작까지 생생해서 눈앞에서 쥐를 보는 느낌이다.

비위가 약한 사람이라면 그림을 보자마자 징그럽다며 치워버릴지도 모르겠다. 꼭 여자나 아이들만의 반응은 아니다. 평소에 나름 용기가 있다고 자부하던 남자라고 해도 쥐를 보자마자 잡겠다며 달려들 사람은 극소수에 불과할 것이다. 집의 으슥한 구석이나 동네 골목에서 팔뚝만한 쥐를 만나면 누구나 기겁하기 마련이다. 정도의 차이만 있을 뿐 피하고 싶기는 마찬가지다. 무섭다기보다는 혐오스럽고 징그럽다. 그런데 조선시대에는 의외로 쥐를 그린 화가가 제법 있는 편이었다. 그 시대 사람들은 띠 중의 하나인 쥐를 꺼려했지만, 풍요와 번영의 상징으로 여기기도 했다. 새끼를 많이 낳는 왕성한 번식력과 부지런히 먹이를 모으는 쥐의 습성 때문이었다. 화가들도 종종 복을 비는 마음을 담아 그렸다.

최북도 어느 정도는 그러한 취지가 있었겠지만 내가 보기에 이 그림은 보다 넓고 깊은 의미를 지닌다. 무엇보다도 다양한 해석의 여지를 던져준다. 개인적인 기준이기는 하지만 조선을 대표하는 그림 20~30점을 꼽으라고 한다면 그 중의 하나로 이 그림을 넣고 싶다. 화가가 이 세상을 바라보는 방식,

자신에 대한 인식, 더 나아가서는 현대사회의 중요한 화두인 이미지와 관련된 생각거리를 던져주는 그림이다.

먼저 쥐 한 마리에만 집중한 그림이라는 점에 주목하고 싶다. 복을 염원하는 상황이나 배경이 그림에 전혀 없다. 상식적으로 생각할 때 쥐가 아무리 번영을 상징한다 해도 혐오와 배척 대상이라는 점은 숨길 수 없다. 농경사회 사람들이 왕성한 번식력으로 곡식을 축내는 쥐를 달가와 할 리 없다. 조선시대 쥐 그림은 통상적으로 다른 요소와 함께 특정한 상징을 나타내기 위해 그렸다. 쥐만을 주목하여 이토록 정성스럽게 묘사한 까닭은 화가가 다른 의도를 가지고 있었기 때문으로 짐작된다.

쥐의 털 하나도 놓치지 않겠다는 듯이 매우 사실적으로 그렸다. 면밀하게 관찰하면 등과 배의 털이 다르다. 등 쪽은 더 길고 뻣뻣하다. 배 쪽은 짧고 가늘다. 동물의 털이 실제로 그러하다. 일반적으로 확인하기 어려운 미세한 차이까지 붓질로 표현하고 있다. 쥐를 묘사한 다른 화가들의 그림과 확연히 다른 점이다. 쥐를 그린 화가로는 신사임당, 정선, 심사정 등이 있다.

신사임당申師任堂의 〈초충도草蟲圖〉에 나오는 쥐를 보자. '초충'은 말 그대로 풀과 벌레다. 이 그림에서 쥐는 8폭짜리 병풍 가운데 한 장면이다. 중앙에 커다란 수박 두 덩이가 있고 넝쿨에도 작은 수박 한 개가 달려 있다. 그 위로 나비 두 마리가 날개를 한껏 펼치고 훨훨 날고 있다. 맨 아래로 작은 쥐 두 마리가 단단한 껍질을 이빨로 갉아 구멍을 낸 후 붉게 익은 수박을 파먹고 있다.

풍요를 바라는 마음을 실어 쥐를 그렸다지만 주연이기보다는 조연에 가깝다. 그림을 보자마자 눈에 띄는 것은 단연 큼지막한 수박이다. 수박을 둘러싼 넝쿨까지 합하면 누가 봐도 수박 그림이다. 심지어 나비를 쥐보다 거의 두 배는 크게 그렸다. 쥐는 작은 메뚜기 수준이다. 묘사의 상세한 정도를 봐도 수박과 나비가 주인공이다. 수박 특유의 줄무늬와 작은 씨까지 꼼꼼하게 그렸다. 나비 날개를 수놓고 있는 화려한 무늬가 한눈에 들어온다. 머리의 작은 더듬이까지 신경을 쓴 눈치다. 하지만 쥐는 작을 뿐만 아니라, 그저 쥐라는 걸 알 수 있는 정도다.

최북처럼 순무를 갉아먹는 모습을 그린 화가가 있기는 하다. 조선 후기 문인화가 심사정沈師正의 〈서설홍청〉이 대표적이다. 하지만 전체 비중으로 볼 때 순무가 중심이다. 순무의 작은 이파리 하나하나를 표현하는 데 최대한 주의를 기울이고 있다. 감상자의 시선이 하늘을 향해 고개를 내민 꽃대로 향한다. 꽃대 끄트머리에 핀 분홍색 꽃이 아름답다. 특히 순무 이파리의 안과 밖을 먹의 농담을 달리하며 구별해 그린 점이 두드러진다. 단지 이파리의 양쪽을 그린 데 머물지 않는다. 하나의 이파리가 말리면서 안팎이 모두 보여서 입체감이 살아난다. 뛰어난 표현 능력을 한껏 뽐내는 듯하다. 이에 비해 쥐는 형식적이다 싶을 정도로 대충 묘사했다.

반면 최북의 그림은 쥐가 주인공으로 부각되었을 뿐만 아니라 사실성의 성취에서도 단연 독보적이다. 쥐의 발을 보자. 다른 그림들은 그냥 구색을 맞추는 식이지만 최북은 발가락 하나하나에서 살아 있는 쥐를 느끼게 한다. 길쭉한 발가락 모양에 발톱까지 정확하다. 하찮은 쥐를 뭐 이렇게까지 상세하게 그렸을까 싶을 정도다.

동작도 생동감이 넘친다. 두 발을 모아 오물오물 먹는 설치류의 특징을 살렸다. 등을 구부리고 웅크린 동작도 인상적이다. 뒷다리에 잔뜩 힘이 들어

신사임당 〈초충도〉 16세기

심사정 〈서설홍청〉 18세기 중반

간 긴장감이 느껴진다. 경계하는 기색이 역력하다. 쥐는 먹는 중에도 항상 주변을 두리번거린다. 특별히 자신을 보호할 강력한 무기가 없기에 천적으로부터 자신을 보호하기 위해 경계를 늦추지 않는다. 조금만 이상한 상황이 생기면 잽싸게 뒷다리로 바닥을 차면서 도망간다. 그런 쥐의 특성이 고스란히 드러난 그림이다.

최북은 극사실주의 화풍의 화가는 아니다. 대부분 붓이 가는 대로 그렸다. 스스로 자유분방한 묘사를 자랑하고, 주변 사람들도 그렇게 평가했다. 별명이 '최산수'였을 정도로 능숙했던 산수화를 보면 더욱 그러하다. 옅은 먹물을 붓으로 툭툭 찍어 무심한 듯 그리고, 불필요한 부분은 과감하게 생략한다. 남종 산수화의 특징이기도 하다.

그런데 동물 그림은 비교적 섬세하게 그린 편이다. 메추라기 · 토끼 · 표범 등을 즐겨 다루었는데, 생김새와 털 등을 세밀하게 묘사했다. 최북의 다른 동물 그림은 대체로 동물도감의 동물 모습에 가깝다. 각각의 외모와 기관, 색 등이 정교하지만 살아있는 느낌이 거의 없다. 마치 박제 처리를 한 동물 같다. 그에 비해 쥐 그림의 생동감은 탁월하다.

애꾸눈 바보 화가와 쥐

최북 〈게〉 18세기 중반

게다가 최북은 쥐 그림에 상당한 자부심을 느끼고 있었던 듯하다. 자신을 드러내는 인장이 네 개나 찍혀 있으니 말이다. 오른쪽의 인장 내용인 '호생毫生'은 붓으로 먹고 산다는 뜻이다. 평생 전국을 떠돌며 붓 하나로 그림을 그리며 살아가는 자신을 표현한 호다. 왼쪽 위의 '반월半月'은 세도가의 그림 강요에 반발해 송곳으로 눈을 찔러 '애꾸'가 된 자기 모습을 반영한 호다. 그 아래 '최씨崔氏'는 자신의 성씨이고, 맨 아래 '칠칠七七'은 파자다. 한 글자를 인위적으로 분해하여 다른 의미를 부여하는 방식이다. 자기 이름인 '북北'을 쪼개 칠칠을 만들었는데, 바보스럽게 살아간다는 뜻이다.

작은 그림인데 인장을 네 개나 찍었다는 것은 그만큼 쥐 그림을 중요하게 여겼음을 보여준다. 자기를 보여주는 데 손색이 없는 그림이라는 자부심을 가졌다는 의미이기도 하다. 최북의 다른 그림을 보면 인장은 한두 개가 전부다. 〈게〉처럼 예외가 있기는 하다. 〈게〉 그림에는 오른쪽에 인장이 두 개 왼쪽에 세 개가 있다. 그런데 공통적으로 굉장히 세련되고 생동감이 넘친다. 대신 세밀함은 부족하다. 불과 1~2분 걸려 순식간에 그렸을 것 같다. 쥐 그림과 달리 단순하고 거칠다. 〈게〉 그림은 그리는 방법을 알고 봐야 묘미를 맛볼 수 있다. 이 그림은 최북의 장기였던, 손가락 끝에 먹물을 찍어 그리는 지두화 화법으로 그렸다. 굵은 부분은 손가락 끝으로, 가는 부분은 손톱으로 그린다. 지두화라는 점을 고려하면 꽤 정교한 묘사다.

가는 갈대 이파리를 함께 그려 집게발의 날카로움을 배가시킨 점이 흥미롭다. 툭 튀어나온 작은 눈도 바닷가에서 접하는 모습 그대로다. 앞과 뒤의 게 차이도 감상의 재미를 더한다. 먹의 농담을 조절하여 진함과 연함을 다채롭게 드러낸다. 붓을 쥔 손가락 힘의 강약을 조절하여 긴장과 이완을 표현했다. 덕분에 단순한 그림임에도 공간감이 풍부하다. 화선지를 꽉 채우는 효과를 낸다.

쥐와 게 그림 모두 최북을 대표하는 작품 중 하나로 들어갈 만하다. 그 역시 비슷한 생각을 한 것 같다. 인장을 네다섯 개나 찍었다는 것은 '이거 내 그림이야!', '나 최북이야!' 하는 자부심의 표식이다. 화가 개인의 만족을 넘어 우리 옛 그림의 높은 수준을 자랑하는 데에도 전혀 부족함이 없다.

왜 이리 공을 들여 쥐를 그렸을까? 쥐의 처지가 그의 삶과 맞닿아 있기 때문이 아니었을까? 최북은 중인 출신으로 기구한 삶을 살았다. 무엇보다 지독한 가난의 무게를 늘 짊어져야 했다. 오죽하면 동시대 문인 신광수는 〈최북가〉에서 이렇게 읊는다. "평생 오두막 한 칸에 사방 벽이 비었구나. 문 닫고 온종일 산수를 그리고 있으니 유리안경 하나에 나무필통 하나뿐이구나." 가진 재산이라고는 붓과 안경뿐이었다. 굶기를 밥 먹듯 하며 평생을 떠돌아다녔고, 운이 좋은 날에는 그림으로 밥값과 술값을 대신했다.

화가로서도 녹록한 세월이 아니었다. 조선은 양반 중심의 신분사회였고, 유가의 경건함이 숨 막힐 만큼 위력을 떨친 사회였다. 군자형 인간만 강조하고, 여기에서 벗어나면 비정상으로 치부되고, 혐오와 배제 대상이 되었다. 최북처럼 자유분방한 정신과 삶의 태도를 지닌 사람이 버텨내기 어려운 세상이었다.

사대부는 물론이고 화단에서조차 제대로 인정받지 못했다. 당시 군자를 지향하는 선비들은 사군자를 즐겼다. 매난국죽을 묘사한 수묵화를 가장 수준 높은 예술로 여겼다. 선비들은 지조와 절개를 나타내는 사군자를 자신과 동일시했다. 중인 출신의 직업 화가는 환쟁이로 천시했다. 당시 대부분의 직업 화가들은 국가에서 필요로 하는 그림을 그리는 관청인 도화서의 화원이 되기를 꿈꿨다. 비빌 언덕 없이 이 지방 저 지방을 떠돌아다니는 최북에 대해 고운 시선을 보낼 리 만무했다.

최북은 유교 중심의 신분사회에서 배척 받는 자신의 처지를 쥐를 통해 드러낸 게 아닐까? 풍요를 비는 통속적이고 민화적인 의미를 넘어, 쥐에 자기

심정을 투사해 그린 게 아닐까? 지두화를 그렸던 것도 문인화 전통에 대한 반발이 아닐까? 청나라에서 이미 시도되었다는 점에서 독창적인 것은 아니었지만, 자두화가를 자신의 정체성 가운데 하나로 삼은 데에서 사대부의 허위의식에 대한 반감 같은 것이 느껴진다.

쥐 그림은 한 걸음 나아가 더 깊은 사유를 자극한다. 화가가 의도한 바는 아니었겠지만 이미지에 대한 생각거리를 던져준다. 쥐는 옛날 사람보다 현대인이 더 지독하게 혐오스러워 한다. 전통 농경사회 사람들은 집에서든 밖에서든 쥐와 마주칠 일이 많았다. 비록 반갑지는 않아도 어느 정도 익숙하기는 했다. 하지만 현대사회에서는 사정이 많이 다르다. 전체적으로 주거 환경의 위생 상태가 좋아졌고, 아파트를 비롯한 공동주택 거주가 많아지면서 쥐를 볼 일이 극히 드물어졌다. 어려서부터 성인에 이르기까지 직접 눈으로 목격하지 못한 경우도 적지 않다. 쥐 모습을 떠올리는 것만으로도 질색하며 몸서리를 친다.

그런데 묘하게도 현대사회에서 쥐는 최고의 선호 대상이기도 하다. 그런 일이 어떻게 가능하냐고? 미키마우스를 떠올리면 쉽게 알 수 있다. 미키마우스의 시대라 해도 과언이 아닐 정도로 관련된 캐릭터 상품이 큰 인기를 끈다. 티셔츠와 치마, 칫솔, 가방, 신발, 필통, 연필, 핸드폰 케이스 등 미키마우스가 등장하지 않는 상품이 거의 없을 정도다. 특히 어린이들에게는 더할 나위 없이 큰 사랑을 받는다. 미키마우스는 학교와 일상생활에서 쓰는 온갖 물건에 단골 주인공으로 등장한다. 놀이공원에서도 미키마우스 가면을 쓴 행사 도우미가 어린이들에게 가장 사랑받는다. 여성들은 성인이 되어서도 외출복이나 실내복에 미키마우스 캐릭터 이미지가 들어간 옷을 입곤 한다.

보드리야르
사실은 사라지고 이미지만 넘실대

월트 디즈니 〈증기선 윌리〉 1928년

최근의 미키마우스 캐릭터

최북이든 미키마우스든 그림의 출발점은 현실의 쥐다. 동일한 사실로부터 나온 두 개의 이미지다. 그런데 하나는 혐오, 다른 하나는 선호의 대상이 되는 현실을 어떻게 이해해야 하는가? 이러한 이율배반이 이미지의 문제를 고민하게 한다.

우리는 통상적으로 사실이 주인이고, 이미지는 부산물에 불과하다고 생각한다. 만약 그렇다면 동일한 사실에서 상반된 두 이미지가 공존하는 현상을 어떻게 이해해야 할까. 사실과 이미지의 관계가 그렇게 단순하거나 일방적이지 않기 때문에 나타나는 현상이다. 프랑스의 현대 사상가 장 보드리야르Jean Baudrillard, 1929~2007가 《시뮬라시옹》에서 비밀을 풀 열쇠를 쥐어준다.

> 시뮬라시옹은 재현과 정반대다. 재현은 기호와 실재의 등가 원칙에서 출발한다. 시뮬라크르는 등가 원칙의 유토피아를 거꾸로 하여 가치로서의 기호에 대한 근본적 부정으로부터, 모든 지시의 사형집행으로서의 기호로부터, 지시가 죽은 후 이 지시가 가진 권리를 획득한 기호로부터 출발한다. (…) 다음이 이미지의 연속적인 단계일 것이다.
> 이미지는 깊은 사실성의 반영이다.
> 이미지는 깊은 사실성을 감추고 변질시킨다.
> 이미지는 깊은 사실성의 부재를 감춘다.
> 이미지는 그것이 무엇이건 간에 어떠한 사실성과도 무관하다 : 이미지는 자기 자신의 순수한 시뮬라크르이다.

시뮬라시옹은 영어의 시뮬레이션에 해당한다. 실제와 비슷한 모형이라는 뜻으로서, 이미지로 생각하면 된다. 그는 실제와 이미지의 관계를 연속적으로 변화하는 세 단계로 구분한다. 첫 번째 단계는 사실성을 반영하여 이미지가 생겨난다는 점에서 재현과 유사하다. 재현은 실재로서의 사실과 기호로서의 이미지가 직접적인 연장선 위에 있다는 점에서 등가원칙이 적용된다. 최북의 〈쥐〉 그림도 실제 쥐를 보고 그린 이미지다. 평소에 쥐를 세밀하게 관찰한 결과를 화선지에 옮겼다. 디즈니의 미키마우스도 현실의 쥐에서 힌트를 얻었다.

그런데 이미지가 만들어지면 두 번째 단계의 변질 과정을 거친다. 최북의 쥐 그림은 변질 과정을 덜 겪었다. 하지만 미키마우스는 여러 차례 큰 폭의 변질 과정을 겪었다. 처음에는 단순했고 상대적으로 쥐의 모습을 더 담고 있었다. 미키마우스는 1928년에 월트 디즈니의 만화 영화 〈증기선 윌리〉 주인공으로 등장했다. 흑백 영화이니 검은색과 흰색으로만 그려졌다. 눈은 커다란 검은 점 하나로 단순했고, 손도 뭉툭했으며, 반바지 하나만 걸친 모습이었다.

미키마우스는 처음 등장한 이후 대중의 사랑을 한 몸에 받는 인기 스타가 되었다. 지난 100년 간 수백 편의 영화, 수많은 캐릭터 상품이 쏟아져 나왔다. 시간이 지나면서 점차 이미지가 변화했다. 최근의 캐릭터는 귀여운 느낌이 들도록 눈이 더 커지고, 사람처럼 흰자위와 검은 눈동자의 구분이 생긴다. 쥐의 발이 아닌 사람 손 분위기를 풍기도록 흰 장갑을 낀다. 경우에 따라 나비넥타이를 매기도 한다. 무엇보다도 다양한 색으로 치장을 한다. 리본을 매고 치마를 입은 여성 미키마우스도 등장한다. 성격도 달라진다. 초기에는 거칠고 폭력적인 면이 강했다. 하지만 시청자의 부정적인 반응을 반영하면서 점차 온순하고 귀여워지는 변질 과정을 거친다. 그러면서 미키마우스는 날이 갈수록 쥐에서 멀어진다.

세 번째 단계에서 쥐라는 사실성은 사라지고, 이미지가 곧 사실이 된다. 미키마우스가 독립적 · 독자적인 지위를 차지한다. 이제 쥐라는 사실이 지시하는 의미는 사라지고, 미키마우스라는 기호로서의 이미지 자체가 특정한 의미를 지시한다. 사람들은 이제 사실이 아니라 이미지가 지시하는 메시지를 받아들이고 그것을 의미 있는 정보로, 나아가 진실로 여긴다.

변질을 통해 획득한 이미지의 힘은 강력하다. 현대사회를 이미지의 사회라고 부른다. 일차적으로는 이미지의 양적 팽창에 따른 영향력 급증 현상 두드러진다. 이미지의 시대는 TV 매체가 대중적으로 보급되면서 본격화되었다. TV를 통해 세상의 온갖 다양한 정보를 흡수한다. 정보화시대와 함께 인터넷, 스마트폰 등이 일상화되면서 늘 지니고 다니는 손 안의 매체가 생겼다. 유튜브가 개인의 일상을 압도적으로 장악하면서 이미지의 지배력이 비약적으로 증가한다.

더욱 중요한 점은 이미지의 질적 영향력이 커졌다는 사실이다. 실제가 아닌 이미지가 제공한 메시지가 사람들의 의식과 행위를 지배한다. 우리는 이미지를 보면서 세상에서 실제로 벌어지는 일들을 떠올린다. 이미지를 매개로 사실을 받아들인다. 이미지 생산자들은 이미지를 조작하여 사고를 조작하고, 이미지를 통해 우리 생각을 좌지우지한다.

쥐보다 더욱 혐오하는 대상조차 가장 귀여워하는 대상으로 만든다. 사람들이 쥐보다 더 끔찍히 싫어하는 게 구더기나 뱀이다. 하지만 요즘에는 꾸물거리며 기어다니는 구더기 모양의 캐릭터가 큰 인기를 누린다. 냄새도 맡기 싫을 만큼 더러워 최악의 기피 대상으로 여기는 똥조차도 이미지의 변질 과정을 거치면 성격이 달라진다. 한국의 고속도로 휴게소에서 판매하는 '똥빵', 즉 똥 모양의 빵이 여행객들에게 단골 간식이 된 지 오래다.

이미지의 힘이 막강해진 만큼 이미지에 대한 반성적 통찰의 중요성도 커졌다. 미술에서 이미지의 변형 자체는 문제가 되지 않는다. 특히 사진기술이 등장한 이후에는 더욱 그러하다. 자연이든 사람이든 보이는 그대로를 똑같이 옮기려면 사진을 찍으면 된다. 지금은 누구나 들고 다니는 스마트폰에 고성능 카메라가 포함되어 있으니, 기록이나 단순한 재현이 목적이라면 언제든 무엇이든 찍으면 될 일이다.

미술이든 다른 어떤 작업이든 이미지를 통한 변형 자체는 시비를 걸 필요는 없다. 지극히 자연스러운 현상이고 경우에 따라서는 필요한 작업이기도 하다. 중요한 것은 이미지를 변형시키는 주체의 의도와 왜곡, 변형이 우리에게 미치는 영향을 파악하는 것이다. 미술작품만이 아니라 대중매체의 영상을 접할 때 항상 염두에 둬야 할 대목이다. 이미지는 소통의 유력한 통로이기 때문에 의도 여부와 상관없이 왜곡된 사고방식을 만들어낼 가능성이 크다. 이미지의 함정에 빠져 허우적대지 않으려면 비판적 해석이 필수적이다.

2부 자유를 향해 나아가다

200단어에 갇힌 일상 벗어나기

프리드리히 〈창가의 여인〉
몽테뉴 《수상록》

저기 떠나가는 배

프리드리히 〈창가의 여인〉 1822년

한 여인이 창밖을 하염없이 바라본다. 우리도 집에서든 업무 공간에서든 문득 그러고 싶은 날이 있지 않은가. 따뜻한 차 한 잔 마시면서 쏟아지는 햇볕을 즐기며 멍하니 창가에 머물고 싶은 마음 말이다. 워낙 익숙한 감정이고 장면이어서 화가들의 관심을 끌었다. 예부터 '창가의 여인'은 화가의 빈번한 그림 소재가 됐다. 화폭의 여인이 품고 있을 사연이 궁금해지고, 그 사연에 공감할 수 있을 것 같은 느낌을 들게 한다.

형식적인 면에서도 그림으로 표현하기에 매력적이다. 창은 안과 밖을 가르는 경계다. 어두운 집안과 밝은 빛이 스며드는 통로가 있어 명암 대비 효과가 뚜렷하다. 단박에 감상자의 눈을 사로잡을 수 있는 극적 효과가 있으니 화가로서는 그림 그릴 욕구가 생겨난다. 창가에 있는 여인 그림 대부분이 여인의 측면을 그리는 것은 빛의 흐름을 추적하는 극적 효과를 살리기 위해서다. 창으로 들어오는 빛의 세례를 받고 방안의 갖가지 사물이 깨어나는 느낌을 살리는 경우도 많다.

하지만 독일 낭만주의를 대표하는 카스파르 다비트 프리드리히Caspar David Friedrich, 1774~1840의 〈창가의 여인〉은 상당히 다르다. 창문 밖을 물끄러미 바라보는 여인의 뒷모습이다. 어떤 표정인지 알 길이 없다. 스며든 빛이 방안의 사물을 비추며 생명력을 불어넣는 느낌도 없다. 탁자나 의자 같은 흔한 가구 하나 보이지 않는다. 벽지도 무늬 없는 단색조의 어두운 분위기다. 색도 암녹색 계통이어서 칙칙하다. 창 주위로 어렴풋이 빛이 들어오기는 하지만 깨어나는 분위기와는 거리가 멀다.

다만 안과 밖의 대비는 분명하다. 바깥은 실내와 대조적이다. 실내가 어둡고 칙칙하고 음습하다면 바깥은 가볍고 환하다. 눈이 부실 만큼 반짝이는 빛으로 가득하다. 푸른 하늘에는 흰 구름이 둥둥 떠다닌다. 건너편에 키가 꽤 큰 나무가 연한 녹색을 뿜어내며 줄지어 서있다. 햇볕이 강렬해서인지 나무의 경계선이 흐리다. 우리 눈도 해가 부시면 사물을 똑바로 못 보고 흐릿한 상태로 보게 된다.

여기까지 보면 특별할 게 없는, 창을 소재로 한 평범한 그림일 뿐이다. 어떤 여인이 따분하거나 외로운가보구나, 하며 지나치기 쉽다. 그림 감상의 묘미는 관찰력에 있다. 얼마나 꼼꼼하고 세밀하게 보느냐에 따라 해석의 폭과 깊이가 달라진다. 그림은 참 묘하다. 그냥 스쳐지나가는 이미지처럼 보이지만 사실은 언어이기도 하다. 그리고 언어인 이상 그 시대와 작가의 사고방식을 담고 있기 마련이다. 작가가 의도하지 않은 관람자의 생각도 스며들어 흥미롭게 다가설 여지가 많다. 특히 여러 가지 장치가 한 화면에 압축되어 있기 때문에 해석의 묘미가 크다. 그림 한 점이 다양한 생각의 물꼬를 트게 해준다.

날카롭고 섬세한 관찰의 눈으로 창밖을 보면 조금 이상한 게 있다. 창문 오른편으로 수직으로 솟구친 깃대가 있다. 이게 뭔가 싶겠지만 자세히 보면 꼭대기에서 아래쪽으로 펼쳐지는 여러 갈래의 가는 줄이 보인다. 돛을 매달기 위해 배의 중앙에 세워놓은 깃대다. 집 앞에 무슨 배인가 싶겠지만, 건너편 숲 밑으로 강물이 보인다. 강가에 있는 공동주택의 3~4층 정도에 사는 듯하다. 강을 따라 집 앞을 지나가는 배를 보는 중이다.

그녀는 고개뿐 아니라 몸까지 기울여 유심히 바깥을 본다. 고개가 향한 방향을 고려하면 배를 보는 듯하다. 유유히 지나가는 장면을 찬찬히 살핀다. 여인의 관심은 집안보다는 바깥을 향한다. 창문턱에 두 팔을 괴고 있는 것으로 봐서 꽤 긴 시간 고정된 자세였겠지 싶다. 어떤 심정으로 응시하는 걸까? 반복되는 집안의 일상을 벗어나 바깥 세상으로 향하는 동경을 품고 있을까?

겉으로는 여인이 주인공처럼 보이지만 화가가 우리의 생각을 자극하도록 만들어놓은 몇몇 상징적 장치도 주인공들이다. 먼저 그림을 안과 밖으로 나누는 창문이라는 장치를 보자. 창문은 어떤 느낌을 주는가? 바깥을 향한 시선이다. 흔히 환기할 때 창문을 연다. 눅눅하고 칙칙한 분위기를 일신하기 위해 창문을 열고 바깥 공기를 안으로 들인다. 새로운 느낌을 만들어내기 위한 도구가 창문이다.

그런데 가장 비중이 큰 장치는 따로 있다. 미술은 시각 예술이다. 화가가 심어놓은 형태와 빛의 구조에 따라 감상자의 시선이 움직인다. 그리고 시선의 순차적 흐름을 통해 응시 구조가 만들어진다. 응시는 곧 생각과 만나는 접점이다. 시선이 모아지는 곳이 생각의 샘이다. 이러한 점이 미술이 선사하는 가장 큰 재미다.

한정된 공간이지만 원근법 때문에 그림의 구조가 시선의 방향을 유도한다. 실내 벽의 돌출된 부분과 움푹 들어간 부분을 통해 감상자의 시선이 열린 창문 쪽으로 모아지도록 되어 있다. 원근의 초점에 해당하는 곳에 여인의 머리가 있다. 그런데 여인이 왼쪽으로 살짝 고개를 틀고 아래를 내려다본다. 그곳에 바로 배가 있다. 깃대만 살짝 보여서 그냥 지나치기 십상이지만 화가가 그림에 심어놓은 시선의 흐름을 고려하면 가장 중요한 상징이다. 시선의 최종 목적지다. 그러한 의미에서 여인과 쌍을 이루는 주인공은 배다.

배는 어떤 의미일까? 배와 함께 동시에 떠오르는 단어가 떠남이다. 머물지 않고 항상 이동하는 이미지를 준다. 또 하나는 미지의 세계다. 어딘지 알 수 없는 세계로 나아가는 느낌이다. 다른 한편으로는 위험이라는 단어도 연결된다. 지상과 달리 배는 출렁이는 강물이나 바다 위를 떠다닌다. 거기에서 태풍이라든가 예상치 못한 기후와 만나기 때문에 늘 위험에 노출된다.

자유와 불안
먼 여정의 동반자

프리드리히 〈항해〉 1820년

시선의 구조와 상징을 염두에 두고 그림을 들여다보면 사고의 지평이 넓어진다. 무엇보다도 우리의 시선을 따라가다 보면 배를 응시하는 그녀의 생각이 궁금해진다. 배의 상징적 의미를 고려할 때 미지의 세계를 향한 호기심이 떠오른다. 일상의 현실에서 벗어나 새로운 세상을 찾아 떠나고 싶은 마음이다. 설렘과 불안이 공존하는 두근거림이다.

같은 화가의 그림 〈항해〉와 비교된다. 앞의 그림에서 창문으로 보이는 깃대의 크기를 고려하면 두 그림 속 배는 비슷한 규모일 것 같다. 바람을 동력으로 삼는 돛단배라는 점도 같다. 멀리 높은 종탑이 솟은 건물들이 보이고, 그곳은 곧 도착할 만한 거리다. 두 남녀가 뱃머리에 앉아 목적지를 바라본다. 점차 해가 서쪽으로 기울고 있는지 하늘에 노란 물이 들었다. 하늘은 맑은 편이어서 주변 사물의 분간에 어려움이 없다. 바람도 심하지 않아 잔잔한 물결이 이어진다. 돛은 산들바람에 약간 펄럭인다.

허스키한 목소리의 가수 로드 스튜어트가 부른 노래 〈세일링Sailing〉을 떠올리게 하는 그림이다. 특히 가사 중에 "폭풍우 치는 바다를 노 저어 갑니다. 그대에게 닿기 위해, 자유로워지기 위해"라는 대목이 떠오른다. 미지의 세계로 나아가는 항해와 자유, 사랑을 연결시킨 노래다. 창가의 여인도 그런 자유로움을 상상하는 게 아닐까? 적어도 매일 반복되는 삶에서 벗어나고픈 마음을 보여주는 게 아닐까?

하지만 〈창가의 여인〉에서 보이는 분위기로는 〈항해〉로 연결될 것 같지는 않다. 이 여인은 창문을 통해 배를 한참 바라본 후에 어떤 판단과 행동을 할까? 여행 계획을 세울까? 그림으로만 보면 배를 타는 행위는 그만두고 문을 열고 밖으로 나가 가까이에서 배를 볼 생각도 하지 않을 듯하다. 실내 분위기와 그녀의 태도로 봐서는 창문을 닫고 언제 그런 시선이 있었는가 싶을 정도로 다시 일상으로 돌아가지 않을까 싶다.

정숙하다 못해 엄숙한 분위기가 전반적으로 흐른다. 여성은 가사와 육아 등으로 집에 묶여 살았고 바깥에 나가지 않았을 느낌이다. 옷도 실내 분위기와 거의 일체화되어 있다. 칙칙한 암녹색 계통의 동일한 색이다. 차이가 있다면 흐릿한 줄무늬 정도다. 창가에 기대어 있다가 늘 하던 일을 되풀이할 것 같다.

프랑스 화가 장 바티스트 시메옹 샤르댕Jean-Baptiste-Siméon Chardin, 1699~1779의 〈식전의 감사기도〉에 나오는 일상으로의 복귀가 창가의 여인에게 예상되는 행동이다. 제목 그대로 엄마와 아이들이 식사 전에 기도를 하는 장면이다. 왼편의 막내 아이가 두 손을 모으고 있는 것으로 봐서 이날의 기도를 맡았나 보다. 의자에 작은 북이 걸려 있고 바닥에 북채가 나뒹군다. 식사 직전까지 소란스럽게 놀다 야단을 맞았는지 약간 주눅이 들었다. 기도 후에 고개를 들어 엄마를 보며 잘 했는지 반응을 살핀다. 엄마는 엄격하지만 인자하게 '그래 참 잘했어. 이제 식사를 하자.'라고 하는 표정이다.

식탁의 접시에 스프를 덜고 있다. 오른편 바닥의 화로 옆에는 다 익은 음식 냄비가 놓여 있다. 단출해 보이는 한 끼의 식사지만 준비가 그리 간단하지는 않았으리라. 일주일에 몇 번은 시장에 들러 음식재료를 사와야 한다. 음식을 만들기 위해서는 매 끼니마다 재료를 다듬고 조리하는 과정을 거친다. 설거지도 식사 후에 빠질 수 없는 일이다. 한참 뛰어놀 아이들이니 집안을 정돈하고 청소하는 일, 늘 흙 범벅이 된 옷을 빨래하는 일도 이어진다. 오랜 기간 거의 매일 반복되었을 일이다. 게다가 결혼하기 전에 어려서부터 엄마가 집안에서 수십 년이 넘도록 해왔던 일을 가까이 지켜보아 왔다. 지금은 숙명처럼 조금도 비켜설 수 없는 삶의 궤도가 되어 있으리라.

샤르댕 〈식전의 감사기도〉 1744년

몽테뉴
습관 우리 안의 은밀한 권력

창가의 여인은 습관으로 단단하게 굳어진 일상의 틀을 깨고 새로운 세계를 향해 나아갈 엄두도 못 낼 분위기다. 새로움의 추구는 그만큼 어렵다. 습관의 힘이 강력하고 무섭기 때문이다. 이 여인에게만 국한되지 않는다. 현대를 살아가는 우리도 마찬가지다. 16세기 프랑스 철학자 몽테뉴Michel Eyquem de Montaigne, 1533~1592는 《수상록》에서 습관에 대해 이렇게 말한다.

> 습관은 배신적인 맹위를 떨치는 훈장이다. 우리 안에 은밀하게 권위의 발판을 닦는다. 습관의 시작은 순하고 잔잔하지만 시간의 도움을 받아 자리를 잡고 난 뒤에, 폭군의 얼굴을 드러내면 우리는 거기에 대항해 눈을 쳐들 힘도 없어진다. (…) 철학이 가장 현명한 사람들의 머리에 심어 넣지 못하는 것을, 습관은 단지 명령만으로 가장 우둔한 속인들에게조차 가르쳐준다. (…) 습관의 힘이 가진 주요 효과는 우리를 너무 강력하게 움켜잡아 옭아 넣고 있는 까닭에, 명령하는 것을 생각해 따져보기 위해 그 지배에서 벗어나 제 정신을 차려 볼 수가 거의 없다는 점에 있다.

습관이 배신적인 맹위를 떨치는 훈장이라는 한 마디 말에 습관의 본 모습이 압축적으로 담겨 있다. 먼저 습관은 두 가지 의미에서 '배신적'이다. 하나는 습관의 행태가 보여주는 배신이다. 처음에는 우리가 의식하지 못할 정도로 순하고 잔잔하게 다가온다. 숨을 쉴 때 의식하지 못하듯이 자연스럽게 파고든다. 이미 젖먹이 시절에 습관을 접한다. 처음 세상을 접할 때부터 만나기 때문에 본래 세상이 그러하고 이 길을 따라야 한다는 생각을 받아들인다. 그런데 일단 마음과 행동에 자리를 잡으면 폭군으로 변한다는 점에서 배신적이다. 폭군은 지배하고 독재한다. 강력하게 옭아매고 벗어나지 못하게 꽉 잡아둔다.

다른 하나는 자기 의사와는 무관하게, 혹은 반하는 행위를 하도록 조종한다는 점에서 배신적이다. 우리는 자신이 주인이고 습관은 선택의 결과로 생겼다고 생각한다. 하지만 현실에서의 관계는 반대다. 습관이 주인이고 우리는 그 지배를 받는다. 습관에서 벗어나 새로운 내일을 열고 싶어도 몸이 얼어붙어 발걸음을 내딛지 못한다. 관성에서 벗어나지 못하도록 강력하게 옭아맨다. 습관이 지배하면 눈도 쳐들지 못할 정도로 무력해진다. 대부분의 생각과 말, 행동이 습관에서 벗어나지 못한다.

한낱 습관일 뿐이라며 거부하고 벗어나면 될 텐데 왜 '맹위'를 떨치는가? 현명한 사람을 이성적으로 설득하는 것보다 더 쉽게 사람들을 휘어잡기 때문이다. 아무리 무지몽매한 사람이라 해도 하던 대로 하라는 소리 없는 명령만으로 따르게 만든다. 그만큼 습관은 마치 신체의 일부처럼 생각과 행위에 깊숙하게 뿌리를 내리고 있다. 다음의 사례를 고려하면 이해가 쉬울 듯하다. 언어학자들이 말에 대해 조사한 내용이다. 사람들은 하루에 몇 단어나

쓰며 살아갈까? 반복되는 걸 빼고 개별 단어만 조사했더니 대략 200단어 내외라고 한다.

신기한 현상은 200단어가 변함이 없다는 점이다. 어제 쓴 걸 오늘 쓰고 내일도 쓴다. 우리 생각이 200단어 내에서 이루어진다는 뜻이다. 생각은 언어를 매개로 이루어진다. 배가 고프거나 졸음이 몰려오는 것은 언어가 필요 없는 우리 안에서 이루어지는 본능적 · 즉각적 반응이다. 조금이라도 생각을 이어가는 경우라면 언어가 매개된다. 200단어 안팎에서 벗어나지 않는 것은 습관의 힘이 얼마나 강력하게 맹위를 떨치며 생각과 행위에 작용하는지 잘 보여준다.

습관을 '훈장'이라고 규정하는 이유는 무엇일까? 습관에 따라 판단하고 행동할 때 사회나 주변 사람들에게 칭찬을 받는다. 주입되어 있는 습관이 인간으로서 마땅히 지켜야 할 보편적이며 자연스러운 덕목이라 믿기 때문이다. 신뢰할 만한 사람이라는 평판을 듣게 되는 하나의 지표라는 점에서 좋은 훈장이다. 칭찬은 고래도 춤추게 한다지 않는가. 어려서부터 칭찬을 받아왔던 습관적 사고와 행위를 훈장처럼 여기며 살아간다.

반대로 습관에서 벗어나 새로운 것에 도전할 때 비난에 직면하는 경우가 많다. 대부분 습관과 통념 안에서 생각하고 행동하기에 새로운 말과 행동은 튀기 마련이다. 모난 돌이 정 맞는다고 하듯이 표적이 되기 십상이다. 사회적 지탄의 대상이 되거나 따돌림을 감수해야 한다. 주위 사람들로부터 고립되기 십상이다.

그러한 의미에서 새로움은 불안을 뜻하기도 한다. 배는 위험한 공간이라는 상징적 의미를 품고 있다. 예기치 못한 자연 현상과 돌발적 상황에 노출된다. 마찬가지로 새로움도 여러 시행착오나 실패를 겪으며 위험에 노출된다. 창가의 여인이 바깥을 바라보며 변화를 꿈꾸지만 불안과 위험을 우려하며 움츠러들어 습관으로 돌아가리라는 예상은 우리에게도 해당된다.

하지만 그러한 답답함을 목격하기에, 새로움의 소중함과 희망을 발견하기도 한다. 새로움이 워낙 어렵기 때문에 예부터 내려오는 말이 있다. 일신우일신日新又日新이다. 고대 상나라의 시조이자 성군으로 잘 알려진 탕 임금에 얽힌 이야기다. 유가 성리학의 주요 서적 중 하나인 《대학大學》의 〈신민新民〉 편에 나온다.

> 탕 임금의 반명에는 '진실로 날마다 새롭고자 한다면, 나날이 새롭게 하고, 또 새롭게 하라.'(苟日新 日日新 又日新)라고 새겨 있다.

반명은 큰 대야에 새겨진 글을 말한다. 탕 임금이 청동으로 만든 세숫대야에 새겨놓았던 문구다. 옛날 중국 사람들은 생활에서 자주 접하는 물건에 중시하는 글귀를 새겨 넣고 이를 대할 때마나 경각심을 일깨웠다. 세숫대야에 왜 이 글귀를 새겨놓았을까. 대야는 매일 아침에 접한다. 세수를 하려는 순간 글귀가 들어온다. 스스로에게 오늘 새로워져야 함을 강제한 것이다. 그만큼 새로움은 어려운 일이다. 습관이 우리 발목을 꽉 잡는다. 의식적으로 벗어나지 않으면 관성에 묶인다. 매일 각성해야 벗어난다.

새로워지려는 사람만 새로워진다. 매일 새로워져야만 새로워진다. 오늘 새로워지려 시도하는 사람만 새로워질 수 있다. 오늘 창문을 열었으면 내일은 현관문을 열어보자. 내일 현관문을 열었으면 다음날은 대문을 열고 밖으로 나가 배에 다가서자. 그래야 당장은 아니라 해도 배를 탈 가능성을 열 수 있다. 그래야 어제와 다른 오늘, 오늘과 다른 내일로 아주 조금이라도 나아갈 수 있다.

메리트 〈이브〉
보에티우스 《철학의 위안》

이브는 무죄다

메리트 〈이브〉 1885년

미국의 화가 안나 레아 메리트Anna Lea Merritt, 1844~1930가 그린 〈이브〉는 서양의 흔한 누드화로 보이기 십상이다. 배경의 숲은 현대 이전 서양회화의 전형적인 분위기다. 옷을 걸치지 않은 알몸 상태의 여성은 그리스 조각상을 연상시킨다. 자연스럽게 그리스 신화의 한 대목을 누드화 형식으로 묘사한 그림으로 여기게 된다.

하지만 조금만 주의를 기울이면 화가의 신선한 고민과 만난다. 여인 뒤편에 탐스럽게 익은 과일이 여러 개 매달려 있고, 바닥에는 한 입 먹은 과일이 놓여 있다. 기독교 신자가 아니어도 잘 알고 있는, 신의 명령을 어기고 선악과를 따먹어 에덴동산에서 쫓겨난 아담과 이브 이야기가 연결된다. 《성경》을 전혀 읽지 않았어도 금방 알아챌 수 있다.

일단 알아챘다면 이번에는 너무 익숙한 스토리라 그저 그런 그림으로 생각하며 지나치기 쉽다. 사실 많은 사람이 아담과 이브 이야기만이 아니라 기독교 성화를 만나면 눈길을 오래 주지 않는다. 유럽의 미술관에서도 성화가 줄지어 걸려 있는 곳에서는 흥미를 잃고 발걸음이 빨라진다. 세계에서 가장 유명한 미술관이라고 하면 누구나 프랑스 파리의 루브르를 떠올린다. 인생에 반드시 한 번은 가봐야 할 곳으로 여긴다.

부푼 기대감을 갖고 미술품이 가득한 전시실로 들어서면 이내 실망한다. 평소에 알던 유명한 작품을 기대하고 갔다가 낯선 성화를 자주 접하기 때문이다. 1986년 오르세 미술관이 개장된 뒤 1848년 이후에 완성된 작품들을 오르세로 옮겼기 때문에 루브르에는 주로 중세와 근대 초기 작품이 가득하다. 특히 중세 기독교 성화가 상당 부분을 차지한다. 예수, 마리아, 성경 이야기가 반복되기 때문에 몇 점 보다가 금방 질려버린다. 그래서 한국 관람객들은 근대 인상주의 미술 작품이 많은 오르세 미술관을 선호하는 경향이 있다.

하지만 서양 문화에 관심을 갖고 있는 사람이라면 기독교 관련 그림에 관심을 둘 필요가 있다. 우리는 이미 서양의 문화와 정신에 큰 영향을 받으며 살아간다. 기독교에 대한 지식 없이 현대사회를 이해하기 어렵다. 기독교는 그리스 · 로마 신화와 함께 서양 문화의 두 기둥 중 하나이기 때문이다. 기독교는 무려 1천 년이 넘는 기간 동안 중세 유럽의 공적인 제도와 사적인 생활 전반에 걸쳐 촘촘한 지배력을 행사했다. 이후에도 정도는 덜하지만 근대를 거쳐 현대에 이르기까지 상당한 영향을 미치고 있다. 기독교와 관련된 중요한 메시지와 상징을 이해하지 않고는 서양의 사고방식과 문화에 접근하는 게 쉽지 않다.

전통적인 아담과 이브 그림과는 분위기가 확연히 다른 메리트의 〈이브〉는 보는 사람 눈에 확 들어온다. 기독교 성화는 일반적으로 성경 내용을 회화적인 이미지를 통해 단순 소개하거나, 통념적 교훈을 부각시킨다. 하지만 메리트는 소개에 머물지 않는다. 성경 내용과 결을 달리하는 새로운 생각을 자극한다. 깊고 다양한 해석 가능성을 열어준다는 점에서 무척 흥미롭다. 개인적으로는 선악과와 연관된 그림 중 단연 최고의 문제작이라 생각한다.

그림의 주인공은 나체로 숲에 앉아 있는 아름다운 이브다. 전체적으로는 어둡지 않은 분위기다. 숲의 빽빽한 나무에는 화사하게 핀 꽃과 탐스럽게 익은 열매가 가득하다. 하나하나 정성스럽게 묘사한 나뭇잎은 햇빛을 반사하며 반짝인다. 왼쪽으로 마치 틈새처럼 열린 공간으로 하늘이 약간 보인다. 신의 명령을 상징하는 듯하다. 이브가 하늘을 등지고 앉아 있는 설정이 선악과를 먹지 말라는 신의 명령에서 벗어난 모습을 보여준다. 서양회화에서 등은 배신의 이미지다. 예수를 배신한 유다가 뒷모습으로 자주 묘사되는 것도 같은 맥락이다. 통념적인 시선으로는 성화에서 흔히 보이는 이브다. 선악과의 교훈을 나타낸 그림이라고 생각하기 쉽다.

혹은 그리스신화를 다룬 숱한 그림처럼 누드를 강조한 것으로 생각할 수도 있다. 중세부터 근대 초기까지의 서양화에서 현실의 여인을 대상으로 한 누드 그림은 금기였다. 육체적 본능을 죄악으로 여기는 엄숙주의가 사회 전체를 지배하는 상황에서도 화가들은 아름다운 신체의 묘사 욕구를 멈추지 않았다. 사회적 제약을 회피하며 표현하는 가장 효과적인 방법이 신화를 소재로 한 누드화였다. 일종의 검열 회피이고, 욕망의 대리충족이었다. 부끄러움을 알기 전 나체로 살던 아담과 이브는 가장 적합한 소재가 될 수 있었다.

하지만 메리트의 그림은 성격이 전혀 다르다. 보통 누드화는 가슴이나 엉덩이의 매력을 드러내는 데 치중한다. 또한 대부분 남성 화가의 작품이다. 메리트가 여성화가라는 점을 고려할 때 이 그림은 누드화라고 보기 어렵다. 여인의 몸보다는 여러 상징과 주변 상황을 통해 메시지를 전달하는 데 초점을 맞춘 그림이다. 여타의 선악과 관련 그림과 어떤 점이 다른지 자세히 살펴보자.

먼저 사탄의 모습이 보이지 않는다. 성경 〈창세기〉에 의하면 사탄이 이브를 유혹한다. 기존 그림은 선악과를 먹으면 신과 같이 될 수 있다며 권하는 사탄을 부각시킨다. 악과 타락에 빠지지 말라는 교훈 전달에 주안점을 둔다. 그런데 메리트는 사탄의 흔적을 지워버렸다. 선악과를 따먹은 행위가 사탄의 유혹이 아니라 자발적 선택임을 암시한다.

다음으로 선악과 그림에 거의 예외 없이 등장하는 아담이 보이지 않는다. 보통은 아담이 주인공이고, 이브는 부정적 동반자의 이미지로 그려진다. 오롯이 이브만을 등장시켜 화면을 구성했다는 것은 무엇을 의미할까? 독립적인 주체로서의 여성을 드러내고자 하는 의도가 아닐까?

선악과를 따먹은 후의 모습이라는 점도 특이하다. 보통의 선악과 그림은 사탄의 유혹에 넘어가 선악과를 손에 쥐거나, 먹은 후에 부끄러움을 알게 되어 몸의 성징을 나뭇잎으로 가린 장면을 보여준다. 혹은 신의 노여움에 의해 에덴동산에서 쫓겨나면서 울고불고하는 상황이다. 메리트는 지금까지 빠져있던 시간과 공간, 선악과를 먹은 후부터 추방당하기까지의 사이에 어떤 일이 벌어지고 있는가에 주목했다. 게다가 부끄러워하는 모습도 아니다. 나뭇잎으로 몸을 가리지 않았다는 점에서 수치심이나 죄책감의 표현과는 거리가 멀다.

마지막으로 골똘하게 생각에 잠겨있는 모습이 눈길을 끈다. 무릎에 머리를 묻고 쪼그린 자세에서 깊은 생각에 잠겨있다. 에덴동산에서는 신으로부터 일종의 특혜를 받으며 아무 부족함 없이 살았다. 구태여 무언가 고민하고 선택할 필요가 없었다. 선악과를 먹은 후에는 핑계를 대며 신에게 변명하거나 허겁지겁 낙원에서 쫓겨난 후에 후회하는 정도였다. 메리트의 이브는 스스로의 선택에 대해, 자기 자신에 대해 깊이 생각하는 느낌이다. 이 그림은 바로 그 순간을 그렸다는 점에서 독특하고 독보적이다.

이브, 죄의 기원 아니라 이상적 인간의 출발점

미켈란젤로 〈아담과 이브〉 1512년

서양회화 전체를 통틀어 선악과 그림 중 대표적 작품으로 르네상스 화가 미켈란젤로Michelangelo di Lodovico Buonarroti Simoni, 1475~1564의 〈아담과 이브〉가 첫손가락에 꼽힌다. 로마 바티칸의 시스티나 성당 천정화인 〈천지창조〉의 일부다. 정면 벽에는 최후의 심판 장면이 나온다. 성당에는 천지창조의 순간을 보려는 사람들로 늘 가득하고, 성당 안 사람 모두가 고개를 천정으로 향하고 있는 재미있는 모습을 볼 수 있다.

하체가 뱀 모습인 사탄이 직접 선악과를 건네는 중이다. 바로 아래에서 이브가 살짝 몸을 틀어 받고 있다. 아담의 행동이 의문스럽다. 한 손으로 나뭇가지를 잡고 다른 손으로는 사탄을 가리킨다. 입을 살짝 벌리고 있는 것이 사탄을 향해 거칠게 비난을 퍼붓는 분위기다. 신과 인간의 계약을 무산시키려는 시도에 분노의 표정과 거친 몸짓으로 항의한다. 상상하자면 '이 사탄아, 왜 우릴 유혹하여 신의 엄명을 어기라고 하느냐. 썩 물러가라!'라며 고함치는 느낌이다. 성경 내용과 차이를 보인다. 남성 중심으로 바꾼 상황을 그림으로 담았다.

성경에 나오는 이야기는 다음과 같다. "하느님께서 아담의 갈빗대를 하나 뽑아 여자를 만드셨다. (…) 뱀이 여자를 꾀었다. '그 열매를 먹으면 눈이 밝아져서 신처럼 선과 악을 알게 된다.' (…) 여자는 열매를 따먹고 아담에게도 따주었다." 신은 둘을 추방한다. 원죄를 저지른 인간은 이후 신의 저주에 의해 병과 고통, 육체적 죽음을 겪게 된다. 아담과 이브의 범죄가 인류를 영원한 죄에 빠지게 한 것이다.

성경에는 이브가 열매를 따서 건네자 "남편도 받아먹었다."라는 내용으로만 나온다. 미켈란젤로 그림처럼 사탄에게 거칠게 항의하는 이야기가 없다. 다만 나중에 신이 왜 선악과를 먹었는지 추궁하자 아담이 "여자가 그 나무에서 열매를 따주기에 먹었을 따름"이라며 궁색한 변명을 하는 대목이 나올 뿐이다. 미켈란젤로는 왜 각색한 화면 구성을 했을까? 아담은 신의 명령을 어기고 싶지 않았는데, 우매한 이브 때문에 함께 죄인이 되었다는 설정이다. 남자는 여자로 인해 죄인이 된 존재다. 죄의 기원을 여성에게 돌리는 장면이다.

사탄의 모습도 눈여겨 볼 필요가 있다. 가슴이 봉긋 솟아 있고 긴 머리카락을 보니 여성이다. 유혹하는 이도, 유혹은 받는 이도 여성이다. 결국 악은 모두 여성으로 연결된다. 가부장제 사회의 일반적인 사고방식인데, 미켈란젤로는 더 심했다. 이브의 몸을 마치 남성 보디빌더처럼 근육질로 묘사한 것도 그렇다. 그는 남성의 강인한 근육과 역동적 동작 묘사에서 예술적 성취를 찾았다. 여성조차도 남성의 몸으로 그릴 정도로 남성에 대한 우월적인 시각을 가졌다.

사실은 성경에 소개된 내용은 기독교와 유관한 다른 종교의 경전과 꽤 큰 차이가 있다. 〈창세기〉가 담긴 구약은 기독교, 유대교, 이슬람교의 공통 경전이다. 유대교와 이슬람교에서도 〈창세기〉 내용을 신의 가장 중요한 말씀으로 여긴다. 이슬람 경전인 《코란》에서는 아담과 이브 이야기를 사뭇 다르게 설명한다. "주님은 응혈로 인간을 만들었다. (…) 두 사람이 열매를 맛보았다."

성경에서는 신이 남자를 만들고 남자의 갈빗대를 뽑아 여자를 만든다. 여자는 남자의 부속물처럼 묘사됐다. 반면 《코란》에서는 응혈, 즉 핏덩어리로 동시에 남자와 여자를 만든다. 선악과도 성경과 달리 두 사람이 동시에 사탄의 유혹에 빠져 열매를 맛본 것으로 나온다.

콘스탄티누스 황제가 313년 밀라노 칙령을 통해 승인하기 전의 기독교는 상대적으로 유대교 전통이 강했다. 여성 차별 시각은 덜했던 듯하다. 로마의 카타콤Catacomb에 그려진 벽화 〈아담과 이브〉 같은 성화를 보면 짐작할 수 있다. 카타콤은 기독교인들이 로마의 박해를 피해 살던 지하 공간이다. 비밀스런 예배 장소였고, 무덤이기도 했다. 로마의 극심한 탄압을 피해 숨어든 공간이었기 때문에 대부분의 벽화는 소박한 편이다. 사람들에게 교리를 설명하는 역할에만 충실하면 됐다. 카타콤의 벽화와 석관 조각 등을 통해 로

로마 카타콤벽화 〈아담과 이브〉 3세기후반

마제국 공인 이전 기독교 미술과 교리를 접할 수 있다.

그림을 보면 선악과나무를 중앙에 두고 좌우에 아담과 이브가 있다. 선악과를 먹었다는 사실을 보여주기 위해 두 사람 모두 나뭇잎으로 성징을 가렸다. 보통 중세 유럽 성화에서는 아담이 손가락으로 이브를 가리키며 사탄의 유혹에 넘어가 선악과를 먹게 된 원인이 이브라는 사실을 보여준다. 하지만 이 그림에는 그런 묘사가 없다. 그림의 비중이나 역할로 볼 때 아담에게 중심을 두지 않는다. 둘 다 신의 명령을 어긴 공통된 죄인의 모습일 뿐이다. 공인 이전의 기독교에서는 아담과 구별하여 이브를 주범으로 지목하지 않았음을 엿볼 수 있다.

이브를 중심으로 한 메리트의 〈이브〉는 유럽의 기독교 전통에서 벗어나 있다. 메리트 그림 속의 이브는 어떤 생각을 하고 있을까? 성경 내용과 연관해서 상상해보자. "눈이 밝아져서 신처럼 선과 악을 알게 된다." 선악 분별은 개인적인 감정과 취향이 기준인 좋고 싫음의 문제가 아니다. 선악은 일정한 보편성을 지닌 옳고 그름의 구분이라는 점에서 이성의 영역이다.

눈이 밝아진다는 것도 이성을 강조하는 말이다. 눈이 밝아지면 어둠에서도 빛을 찾아내고 사물을 분간한다. 진실에 다가서는 상징이다. 결국 선악과를 먹으면 인간이 이성을 얻는다는 의미가 된다. 스스로 판단하고 결정하는, 자유의지를 가진 정신적인 주체가 되는 것이다. 생각에 잠겨 있는 이브는 자발적 선택으로 선악과를 먹고, 이성적 판단으로 나아가는 시점을 보여주는 게 아닐까?

나아가 아담 없는 이브의 모습은 여성의 주체 선언으로 느껴진다. 대부분의 가부장제 사고방식은 인간 기원의 신화에서까지 최초의 악을 여성과 연관시킨다. 여성을 열등한 존재로 끌어내린다. 성경 속의 이브만이 아니다. 그리스신화 최초의 여성인 판도라도 마찬가지다. 그녀는 상자를 열어 이 세상의 모든 근심과 악을 퍼뜨린 장본인이다. 그나마 판도라의 상자에는 마지막에 희망이라도 남아 있지만, 이브는 거짓말에 속아 원죄만을 남긴다. 메리트는 이 그림으로 인간 기원 신화의 내러티브를 전복시킨다. 여성으로 인해 인간의 이성적 정신활동이 시작되었고, 이성적 존재로서의 자립이 시작되었다는, 발상의 혁명적 전환을 보여준다.

보에티우스
행운보다 불운이 더 유익하다

메리트의 그림과 연관성이 높은 고전으로 보에티우스Anicius Manlius Torquatus Severinus Boethius, 480~524의 《철학의 위안》이 가장 먼저 떠오른다. 흔히 로마 최후의 철학자이자 마지막 교부신학자로 불린다. 독서를 꽤 좋아하고, 특히 철학에 관심이 많은 사람이라면 읽어봤을 고전이다.

> 운명의 여신은 행운보다 불운이 인간에게 더 유익하다고 한다. 행운은 항상 행복을 가져다주는 것처럼 보이지만 실제로는 미소로 속인다. 반면에 불운은 변화함으로써 그 참된 모습인 변덕스러움을 드러내기 때문에 항상 진실하다. 행운은 인간을 속이지만 불운은 인간을 깨우쳐준다. 행운은 재물을 보여줌으로써 사람들의 정신을 노예로 만들지만, 불운은 행복이 얼마나 깨지기 쉬운가를 알게 해줌으로써 인간을 해방시켜 준다. 그러므로 너는 운명의 여신이 한편으로 변덕스럽고 제멋대로이며 늘 일정하지 않으나, 다른 한편으로 맑은 정신을 가지고 있으며 역경의 체험으로 현명해진다는 것을 알 수 있다.

교부신학자는 5~6세기경에 기독교 신학을 정립한 사람들이다. 그 대표자가 아우구스티누스Aurelius Augustinus, 354~430다. 지금까지 기독교 신학은 그의 영향 아래 있다고 봐야 한다. 보에티우스는 아우구스티누스 중심의 주류 교부신학과 다르게 성서를 해석했다. 이로 인해 신성모독 혐의로 투옥되었고, 반역 혐의까지 뒤집어쓰면서 처참하게 처형당했다. 이 책은 감옥에 있을 때 집필했다. 최근까지 반드시 읽어야 할 고전 100권에 포함되는 책이다.

행운보다 불운을 좇으라 한다. 불운을 피하고 행운을 만나려 하는 우리의 상식과 반대다. 그가 말하는 행운은 무엇을 의미할까? 아담과 이브 이야기를 하던 중이니 그와 연관된 비유가 적당할 듯하다. 에덴동산은 그들의 의도와는 무관하게 주어진 행운이다. 아무런 부족함이나 걱정 없이 살아가도록 신이 제공한 선물이다. 육체적 고통을 겪으며 일하지 않아도 되고, 번민할 필요도 없는 환경이다.

현실에서 대부분의 사람이 행복으로 여기는 상태다. 하지만 보에티우스에 의하면 이러한 행운이 인간을 속이고, 정신을 노예로 만든다. 모든 것이 주어진 행복한 상황에서는 아무것도 생각할 필요가 없다. 변화가 없으니 정신을 쓸 데가 없다. 주어진 대로 그냥 믿고 따르기만 하면 된다. 스스로 상황을 분석할 힘이 없어져서 생각은 오류에 빠지기 쉽다. 사용하지 않는 정신은 어둠에 휩싸인다.

불운은 무엇일까? 다시 아담과 이브 이야기에 비유하면 온실과 같은 에덴에서 벗어나는 일이다. 세상으로 나오는 순간 모든 걸 스스로 판단하고 행동한다. 수고롭게 몸과 머리를 써서 농사를 지어야 하고, 예기치 않은 자연 변화 앞에 고심해야 한다. 세상은 변덕스럽고 제멋대로이며 일정하지 않다. 수시로 변화하는 매 순간마다 선택의 고민을 해야 한다. 겪어보지 않은 상황에서는 수많은 시행착오를 겪는다. 이게 불운이다.

왜 불운은 맑고 현명한 정신으로 인도하는가? 자기 머리로 생각을 하여 스스로 문제를 찾아내고 풀어갈 수 있게 만들기 때문이다. 시행착오와 오류를 겪으며 보다 바람직한 상태로 나아간다는 점에서 진리에 가까워지는 길이다. 진리의 길은 시련을 넘어서려는 인간의 불굴의 의지를 필요로 한다. 자유로운 정신과 의지에 의해 인간은 자신의 주인이 된다.

종교적인 신앙에도 이러한 자세가 필요하다. 흔히 종교를 절대적 믿음의 영역으로 생각한다. 길거리에서 '불신 지옥, 믿음 천국'이라는 표어를 흔드는 사람을 자주 접한다. 아무런 의문을 품지 말고, 인간의 정신과 의지를 버리고, 오직 믿기만 하라는 주문이다. 이는 기독교 신학을 정립한 교부신학자들의 견해보다도 후퇴한 사고방식이다.

기독교는 유대교와 다르다. 유대교는 율법 중심이고, 유대 민족의 종교다. 기독교가 로마를 통해 세계 종교가 되기 위해서는 세계 각지의 사람들이 인정할 만한 내용을 갖추어야 했다. 고정된 율법에 대한 절대적 믿음으로는 공감과 동의를 얻을 수 없다. 특히 로마는 그리스에서 내려오는 이성적 전통이 강했다. 이를 무시하고는 세계 종교가 될 수 없었다.

교부신학의 대표 격인 아우구스티누스조차 《고백록》에서 이렇게 말한다. "나는 영원한 것이 영원하지 않은 것보다 우월하다는 인식으로 당신을 찾았습니다." 신앙의 출발이 무조건적인 믿음이 아닌 '인식'이다. 무한한 것과 유한한 것 가운데 무엇이 우월한가를 이성적으로 탐구한 결과 영원한 존재인 신에 대한 믿음을 갖게 되었다는 뜻이다. 이성적 판단을 통해 신을 찾는다. 기독교 신학은 신앙과 이성의 결합, 신과 인간의 결합에서 태어났다.

보에티우스도 그 연장선에서 이해할 수 있다.

메리트의 〈이브〉는 이렇듯 인간의 자유로운 정신에 주목했던 듯하다. 한 발 더 나아가 주체로서의 여성에 대한 문제의식까지 자극한다. 그녀는 화가로서의 인생을 돌아보면서 다음과 같이 말한다. "여자의 성공에 가장 큰 걸림돌은 결코 아내를 가질 수 없다는 것이다. 아내가 예술가를 위해 하는 일을 보라. (…) 이런 도움 없이 예술가가 되는 것은 매우 어렵다."

대부분의 남성 예술가는 헌신적인 아내의 도움을 받아 예술 활동에만 전념한다. 그들이 획득한 성과에는 눈에 보이지 않는 여성의 희생이 녹아들어 있다. 하지만 여성에게는 보필해주는 아내가 없다. 남성이 그러한 역할을 하지 않으니 말이다. 결혼을 하면 오히려 자신의 예술 활동을 줄이고 관습적으로 여성의 역할이라고 요구하는 일에 뛰어들어야 한다. 메리트는 그래서 오랜 기간을 혼자 살았을 수도 있다. 결혼 3개월 만에 남편이 사망하고 나서는 평생 독신으로 살았다. 재혼도 하지 않았고, 자식도 없었다. 그만큼 메리트는 세상에서 여성이 가진 어려움과 불이익에 대한 문제의식이 있던 화가다. 평생에 걸친 힘든 경험이 이 그림에 스며들어 있다.

메리트의 이브는 에덴이라는 주어진 온실에서 벗어나 스스로의 머리로 굴곡진 세상을 향한 길을 선택한다. 보에티우스는 대다수가 갈망하는 행운의 허구적인 유혹에 빠지지 말고 불운의 길로 나서라고 한다. 불안과 위험을 피해 무조건 달아나는 게 아니라, 인생의 아주 가깝고 중요한 일부로 여기고 나아갈 때 자유로운 인간과 행복한 삶에 다가서지 않을까.

집시의 춤에서 자유를 만나다

로트렉 〈스페인 댄서〉
세르반테스 《집시 여인》

집시의 애환과
플라멩코 춤사위

로트렉 〈스페인 댄서〉 1888년

고흐나 세잔 등과 함께 후기 인상주의 화가로 이름을 떨친 앙리 드 툴루즈 로트렉Henri de Toulouse-Lautrec, 1864~1901은 우리에게 파리 밤 문화의 상징인 물랭 루즈 그림으로 익숙하다. 몽마르트의 사창가 여인을 비롯하여 파리 하층민들의 삶에 관심을 가졌다. 더불어 기존 규범을 탈피한 자유분방한 보헤미안의 일상, 위선적인 신사들의 모습도 많이 그렸다.

캉캉 춤이 시작된 물랭 루즈를 그린 그림에 무희들이 많이 등장하는 것은 자연스러운 일이었다. 손으로 펼쳐 든 치마 사이로 긴 다리를 쭉 뻗어 올리는 캉캉 춤 특유의 동작을 보인다. 로트렉의 무희 그림 가운데 〈스페인 댄서〉라는 특이한 작품이 있다. 스페인 댄서는 우리에게 낯설지만 당시 유럽 화가들이 관심을 갖고 있던 소재였다.

스페인 댄스는 집시들의 춤인 플라멩코를 의미한다. 집시는 농경과 목축을 하며 정착 생활을 하는 유럽에서 매우 이질적인 존재였다. 15세기 즈음부터 무리를 지어 여러 지역과 들판을 떠돌던 집시는 유럽 전역에서 많은 박해를 받았다. 차별과 폭력을 피해 남쪽으로 이동하던 중에 상대적이긴 하지만 문화적 공존의 여지가 조금은 더 넓은 스페인을 찾는 집시가 많았다. 방랑생활 도중에 즐기던 플라멩코가 스페인 남부 안달루시아 지방의 토속적인 춤과 결합하면서 '스페인 댄스'로 불렸다.

스페인 댄서를 묘사한 여러 화가의 그림 가운데 개인적으로는 로트렉의 이 그림이 유독 마음에 든다. 집시들의 삶과 플라멩코라는 춤의 특징을 가장 잘 반영했다는 생각이 들기 때문이다. 무대를 비추는 한 줄기 조명 아래 여성 무용수가 춤을 추는 중이다. 한 손을 들고 다른 손은 내린 자세다. 왼쪽 발에 무게 중심을 두고 막 회전하는 순간이다. 특별할 것 없는 무희의 흔한 동작이다.

평범해 보이기만 하는 이 그림에 어떤 매력이 있을까? 대부분의 화가는 춤보다는 춤추는 사람을 그린다. 인물을 부각시키기 위해 극적인 순간을 잡아내고, 아름다운 무대 복장은 필수다. 화려한 무대 장치라든가 무희의 춤에 매료된 사람들도 단골로 등장한다. 춤추는 느낌을 보다 효과적으로 전달하기 위해 무희의 표정, 심지어 휘어진 손가락 모양까지 세밀하게 옮긴다.

하지만 로트렉의 그림은 춤 자체에 초점을 맞춘 아주 드문 그림이다. 춤은 움직이는 동작이다. 특히 절정의 순간에는 격렬한 춤사위를 동반한다. 손과 발이 빠르게 움직이고 있어 정확한 순간 동작을 포착하기 어렵다. 움직이는 순간의 손가락을 정확하게 파악하는 것은 더욱 힘들다. 무희들이 입은 치마의 모양이나 무늬는 움직임에 따라 가볍게 펄럭이면서 흐려진다.

로트렉의 그림은 춤의 순간을 제대로 잡아내고 있다. 미완성 상태의 밑그림으로 보이기 십상이지만 움직임 자체를 표현하려는 화가의 의도가 한눈에 들어온다. 무희의 눈 · 코 · 입 경계가 불분명하다. 가만히 보면 올린 손은 손가락만 언뜻 어른거리며 보일 뿐이다. 내린 손은 더하다. 아예 노란색 치마와 형태와 색이 섞여서 분간이 되지 않는다. 빠르게 움직이는 사물을 봤을 때의 잔상이 느껴진다. 한 발을 내딛으며 도는 과정이어서 치마 모양이나 주름도 형태가 남아있지 않다. 스냅사진처럼 동작의 짧은 순간을 잡아내면서 속도감을 사실적으로 보여준다.

집시와 플라멩코의 특징을 살려낸 매력적인 그림이다. 집시는 자유로운 사람들이다. 스스로를 초원의 방랑자라 불렀다. 상당한 거리를 걷는 날이 많았고, 도착하는 지역마다 크고 작은 갈등 때문에 고통을 당했다. 거친 들판에서 잠을 청해야 하는 날이 많았다. 플라멩코는 저녁 식사 후에 모닥불 주위에서 하루의 시름을 달래며 즐기던 춤과 노래였다. 무희가 몸을 움직이고 동료들이 손뼉 치며 발을 구를 때마다 흙먼지가 자욱하게 날렸을 것이다.

비록 그림은 파리에 차려진 무대의 한 장면이긴 하지만, 집시 삶의 현장에서 접하는 플라멩코의 분위기를 조금이나마 느낄 수 있다. 몇 가지 장치와 표현을 통해 현장 분위기를 살렸다. 먼저 무희 주변의 배경을 흐려놓았다. 객석과 깔끔한 신사복 차림의 손님들이 보인다면 초원의 집시 분위기는 사라져버릴 것이다. 로트렉은 무희의 동작을 허물어뜨리면서 동시에 배경도 흐려놓고 진한 녹색 계통으로 깔았다. 회전하는 방향을 따라서 거친 붓질을 해놓았는데, 무희와 어우러지면서 뒤에 우거진 나무들이 있는 것 같은 착각이 들도록 했다. 원래 집시들이 그러했듯이 자연 속에서 플라멩코에 열중하는 느낌이다.

화가가 의도했든 아니든 바닥에 둥근 조명이 비추도록 한 점도 효과를 높이는 데 크게 한 몫을 한다. 여기에 형태가 분명하지 않은 관객들이 어른거리는 모습을 겹쳐놓음으로써 야외에서 둥글게 원을 만들어 함께 즐기는 열기가 연출된다. 원래 플라멩코는 무대와 관객으로 분리된 공간에서 추는 춤이 아니다. 집시 동료들이 빙 둘러싼 야외에서 추던 춤이다. 화가는 몇 가지 장치와 표현으로 현장감을 녹여내고 있다.

규격화된 스페인 댄서로 변질되다

체이스 〈카르멘치타〉 1890년

스페인 댄서를 다룬 다른 화가들의 작품과 비교하면 차이를 보다 생생하게 느낄 수 있다. 미국의 인상주의 화가 윌리엄 메리트 체이스William Merritt Chase, 1849~1916의 〈카르멘치타〉는 가장 잘 알려져 있는 플라멩코 무희 그림이다. 카르멘치타는 1890년대 미국에서 대중적으로 큰 인기를 누리던 플라멩코 댄서의 이름이다. 체이스는 극장에서 본 무희의 모습을 그린 듯하다.

한 손을 들고 있는 모습은 비슷하다. 오른 발을 굽히고 뒤꿈치를 약간 들어 바닥을 구른다. 허리를 길게 감은 옷자락이 옆으로 날리고 있어서 빙글빙글 도는 중임을 보여준다. 양손에 캐스터네츠를 들고 흥을 돋운다. 통이 넓은 치마 전체를 번쩍이는 황금빛 무늬가 화려하게 뒤덮고 있다. 머리와 귀에는 큼지막한 꽃이 달려 있어서 그녀를 더욱 화사하게 꾸며준다.

동작이나 꾸민 모습이 전반적으로 우아한 느낌을 주지만, 격렬한 플라멩코 댄서보다는 완만한 춤 선을 자랑하는 발레리나에 가깝다. 몸짓 손짓 하나까지 정교하게 포착돼 있어서, 다음 춤 동작을 짐작할 수 있을 것만 같다. 캐스터네츠를 없애고 발레 옷만 입히면 발레리나 그림으로 봐도 이상하지 않다.

그만큼 규격화된 움직임이다. 마치 무대에서 기념사진을 찍은 듯 정지해 있다. 이 여인이 바로 그 유명한 카르멘치타라는 점을 누구라도 알도록 얼굴의 특징을 뚜렷하게 묘사한다. 화가의 그림 작업을 위해 한동안 이 자세로 가만히 서있었을 것만 같다.

다른 서양화가의 그림도 비슷하다. 대체로 대형 극장의 무대 위에서 공연하는 플라멩코를 접한 후에 그렸을 가능성이 크다. 카르멘치타가 1889년에 데뷔하고 주로 공연했던 니블로 가든은 3,200석 규모를 자랑하는 뉴욕 최대의 극장이다. 만약 이 정도 규모의 극장에서 집시 여인이 평소의 소박한 복장으로 자유분방하게 춤을 추면 손님들은 외면할 것이다. 화려한 복장과 움직일 때마다 펄럭이는 장신구, 관객이 기대하는 몇 가지 큰 동작 위주의 몸짓이 있어야 관객의 시선을 붙잡을 수 있다.

화가들의 그림에 대형 무대에 적합한, 정형화된 스페인 댄서가 주로 등장하는 이유다. 하지만 이는 실제 집시들의 플라멩코와는 상당한 거리가 있다. 본래의 집시 춤을 본 사람들의 눈으로 보면 어색할 수밖에 없다. 매일의 도전과 위험 속에서 하루를 마치고 고단함을 달래던 초원의 방랑자들의 거친 숨결이 그림에서 잘 느껴지지 않는다. 대형 극장 화려한 조명 아래에서의 규칙적인 동작은 발레리나를 연상시킨다.

존 싱어 사전트John Singer Sargent, 1856~1925의 〈스페인 댄서〉는 비슷한 소재의 일반적인 작품과 달리 대형 극장의 어색함이 훨씬 덜하다. 로트렉 그림과 함

사전트 〈스페인 댄서〉 1882년

께 플라멩코의 현장감을 잘 살린 몇 안 되는 그림 중 하나다. 체이스 그림의 우아한 동작과는 전혀 다르다.

무대 위의 무희가 몸을 뒤틀며 격렬하게 춤추는 모습을 포착한 그림이다. 격정적으로 고조된 감정이 그대로 전달된다. 오른쪽 팔과 함께 몸을 한껏 뒤로 젖히고, 시선은 앞을 향해 뻗친 왼손 끝을 향한다. 극적인 몸짓과 어렴풋하게 느껴지는 표정을 볼 때 거의 몰아의 상태에 빠져 있다. 춤과 노래가 절정을 향해 치닫고 있는지 오른편의 다른 무희들이 양손을 높이 치켜들고 호응한다. 뒤에서 기타 연주와 노래를 하고, 손뼉 치고 발을 구르는 남성들도 비슷하다.

이 그림의 압권은 조명이다. 밑에서 위로 향한다. 대형 극장의 조명과는 큰 차이를 보인다. 대형 극장은 천정이나 멀리 있는 벽 위의 큰 조명이 아래를 비춘다. 하지만 이 그림에서는 바로 앞 아래편 객석 쪽에서 작은 조명이 무대를 밝힌다. 광원이 가까워서 무희 그림자가 벽에 크게 박힌다. 춤과 함께 그림자도 같이 너울거린다. 조명 효과로 인해 무희의 숨결을 바로 앞에서 접하는 기분이다. 장단 맞추며 소리 지르는 관객이 보일 듯하다.

초원의 밤에 플라멩코를 추는 집시의 현장감이 이와 비슷했으리라. 밤을 밝히고 추위를 피하기 위해 피워놓은 모닥불이 아래에서 비추는 가운데 춤을 추었을 테니 말이다. 화가가 오랜 고민을 거쳐 조명의 효과, 무희의 몸짓, 연주자들의 표정이 한데 어우러지도록 정교하게 배치한 덕분이다. 다만 지나치게 고전적인 묘사 방법을 선택한 게 아쉽다. 로트렉이 춤의 움직임과 속도감 자체에 주목했다면 사전트의 시선은 여전히 사람에 머문다. 플라멩코의 역동성을 담아내기에는 어쩔 수 없는 한계가 있다.

세르반테스
삶의 자유, 춤의 유혹

플라멩코에 보다 가까이 다가서기 위해서는 집시의 구체적인 삶과 만나야 한다. 유럽을 떠돌아다니던 15~16세기에 그들이 어떤 처지에 놓여 있었는지 살펴보면 만날 수 있다. 이 경우 그 시대를 다룬 소설이 좋은 안내자가 될 수 있다. 돈키호테로 유명한 세르반테스Miguel de Cervantes Saavedra, 1547~1616의 소설《집시 여인》에 당시 집시들의 삶이 잘 녹아 있다. 세르반테스는 16세기 후반에 왕성한 문필 활동을 했기 때문에 집시들의 일상을 직접 목격한 바도 많을 테고, 실제로 소설 속에는 그 시대 사람들의 사고방식이 충실하게 반영되어 있다. 이 소설의 주인공은 쁘레시오사라는 집시 댄서다. 그녀를 중심으로 집시의 삶과 사랑, 그리고 춤에 대한 이야기가 펼쳐진다. 세르반테스는 집시와 관련하여 다음과 같이 세상의 인식을 전한다.

> 집시들은 남자건 여자건 오로지 도둑질하기 위해 세상에 태어난 것처럼 보인다. 도둑질하는 부모에게서 태어나 도둑놈들 속에서 자라며 그 방법을 배운다. 마침내 원하는 것은 무엇이든 훔칠 수 있는 전천후 길거리 도둑이 된다. (…) 그녀가 막상 춤을 추면서 노래하는 것을 들을 때는 다들 정신을 잃고 있다가 끝난 후에야 뛰어난 춤과 노래 솜씨

> 에 대해 이야기했다. (…) 춤을 보러 모여든 사람들은 커다란 원을 만들었다. (…) 의례가 끝나자 집시 노인이 쁘레시오사의 손을 잡고 안드레스 앞에 세우고는 말했다. (…) "이제부터 그대가 원하는 대로 할 수 있소. 왜냐하면 자유롭고 여유 있는 우리의 삶은 아첨이나 형식에 얽매이지 않기 때문이오."

먼저 집시를 도둑질과 연결시키는 유럽인들의 비뚤어진 사고방식이 적나라하게 드러난다. 대부분 유럽인들은 집시는 범죄자로 태어났고, 죄의식이나 도덕적 감수성이라고는 전혀 없는 구제불능의 인간이라는 편견을 가지고 있었다. 도둑질이나 사기는 물론이고 다니는 마을마다 아이들을 유괴한다는 해괴한 거짓말까지 퍼졌다.

심지어 우물에 독을 푼다는 얘기까지 돌아서 마을에 들어오지 못하도록 돌팔매질을 당하기도 했다. 유럽에 휘몰아쳤던 마녀사냥 광풍의 희생자가 되기도 했다. 떠돌이 집시는 법적인 보호를 받지 못해 재판 절차 없이 처벌이 가능했다. 히틀러의 홀로코스트는 유대인 학살로만 알려져 있지만 유대인과 함께 수용소에 끌려가 죽은 집시도 상당수에 이르렀다.

유럽인들의 혐오와 배척에 어떤 정서가 깔려 있었을지는 어렵지 않게 짐작이 간다. 그들의 유랑생활에서 흔히 낭만적인 모습을 떠올리지만 실제 상황은 상당히 달랐을 것이다. 십여 명이 무리를 지어 이 고장 저 고장을 떠돌아다니는 모습을 떠올려보자. 흙먼지 날리는 들판에서 걷고 취식을 하는 생활이니 옷이 얼마나 지저분했겠는가. 머리에 거지 떼를 떠올리는 게 무리가 아니다. 동네에 10여 명의 거지 무리가 어슬렁거리며 다니면 불안감과 혐오감을 갖기 쉽다. 세르반테스도 당시의 편견에서 자유롭지 못했다.

다음으로 플라멩코 무희의 춤 이야기가 나온다. 그녀가 춤을 추는 도중에는 관객들이 정신을 잃을 정도가 되고, 끝난 후에야 정신을 차린다고 한다. 아래 그림은 1910년에 스페인에서 출간된 이 소설에 실린 삽화다. 집시들 사이에서 가장 춤을 잘 추는 주인공 쁘레시오사의 모습이다. 많은 사람이

《집시 여인》 속 삽화, 1910년

그녀의 춤을 보기 위해 모여들었다.

앞의 몇몇 그림에 비해 집시 여인의 복장이 보다 사실적이다. 사실 가난한 집시들이 어떻게 화려한 무늬를 가진 고급스러운 주름치마를 입었겠는가. 이 삽화처럼 긴 스카프를 어깨나 허리에 두르는 게 최대한의 치장이었을 것이다. 탬버린을 들고 춤을 시작하려는 모습으로 보인다. 세르반테스에 의하면 춤사위가 본격화되면 빙빙 돌면서 그리는 두 발의 궤적은 매듭을 엮었다가 푸는 모양이었다고 한다.

춤을 출 때 관객들이 정신을 잃는다는 표현이 과장처럼 느껴지기 쉽다. 하지만 실제 집시들의 플라멩코를 본 사람은 무슨 의미인지 이해가 간다. 개인적으로 미술관 기행 때문에 스페인에 갔을 때 남부 세비아의 소박한 무대에서 직접 집시들의 춤을 접한 적이 있다. 정신을 잃을 정도로 빨려 들어간다는 말이 이해가 됐다.

통념적으로 알던 플라멩코와 전혀 다르다. 우리 상식에는 한 손을 머리 위로 올리고 다른 손으로 치마를 잡고 규칙적으로 회전하는 동작이 떠오른다. 하지만 실제의 춤은 정해진 순서나 격식이 없이 감정과 몸이 시키는 대로 따라간다. 무대에 오르는 무희마다 동작이 다르다. 같은 댄서도 무대에 따라 다른 춤을 추는 듯해 즉흥성이 강하다. 처음에는 기타 연주와 노래, 그리고 손뼉과 춤 동작 속도가 느리다. 시간이 지날수록 점차 빨라지고 분위기가 고조된다. 열기가 뜨거워지다가 더 이상 빠르고 격렬해지기 어려운 극한에 도달한다. 절정의 순간에 정신이 다른 세계로 들어가는 기분이다.

플라멩코를 접하고 난 후 우리나라의 무당춤이 겹쳐서 떠올랐다. 대부분의 춤이 그러하듯이 우리의 여러 전통 춤도 정해진 동작과 순서를 따른다.

춤을 배운다는 것은 이를 익히는 과정이다. 하지만 무당춤은 격식이 없다. 어릴 때 동네에서 굿판을 봤던 기억을 떠올리면 쉽게 이해할 수 있다. 무당은 그저 몸과 기운이 시키는 대로 움직인다. 그런 동작을 가르치는 곳도 없다. 처음에는 북과 징 소리가 작고 리듬도 느긋하지만 점차 거칠고 빨라지면서 춤도 따라간다. 더 이상 올라갈 수 없는 절정에 도달했을 때를 흔히 접신 상태라 한다. 이때 점을 치거나 망자를 불러낸다.

플라멩코는 우리 무당춤이 접신 상태에 도달하는 단계에서 일순간 춤과 노래가 끝난다. 춤과 무희의 감정만 고조되는 게 아니다. 그 시간과 공간을 함께 하는 사람들의 감정도 따라 올라간다. 절정에서 춤이 끝나는 순간 일종의 카타르시스를 동시에 느낀다. 그만큼 격렬하고 역동적이며 자유롭다.

집시들이 편견과 탄압 속에서 얼마나 고단했으며 큰 고통을 받았겠는가. 그 시름을 춤과 노래를 통해 단 한 순간에 토해낸다. 스스로에게 위안을 주는 집시의 숨결이 고스란히 녹아있는 게 플라멩코다. 그렇기 때문에 춤을 보는 동안 정신을 잃는다는 세르반테스의 표현은 내가 경험한 바로는 결코 과장이 아니었다.

마지막으로 세르반테스는 집시 노인의 입을 통해 집시의 삶과 가치관에 대해 말한다. 쁘레시오사에게 청혼하는 청년 안드레스에게 전하는 이야기다. 집시와 함께 산다는 것은 스스로가 원하는 바를 미루지 않고 실행에 옮기는 삶이다. 왜냐하면 "자유롭고 여유 있는 우리의 삶은 아첨이나 형식에 얽매이지 않기 때문"이라는 것이다. 집시의 정착하지 않는 삶은 곧 제도의 굴레에 속박되지 않는 삶이기도 했다.

법이나 규칙의 형식적 절차에 자기 인생을 맡기기를 거부했다. "채찍으로 우리를 꺾을 수 없으며 짓누르는 형벌도 우리를 굽힐 수 없소." 제도적인 폭력이나 규범을 통해 획일적으로 길들여지는 삶에서 벗어나고자 했다. 누군가에게 아첨할 필요도 느끼지 않았다. 맹목적인 부의 축적이나 지위 상승에 인생을 허비하지 않으니 강자에게 굽실거릴 필요도 없었다. 감정이 시키는 대로 말하고 행동했다.

체이스의 그림에서는 이러한 집시의 체취가 느껴지지 않는다. 오히려 형식과 절차에 길들여진 인간형이 떠오른다. 사전트의 그림에서는 조금은 더 집시 삶의 거친 숨결이 느껴지기는 하지만 여전히 무대 위의 무희 느낌이 강하게 남는다. 이에 비해 로트렉의 무희는 춤 속에서 같이 어우러지는 느낌이다. 무대가 아니라 들판의 흙을 밟으며 움직이는 집시 여인의 춤을 접하다가 어느 순간 같이 몸을 흔들어도 될 것 같은 충동을 불러일으키는 그림이다.

로트렉의 삶과도 어느 정도는 맞물리는 면이 있다. 그는 꽤 부유한 귀족의 자녀였기에 얼마든지 보장된 삶을 누릴 수 있었다. 어릴 때 사고로 불구가 된 아픔이 있었지만 워낙 뿌리 깊은 백작 가문이었기 때문에 누구에게도 무시당하지 않으며 편안하게 살아갈 수 있었다. 하지만 대저택의 안락함을 등지고 나와 몽마르트의 가난한 화가들과 어울리며 싸구려 독주인 압생트를 마셨다. 또한 무희나 사창가 여인들처럼 어려운 사정에 처한 사람들과 공감하며 짧고 강렬한 인생을 살았다. 그러한 점에서 로트렉은 집시나 플라멩코 이미지와 연결된다.

집시와 플라멩코는 우리의 삶을 돌아보게도 한다. 전통사회만이 아니라 21세기의 현대인도 통념과 규칙 안에서 살아간다. 정해진 틀과 궤도에서 거의 한 발짝도 벗어나지 않고 길들여진 일상을 보낸다. 동일한 패턴이 매일 반복되는 생활이다. 로트렉의 〈스페인 댄서〉를 보면서 조금은 더 자유로운 발상, 정해진 철로 위를 걷는 인생에서 한 발짝 떨어져서 열린 미래와 삶을 꿈꾸는 것도 의미 있는 경험이리라.

나는 걷고 싶다

신영복 〈나는 걷고 싶다〉
캄파넬라 〈내 자신에 대하여〉

가슴을 먹먹하게 만드는 그림과 글

신영복 〈나는 걷고 싶다〉 1988년

직업 미술가의 작품에서만 예술적인 감동을 느끼는 것은 아니다. 사실 직업으로 작품 활동을 하는 사람만 미술가로 제한하는 통념도 문제다. 임의적이고 다분히 엘리트주의적인 편견이 배어 있는 태도다. 현대사회에는 다양한 기술 분야 자격증 제도가 있다. 하다못해 운전도 국가 면허가 있다. 하지만 문학 · 미술 · 음악 등 예술 분야에는 공식적인 자격증이 없다. 자격증이 없다는 것은 누구나 예술가일 수 있다는 의미다. 다만 직업으로 삼고 있느냐 여부만 차이가 있을 뿐이다.

나는 모든 사람이 미술가의 자질을 갖고 있다고 본다. 적어도 충분한 기간 동안 계발만 한다면 '기술적'으로는 대부분 고흐만큼은 그릴 능력이 생긴다. 실제로 고흐는 전문적인 미술 수업을 받은 사람이 아니었다. 그의 초기 스케치를 보면 서툴기 짝이 없다. 비교적 후기의 작품과 스케치를 보더라도 정밀하게 사물의 형태를 잡는 데 여전히 서툰 구석이 많다. 전문적인 미술 수업을 받으면서 성실하게 데생 연습만 한다면 기술적으로는 고흐에 근접할 수 있다. 문제는 그림 안에 담긴 창의성이고, 사람들에게 감흥을 주는 예술성일 것이다.

미술가의 딱지가 안 붙어 있는 신영복의 그림에서 진한 감동을 느꼈다. 신영복은 육군사관학교에서 경제학 강사로 있던 중 1968년 통일혁명당 사건으로 구속되어 무기징역형을 선고받고 20년 20일 동안 감옥살이를 했다. 세상에 나온 이후에는 대학 교수로 후진을 양성하면서 많은 이에게 지적인 감동과 성찰을 주는 글을 남겼다.

《감옥으로부터의 사색》이라는 책에는 감옥살이를 하면서 엽서에 그린 그림이 여러 편 실려 있다. 그림은 단순하지만 글의 내용과 어우러지면서 많은 생각을 하게 만든다. 내 가슴을 가장 아리게 한 것은 '나는 걷고 싶다'라는 글이 새겨진 눈사람 그림이다. 그림은 엽서의 아래 귀퉁이에 정감 있게 자리하고 있고 왼쪽에 다음과 같은 글이 있다.

"작년 여름 비로 다 내렸기 때문인지 눈이 인색한 겨울이었습니다. 눈이 내리면 눈 뒤끝의 매서운 추위는 죄다 우리가 입어야 하는데도 눈 한번 찐하게 안 오나, 젊은 친구들이 기다려쌓더니 얼마 전 사흘 내리 눈 내리는 날 기어이 운동장 구석에 눈사람 하나 세웠습니다. 옥뜰에 서 있는 눈사람. 연탄 조각으로 가슴에 박은 글귀가 섬뜩합니다. '나는 걷고 싶다.' 있으면서도 걷지 못하는 우리의 다리를 깨닫게 하는 그 글귀는 단단한 눈뭉치가 되어 이마를 때립니다."

그림을 보면 밀짚모자를 쓴 눈사람 하나가 덩그러니 서있다. 밀짚모자 크기를 고려할 때 겨울에 동네에서 흔히 보는 작은 눈사람이 아니다. 거의 웬만한 성인 체격을 가진 크기다. 눈사람 앞에는 검정 고무신이 가지런히 놓여 있다. 아마도 재소자 중에 한 사람이 걷고 싶은 마음을 담아 자신이 신던 고무신을 놓아둔 것이리라. 점차 주변이 어둑어둑해지는 저녁 무렵의 광경이다.

그런데 가슴팍에 '나는 걷고 싶다.'는 글씨가 선명하다. 무슨 뜻일까? 감옥은 사방이 높은 담으로 둘러싸인 곳이니 몇 십 발자국을 걷고 나면 벽이 가로막고 서 있을 게다. 더 걷고 싶어도 걸을 수 없는 제약이 가로막고 있을 때, 그것도 어느 하루의 일이 아니고 매일의 일상일 때 '걷고 싶다'라는 말은 절규가 된다.

바깥을 향한 간절한 열망이고 희망이다. 특히 시국사범을 가둬두는 한국 감옥의 독방은 한 평이 채 안 된다. 두세 걸음만 걸으면 벽이 가로막는다.

운동시간에 밖으로 나가봐야 크게 다르지 않다. 제한된 공간에서 감시를 받으며 운동을 하기 때문에 금방 4.5미터 높이의 교도소 외벽에 막힌다. 그래서 감옥에서는 걷는 것 자체가 자유의 상징이다. 눈사람 앞에 놓인 고무신은 자유롭게 발걸음을 옮기고 싶은 마음이다. 새가 되어 담장 위로 훌쩍 날고 싶은 마음이다.

여기에 더해 눈사람 위에 찍혀 있는 '검'이라는 표시가 무릎을 탁 치게 만든다. 마치 그림의 일부인 듯 자리 잡고 있다. 어쩌면 저리도 절묘하게 그 글자가 있어야 할 곳에 있단 말인가. 우연이 만들어낸 필연인가 싶다. 교도관이 편지를 검열하면서 찍은 것이다. 검열 도장이 눈사람 위에 찍힌 것은 우연이다. 직원이 의도적으로 여기다 찍어야지 한 게 아닐 테니 말이다. 눈사람 그림과 걷고 싶다는 글의 절실함을 '검'자 하나가 더욱 선명하게 보여준다. '검'자는 걸음을 막는 감옥의 담벼락이다.

그런데 밖을 향해 걷고 싶은 마음이 강해지는 만큼 감옥 안 생활은 더욱 힘들어진다. 바깥의 세상과 사람을 떠올리고 그리워하는 순간 가슴을 조이는 압박감이 자라난다. 그리움이 커지는 만큼 현실에 대한 불만족이 커지기 때문이다. 당장의 일상이 더욱 지옥 같고 힘들어진다. 바깥 세상에 대한 생각을 머리에서 지워버리고, 갇힌 일상이 자기 삶의 전부라고 생각하며 살아가야 버틸 수 있는 공간이 감옥이다.

그러한 점에서 걷고 싶다는 말은 미래에 대한 막연한 희망보다는 현실에 대한 깊은 절망을 보여준다. 감옥이라는 특수한 사정, 나아가 무기징역을 선고받고 출구가 보이지 않는 수감 생활을 하고 있던 저자의 상황을 염두에 두고 그림을 다시 보면 눈사람에게서 울고 있는 표정이 느껴지는 듯하다.

옥창의 풀에서 희망을 찾다

신영복 〈옥창의 풀씨 한 알〉 1978년

감옥을 현실로 받아들여야 견디는 게 조금이라도 수월해진다고 했지만 마음대로 되는 일이 아니다. 그 역시 외로움은 어쩔 수 없었나 보다. 《감옥으로부터의 사색》 곳곳에서 격리된 삶이 주는 외로움이 뚝뚝 묻어난다. 사회에서 격리된 세월이 20년이니 고독이 일상이 되어버렸으리라.

하지만 나는 그의 글과 그림에서 외로움을 넘어, 타인과 세상에 대한 따뜻한 시선을 본다. 몸은 갇혀 있지만 마음은 한없이 열려 있음을 본다. 아주 작은 사건에서도 인간 삶에 깊은 성찰을 주는 의미를 발견해내고 조그만 기쁨에서 어깨를 짓누르는 고통을 떨쳐내기도 한다. 그의 엽서 글에는 다음과 같은 내용이 있다.

"그 자리에 땅을 파고 묻혀 죽고 싶을 정도의 침통한 슬픔에 함몰되어 있더라도, 참으로 신비로운 것은 그처럼 침통한 슬픔이 지극히 사소한 기쁨에 의하여 위로된다는 사실이다. 큰 슬픔이 인내되고 극복되기 위해서는 반드시 동일한 크기의 커다란 기쁨이 필요한 것은 아니다. 작은 기쁨이 이룩해내는 엄청난 역할이 놀랍다."

맞는 말이다. 열 개의 슬픔과 고통을 열 개의 기쁨과 쾌락이 있어야지만 넘어설 수 있다면 우리들의 세상살이는 너무 힘들어진다. 실제 현실은 기쁨보다 슬픔이 훨씬 많고, 쾌락보다 고통이 훨씬 많기 마련이다. 그런데 다행히 한 개의 기쁨이 열 개의 슬픔을, 한 개의 쾌락이 열 개의 고통을 이겨낸다. 그만큼 기쁨과 쾌락의 위력은 크다.

감옥도 사람 사는 곳이다. 물론 개인적으로 이 세상에 지옥이 있다면 감옥이라고 생각한다. 인간이 가장 고통스러운 순간은 자유를 전적으로 박탈당한 상태다. 조그마한 행동이나 한 마디의 말까지 제한을 받는 곳이 감옥이다.

하지만 지옥 같은 감옥에서도 토끼 꼬리만큼 작은 기쁨은 있다. 뜻밖의 면회, 밖에서 보내준 편지 한 줄에서도 기쁨을 느낀다. 혹은 그날 잠시 접했던 다른 재소자의 말이나 행동을 통해서도 기쁨을 만난다. 이 하나가 슬픔과 고통 열 개를 이기고도 남는다. 삶이 아무리 어렵고 실망스러워도 버티고 이겨낼 동기와 에너지를 준다.

스스로에게 희망을 부여하고 또 다른 미래를 향해 기대를 거는 이러한 태도를 희망 고문이라고 치부할 필요는 없다. 이조차 없으면 못살 테니 말이다. 자신의 삶 속에서 문득 발견하는 아주 작은 의미가 일상의 반복이 주는 잔인한 지루함을 넘어서게 한다. 신영복은 지독한 반복과 통제 가운데서도 희망의 끈을 놓지 않았다. 《감옥으로부터의 사색》에 실린, 〈옥창의 풀씨 한 알〉이라는 그림과 시가 눈길을 끈다.

우리 방 창문턱에
개미가 물어다 놓았는지
풀 씨 한 알
싹이 나더니
어느새
한 뼘도 넘는
키를 흔들며
우리들을
가르치고 있습니다.

그림에 감옥 방의 한쪽 면에 난 작은 창이 보인다. 건너편에는 시찰구가 있을 것이다. 교도관들이 지나가면서 감시할 수 있도록 철문 윗부분에 뚫어놓은 구멍이다. 그 아래 벽으로는 끼니마다 밥과 반찬을 넣어주는 배식구가 있기 마련이다. 보통 시찰구를 통해 변기가 보이고 그 위로 작은 창이 뚫려 있다.

자세히 보니 창틀 구석에 조그마한 풀이 하나 자라나 있다. 아무것도 자랄 수 없을 것 같은 좁은 틈을 비집고 올라왔다. 우리도 봄이나 여름에 동네의 축대나 담벼락 틈새에서, 혹은 길거리의 보도블록이나 아스팔트 틈새에서 솟아난 풀을 발견하고, 놀라울 만큼 끈질긴 생명력에 감탄했던 기억이 있다.

원래 감옥에 오래 갇혀 있다 보면 아주 작은 변화도 민감하게 느낀다. 봄에 창문 밖의 거친 땅에서 이름 모를 잡초가 자라는 과정을 매일 확인하게 된다. 감옥의 창틀 틈에 갇힌 풀씨 한 알이 싹을 틔우고, 줄기와 이파리를 만들어 낸 모습이 가르침을 줬다. 아무리 어려운 상황에서도 삶의 의미와 희망의 근거는 있다는 가르침이다. 슬픔의 장막이 아무리 두껍고 넓어도 마음속에 희망의 움을 틔우자는 격려다. 작은 풀 하나가 세상을 어떻게 살아야 할지를 알려준다. 하루하루 시간을 죽이듯이 반복을 거듭하는 관성의 등짝을 죽비처럼 후려친다.

캄파넬라

날개 꺾여도 비상할 수 있는 까닭은

코자 〈캄파넬라〉 1638년

신영복의 《감옥으로부터의 사색》이 주는 깊은 울림은 한 사람의 사상가를 떠올리게 한다. 이탈리아의 수도사이자 철학자인 톰마소 캄파넬라Tommaso Campanella, 1568~1639다. 우리에게는 나폴리 감옥에 오랜 기간 갇힌 채 고통을 당하던 시기에 쓴 《태양의 나라》로 잘 알려져 있다. 중세의 암흑을 넘어 이상적인 인간의 삶과 사회를 전망하는 책이다. 토마스 모어의 《유토피아》는 장기적이고 꿈같은 이야기가 많다. 이에 비해 캄파넬라의 책은 조금은 더 현실적인 미래, 가까운 미래에 실현 가능한 구상을 담고 있다.

중세를 넘어서기 위한 전망을 고민하던 그는 기존 체제 유지에 골몰하던 교황청의 증오 대상이었다. 철학적으로도 교황청 교리와 상당한 거리가 있었다. 기독교가 악의 근원으로 보던 육체와 감각에 대해 인간 본질의 한 부분으로서 적극적인 역할을 한다고 주장했다. 나아가 신이 창조한 지구를 우주의 중심으로 설명하는 기독교와 달리 지동설을 주장하는 갈릴레이와도 교분을 쌓으면서 당시의 자연철학을 옹호했다.

종교적 신비주의를 넘어 합리적 · 과학적 시각으로 세상과 인간에 대한 통찰을 권하는 태도로 인해 결국 교황청에서 종교재판을 받는다. 그는 사형을 피하기 위해 광인 행세를 한다. 당시 법에 의하면 미친 사람은 사형을 면하게 해주었기 때문이다. 그렇다고 자유를 주지는 않았다. 살려주는 대신 평생을 감옥에 가두곤 했다.

광인 행세로 목숨을 구하기 위해 지옥 같은 고통을 감내한다. 진실 여부를 확인하기 위해 약 1년 동안 고문이 자행되기 때문이다. 심지어 막바지에는 며칠 동안 공중에 밧줄로 매달아 놓은 채, 잠도 재우지 않고 고문한다. 이 과정에서 사망에 이르는 사람이 적지 않다. 최후까지 모진 고문을 견디면서 사형은 면하고 무기징역에 가까운 형을 선고받는다. 약 30년 동안 나폴리 감옥에 갇혀서도 저작활동을 계속한다. 또한 탈출 계획이 발각되어 가장 악명 높은 지하 감방에 수감된다. 햇빛이 전혀 들지 않아 습기가 가득한 곳에서 손발이 묶인 채 최소한의 식량만 공급받는다. 신영복의 20년 투옥 경험에 경악하기 마련인데 그보다 훨씬 긴 기간이다.

같은 시대를 살았던 바로크 경향 화가 프란체스코 코자Francesco Cozza, 1605-1682의 초상화 〈캄파넬라〉에는 그의 깨어 있는 정신이 고스란히 담긴 듯하다. 30년 가까이 상상할 수 없을 정도의 혹독한 시련을 겪고, 이미 70세가 넘은 노쇠한 몸임에도 불구하고 전혀 흐트러지지 않은 모습이다. 우리를 뚫어지게 응시하는 눈빛에 거짓과 무지를 용납하지 않고 오직 진실과 진리의 길을 걷고자 했던 삶이 스며들어 있다. 굳게 다문 입술에서 불의와 부당한 억압에 무릎 꿇지 않겠다는 결의가 느껴진다.

캄파넬라의 《시편》에 실린 〈내 자신에 대하여〉라는 시에서는 온갖 고초를 겪으면서도 신념을 꺾지 않고자 했던 결연한 태도가 묻어난다.

> 날개는 땅에서 부러졌건만,
> 괴로움에 몸부림치는 내 육체의 마음속엔 즐거움 가득 차있노라.
> 하늘로 나는 날개 펼 것이니
> 아픔으로 내 몸 견디기 어려우나,
> 날개는 나를 이 무서운 대지로부터
> 저 높은 하늘로 해방시키노라.
> 끝을 알 수 없는 이 싸움은 참으로 용맹한 자를 가려낼 것이며,
> 영원 앞에서 이 지루한 시간도 짧아지며,
> 내가 짊어지고 있는 이 무거운 짐 가볍기 그지없노라. (…)

이 시는 광인 여부를 심사하는 과정에서, 가장 극심했던 며칠간의 연속된 고문을 이겨낸 직후에 썼다. 날개가 부러졌다는 것은 자기가 처한 극한의 고통과 어려움을 의미한다. 자유를 잃고 감옥에 갇혀 있는 상태만으로도 괴로운데, 1년이 넘게 극심한 고문에 시달리니 육체는 말도 할 수 없는 괴로움에 몸부림친다.

그런데 왜 마음은 즐거움이 가득하고 오히려 해방감을 느끼는가? 자기가 발견한 사실과 진리를 놓지 않고 있는 데에서 스스로 위안을 받고 기쁨을 느낀다. 천정에 묶여 매달린 채 며칠 밤을 자지도 못하고 고문을 당했지만, 이를 굳건한 의지로 이겨낸 자신에 대한 대견함이다. 스스로를 향한 격려와 미래에 대한 희망을 다지는 내용이다.

이어서 끝을 알 수 없는 이 싸움이 진정 용맹한 자를 가려낼 것이라고 한다. 캄파넬라가 처했던 극한 상황은 아니라 해도, 어떤 사람의 진정한 면모는 시련을 겪는 과정에서 드러나기 마련이다. 김정희의 〈세한도〉로 유명해진 문구처럼, "한겨울 추운 날씨가 된 다음에야 소나무와 잣나무가 시들지 않음을 알 수 있다."라고 하지 않는가.

상황이 좋을 때는 대부분 자신의 부정적인 측면을 얼마든지 숨길 수 있다. 하지만 큰 시련이 닥쳤을 때 그를 둘러싼 조건이나 관계에 중대한 변화가 찾아온다. 이기적인 태도를 드러내거나 평소의 신념을 꺾고 비겁한 모습을 보이기도 한다. 하지만 진정한 의지와 희망을 갖고 있는 사람이라면 견뎌나간다. 캄파넬라는 무릎을 꿇지 않고 인간이 감내하기 어려운 시련에 맞선다. 오랜 기간 감옥에 갇혔지만 나와서도 갈릴레이의 지동설을 옹호한다. 분노한 교황청이 다시 종교재판을 열자 프랑스로 망명한다.

캄파넬라의 글을 보면 신영복의 삶이 겹쳐진다. 20년에 걸쳐 혹독한 수난을 겪었지만, 가까스로 세상에 나온 후에도 여전히 첫 마음을 잃지 않는다. 진보적인 신념을 유지하며 실천적인 사상가로서의 활동을 이어간다. 세상을 떠나는 날까지 지치지 않고 뚜벅뚜벅 큰 걸음을 내딛는다. 자유는 억압에 굴하지 않는 의지 앞에서 자신의 진정한 모습을 보여준다. 영원할 것 같이 위력을 떨치던 짙은 어둠이 한 줄기 빛으로 무너지듯이, 한 사람이나 소수의 견고한 신념이 세상을 바꾸는 견인차가 된다.

진심을 찾을 때 만나는 조롱

르파주 〈디오게네스〉
라에르티오스《그리스 철학자 열전》

무얼 그리 찾고 있습니까?

르파주 〈디오게네스〉 1873년

그리스 철학자 디오게네스Diogenes, 기원전 404~323는 괴짜 철학자로 유명하다. 평소 철학에 관심이 별로 없는 사람도 길거리의 통 속에서 거지처럼 살아갔던 그의 일화를 어디선가 들어봤을 것이다. 워낙 상식을 뛰어넘는 엉뚱한 일

화가 많아서 꽤 많은 서양 화가들이 그를 그림 소재로 삼았다. 거의 예외 없이 옷을 벗다시피 하거나 누더기를 걸친 초라한 행색으로 등장한다.

디오게네스를 다룬 수많은 그림 중에 개인적으로는 프랑스 화가 쥘 바스티앙 르파주Jules Bastien-Lepage, 1848~1884의 〈디오게네스〉가 단연 최고의 걸작이라고 생각한다. 이 화가는 농민 출신으로서 농민에 대한 깊은 애정을 갖고 있었다. 풍요로운 수확의 기쁨보다는 가난한 농민의 일상을 많이 그렸다. 그의 그림에는 스산하고 쓸쓸하거나 암울한 분위기가 흐른다. 자신이 목격하고 겪었던 농민의 어려운 삶이 그림으로 녹아든 게 아닌가 싶다. 그의 대표작 중 하나가 〈디오게네스〉다.

기존의 디오게네스 그림은 대체로 서사적으로 상황을 표현하는 경우가 많다. 인상적인 일화를 그림으로 알기 쉽게 설명하다보니, 마치 동화책 속의 삽화처럼 그린 것들이 많았다. 그림 하나에 여러 사람이 등장하고 관련된 상황 설정도 있어야 하기 때문에 화폭 구성이 복잡해질 수밖에 없었다.

그런데 르파주의 그림은 디오게네스 이외에 아무것도 없다. 심지어 옷을 한 조각도 걸치지 않은 모습으로 웅크리고 앉아 있다. 고작 작은 등잔 하나가 달랑 있을 뿐이다. 어떤 상황도 예측할 수 없는 텅 빈 공간이 배경이다. 철학자의 눈이 그림을 감상하는 우리를 응시한다. 아무 말이 없지만 눈빛 하나로 말을 걸어온다.

회화는 문학으로 치면 한 편의 시에 가깝다. 소설은 보통 전후사정을 구구절절 설명한다. 시는 간결한 몇 문장에 시대 상황과 작가의 정신을 고도로 압축한다. 물론 연작으로 작업하면 일정하게 소설적인 요소를 결합시킬 수 있지만, 한 점의 회화로 제한해서 보면 시적인 요소가 다분하다. 시인이 함축적인 시어에 단순한 감상을 넘어 세상과 인간을 바라보는 생각을 담듯이, 미술가도 한 점의 회화에 압축된 이미지로 시대정신이나 작가의 문제의식을 드러낸다.

르파주는 회화의 시적인 특징을 잘 살려냈다. 설명을 위한 복잡한 장치 없이 인물과 등잔만으로도 디오게네스가 가진 삶의 태도와 방식을 전달한다. 더 나아가 사소해 보이는 몇 가지 설정을 통해 깊은 생각을 하도록 자극한다. 응시하는 눈빛을 통해 무언가 진지한 질문을 던진다. 왜 실오라기 하나 걸치지 않은 모습인지도 의문을 갖게 한다. 웅크린 자세로 앉아 있는 이유도 궁금하다. 텅 빈 배경은 우리의 생각으로 채워 넣어야할 공간이라는 생각을 갖게 만든다.

특히 앞에 놓여 있는 등잔이 궁금증을 자아낸다. 그림 속의 유일한 물건이라 그런 것만은 아니다. 주의를 기울여 보면 불이 켜져 있다. 밤이라면 이상할 게 없다. 하지만 그림 전체적으로 빛의 흐름을 보면 위에서 아래로 향한다. 인물의 위에서 빛이 쏟아져 내려 어깨와 무릎이 환하다. 햇볕이 가득한 대낮이라는 뜻이다. 등잔의 빛에 의존한다면 위쪽이 어둡고 아래쪽이 환해야 한다. 사물과 상황이 밝게 보이는 대낮에 왜 등잔불을 켜고 있을까?

디오게네스의 일화를 보여주는 그림이다. 고대 그리스의 전기 작가인 디오게네스 라에르티오스Diogenes Laertius, 3세기경의 《그리스 철학자 열전》에 관련된 이야기가 잘 소개되어 있다.

디오게네스가 대낮에 등불을 켜 들고 거리에서 무언가를 찾아다녔다. 한 사람이 물었다.

"무얼 그리 찾고 있습니까?"

"사람을 찾고 있다네!"

"사람 많은 번화가에서 사람을 찾다니요?"

"사람은 많아도 참 사람은 드물지. 등불을 들고 다니면 보일까 하고."

사람들이 가득한 길거리에서 무슨 사람을 찾는가? 주변이 다 보이는 대낮에 왜 작은 등잔불을 들고 찾아다니는가? '참 사람'을 찾기 위해서다. 진정한 삶의 태도를 지니고 살아가는 인간을 찾는다. 이를 위해서는 사물을 분간하는 보통의 시각으로는 찾기 어렵다. 더 깊이 있는 통찰을 통해서야 발견할 수 있다.

그리스에서 밝은 빛은 이성을 의미했다. 인간 이성이 어둠을 걷어내는 빛과 같은 역할을 한다고 여겼기 때문이다. 이성이 무지를 걷어내고 세계와 인간의 진면목을 드러내주는 역할을 한다는 점에서 그러하다. 등잔은 누군가가 자신은 참된 사람이라고 하더라도 캐묻고 다시 캐물어서 정말 그런지 의심을 품도록 만드는 상징적 장치다.

옷을 벗고 있는 이유는 무엇일까? 그의 철학 경향과 연관이 깊다. 흔히 디오게네스와 비슷한 사고방식을 가진 철학자들을 '견유학파'라고 불렀다. 개같이 산다는 뜻을 담고 있다. 자연주의적인 삶의 태도 때문에 생긴 조롱이다. 그들은 문명에 의존하고 있는 삶에 대해 상당히 비판적이었다. 문명이 사람들에게 가장 중요한 가치라고 요구하는, 부와 명예 등에 비판적인 거리를 유지하며 가급적 소탈한 삶을 살았다.

디오게네스는 평생 지팡이 하나, 허름한 옷 한 벌로 살았다고 한다. 집도 없어서 낡은 통 속에서 살았다. 이들이 추구한 자연적인 삶은 이중적인 의미를 지녔다. 하나는 물욕을 멀리하고 자연이 제공한 범위 내에서 살아가려는 태도였다. 다른 하나는 인위적인 것을 거부한다는 뜻에서, 자연스러운 삶의 자세였다. 중국 제자백가 사상 가운데 인위에서 벗어나 무위자연을 꿈꾸었던 도가와 유사한 면이 있다.

그림에서 옷을 벗고 있는 것은 겉치레에 집착하지 않는, 있는 그대로의 인간을 드러낸다. 돈이나 지위로 표현되는 왜곡된 욕망을 비판하며, 자연이 제공하는 작은 욕망에 충실하고자 했던 삶의 태도를 아무것도 걸치지 않은 몸뚱이 하나로 보여준다. 이는 사회가 요구하는 인위적인 도덕률에서 벗어나는 의미도 지닌다.

심지어 디오게네스는 길거리에서 행인들의 시선을 개의치 않고 자위행위를 한 일화로도 유명하다. 광장에서 한참 자위에 열중하면서 "아아, 이렇게 비비는 것만으로 배고픔이 사라진다면 오죽 좋을까."라고 했다. 그만큼 통념적인 도덕률에서 벗어나 있다. 옷을 벗은 모습도 그 일환으로 보인다.

철학계의 이단아 디오게네스

요르단스 〈디오게네스〉 1642년

그럼에도 불구하고 뭔가 위축된 듯 웅크리고 있는 것은 왜일까? 당시의 사정을 생각해 보면 어느 정도 이해할 만하다. 플랑드르 화가 야코프 요르단스Jacob Jordaens, 1593~1678의 〈디오게네스〉가 이해에 도움이 될 듯하다. 등잔에 얽힌 전후사정을 설명하듯이 묘사한 그림이다.

그를 둘러싼 사람이 많다. 배추 · 무 · 호박 등의 채소와 각종 과일을 쌓아놓은 사람이 많을 걸 보니 시장인 듯하다. 사람들이 잔뜩 모여 있는 시장에서 지팡이에 의존해 등잔을 들고 열심히 찾아다닌다. 상인이나 시장을 지나던 사람들은 배를 잡고 깔깔대며 웃거나 손가락질을 하며 조롱한다. 대낮에 등잔불을 들이밀며 사람을 찾는다니 하나같이 뭔 엉뚱한 짓이냐며 놀리는 중이다. 진짜 가지가지 한다는 표정들이다.

이 그림을 보면 고립되고 위축된 느낌으로 웅크리고 있는 르파주의 디오게네스 모습이 어느 정도 이해된다. 얼마나 많은 사람이 그를 조롱하고 멀리하려 했겠는가. 거지 행색으로 인파가 북적이는 길거리를 걸을 때면 이물질이나 더러운 것 피하듯 했으리라. 르파주는 세상과 화해하지 못했던 디오게네스 삶의 한 단면을 웅크리고 있는 모습을 통해 보여준 게 아닐까 싶다.

요르단스의 디오게네스는 등잔을 머리 위로 번쩍 들고 진지하게 참 사람을 찾고 있다. 주위에 다양한 직업을 가진 여러 계층의 사람이 등장한다. 그들이 가지고 있는 가치관과 삶의 방식이 허구에 불구하다는 점을 등잔을 통해 보여주려는 듯하다. 화가가 굳이 다양한 인물을 등장시킨 것은 각자에게 어떤 문제가 있는지 직접 고민해보라는 권유이리라.

먼저 뒤에 말을 타고 투구와 갑옷을 갖춘 군인이 보인다. 군인의 덕목은 단연 애국심과 용맹스러움이다. 그런데 애국심의 뒷면을 보면 상식과는 전혀 다른 어두운 구석이 드러난다. 특히 전쟁에서 애국심과 용기는 사람들을 많이 죽일 태세와 능력으로 나타난다. 자국의 이익을 위해 타국에 막대한 손해를 끼치고 대량 살육을 자행하며, 수많은 포로를 잡아와 노예로 부릴수록 위대한 군인으로 칭송받는다. 등불은 애국심의 어두운 면을 비춰 드러낸다.

그 아래로 유난히 뚱뚱한 사람은 한눈에 부자로 보인다. 부자에게 가만히 비추는 등불은 '정말 돈이 많으면 행복해? 돈이 인생 최고의 가치야?'라고 묻고 있다. 큰 부자는 대부분 평생 돈 버는 일만 생각하다 죽는다. 물론 일시적으로 개인적인 취향을 살리고 즐거움을 누리기도 하겠지만, 관심사가 온통 더 많은 돈을 모으는 데에 꽂혀 있기 마련이다. 삶의 가치를 여기에 맞추고 돈의 노예가 돼서 살아가는 부자들을 진정한 자유인이라고 보기 어렵다.

오른편 구석에 수염이 덥수룩하고 손으로 턱을 잡고 무언가 생각에 잠긴 사람은 철학자로 보인다. 디오게네스와 동시대에 살았던 철학자로 플라톤이 있고, 그는 플라톤과 여러 차례 논쟁을 벌이기도 했다. 그는 당시 주류 철학자들에 대해 비판적이었다. 화가는 관념적 사고와 사변으로 가득한 많은 철학자들이 사실상 무지한 상태라는 사실을 보여주려 한 것으로 보인다.

큰 술병을 들고 있는 술꾼도 나온다. 현상적으로는 늘 즐겁고 타인과도 잘 어울리는 것처럼 보일 수 있다. 하지만 이들에게 등잔을 비추면 무지하거나 혹은 삶에 대해서 진정한 즐거움을 못 찾고 있는 모습을 볼 수 있을 것이다. 술꾼들은 술을 마시고 취기가 올라야 자기 이야기를 한다. 멀쩡한 정신으로는 타인에 공감하지 못한다. 아무 생각 없이 시간 낭비하는 인생을 살아야 되겠느냐는 질타일 수 있겠다.

그 외에 시장에 모여 있는 일반 사람들에게는 어떤 메시지를 던지고자 하는가? 좀 더 많은 급료를 위해 노동만 하는 삶, 일상생활의 반복에 자신의 몸을 맡기고 하루를 보내는 삶이 과연 지혜로운 삶인가를 묻는 게 아닐까?

직장에서의 일과 가정 내의 일 이외에는 별 관심이 없는 소시민적 사고방식이야말로 무지가 가득한 세상을 지탱하는 가장 중요한 기반이라는 비판으로 읽힌다.

디오게네스가 사람들에게 비추는 등불에서 소크라테스의 산파술이 떠오른다. 질문을 통해 상대가 자신의 오류와 무지를 스스로 깨닫도록 만드는 대화술 말이다. 디오게네스는 소크라테스로부터 적지 않은 영향을 받았다. 소크라테스의 영향은 플라톤만이 아니라 여러 갈래로 퍼져 나갔는데, 그 중의 하나가 바로 견유학파였다. 디오게네스의 등불이 소크라테스의 산파술을 표현한 상징으로 생각해본 까닭이다.

디오게네스

나는 세계 시민이다

제롬 〈디오게네스〉 1860년

라에르티오스의 《그리스 철학자 열전》에는 디오게네스와 관련된 더 많은 일화와 철학적인 단편이 실려 있다. 이 가운데 몇 가지를 통해 그의 문제의식에 조금 더 들어가보자.

개에게 하듯 연회석에서 디오게네스에게 뼈를 던져주었다.
그러자 디오게네스는 개가 하듯 그들에게 오줌을 갈겼다.

왜 개로 불리냐고 알렉산드로스 대왕이 그에게 물었다.
"무언가 주면 꼬리를 흔들고, 주지 않으면 짖고, 나쁜 자는 물기 때문이오."

플라톤이 '책상 자체'라고 표현하자 그가 말했다.
"책상은 보이는데, 책상 자체는 안 보이네."

세상에 가장 훌륭한 것을 묻자 그가 답했다.
"무엇이든 말할 수 있는 것이다."

어느 나라 사람이냐고 묻자 그가 답했다.
"세계 시민이다."

유별나게 개와 관련된 일화가 많다. 앞에서 언급했듯이 자연주의적인 삶 때문에 개처럼 산다는 조롱을 많이 받았다. 그 역시 조롱을 잘 알고 있었기에 오히려 이를 이용한 역설적인 행동과 이야기를 이어간다. 먼저 개처럼 행동한 이야기가 나온다. 연회에서 사람들이 개처럼 취급하자, 실제로 개처럼 그들에게 오줌을 싼다. 통념과 상식을 벗어난 행동이다. 무지와 편견으로 가득한 사람들을 향한 통렬한 반발이다.

개로 불리는 이유를 묻는 알렉산드로스 대왕에게 한 대답도 비슷하다. 개의 습성을 이용하여 설명한다. 핵심은 나쁜 자는 문다는 데 있다. 잘못된 행동이나 사고방식을 가진 사람들을 비판하고, 잘못을 바로잡도록 충고한다. 사람들이 디오게네스를 기피하는 이유는 바로 자신들의 문제를 가리기 위해서라는 지적이다.

신화나 역사적인 장면을 즐겨 그린 장 레옹 제롬Jean-Leon Gerome, 1824~1904의 〈디오게네스〉에서 보이듯이 회화나 조각에서도 개와 함께 묘사되는 경우가 많다. 제롬은 길바닥의 통 속에서 살던 디오게네스를 담았다. 워낙 낡은 통이어서 여기저기 구멍이 뚫려 있다. 비라도 내리면 영락없이 통 안으로 빗줄기가 들이칠 상태다. 이 통은 알렉산드로스 대왕의 일화로도 유명하다. 통에서 평생 거지같이 살던 그를 찾아와 원하는 게 있냐고 물어봤더니 귀찮은 표정으로 태양을 가리지 말라고 했던 이야기 말이다.

앞의 두 그림과 마찬가지로 거의 아무것도 입지 않은 초라한 행색이다. 등잔불을 붙이고 있는 것이 길거리로 나가기 직전인 듯하다. 가까이에 다른 이는 보이지 않고 오직 여러 마리의 개가 둘러싸고 있을 뿐이다. 사람들은 뒤편의 큰길에 멀찍이 떨어져 있어서 그를 기피하는 현실을 암시한다. 디오게네스가 마치 개 무리의 일부로 보인다. 길을 배회하는 동네 개들과 다름없는 취급을 받았음을 드러낸다.

서양 철학을 대표하는 철학자로 평가받는 플라톤에 대한 발언도 흥미롭다. '책상 자체'는 플라톤 특유의 이데아론을 의미한다. 플라톤에 의하면 우리가 현실에서 접하는 '아름다움'은 진정한 아름다움이 아니다. 흔히 아름답다고 여기는 개별 사물은 어디 한 군데라도 부족한 점이 있기에 완벽한 아름다움이라고 볼 수 없다. 진정한 아름다움은 '아름다움 자체'라고 불리는 이데아를 통해서만 발견 가능하다.

책상도 마찬가지다. 모든 현실의 사물에는 원형이 되는 이데아가 있다. 마찬가지로 우리 눈에 보이는 책상이 있다면, '책상 자체'라는 이데아의 세계가 존재한다는 발상이다. 디오게네스는 "책상은 보이는데, 책상 자체는 안 보이네."라며 조롱 투로 말한다. 현실과 유리된 본질의 세계를 주장하는, 극단적인 관념론인 이데아론을 비판한 말이다.

세상에서 가장 훌륭한 것을 "무엇이든 말할 수 있는 것"에서 찾는 발상도 주의 깊게 생각해볼 필요가 있다. 무엇이든 말할 수 있는 자유란 현대적인 표현으로 바꾸어 말하자면 표현의 자유나 언론의 자유 등에 해당한다. 당시의 종교적 · 정치적 · 제도적인 굴레, 혹은 기존 통념에 기반을 둔 도덕률의 속박에서 벗어나서 자유롭게 말할 자유다. 사회적인 통념과 부당한 억압에 비판하고 저항하는 태도야말로 세상에서 가장 가치 있다. 일체의 권위에서 탈피하여 자유를 누리라는 권유다.

마지막으로 어느 나라 사람이냐는 질문에 '세계 시민'이라고 답한다. 지금도 그러하지만 특히 고대사회에서는 어디 출신이냐는 것이 한 사람을 규정하는 결정적 요소였다. 무엇보다 당시 가장 발달된 문명을 구가하던 그리스 출신이라는 점은 대단한 자부심의 근거였다. 나아가 그리스 내에서도 어느 도시국가에서 태어나고 성장했는가는 한 사람의 정체성 구성에 핵심적 영향을 주었다.

이로 인해 발생하는 문제도 많았다. 왜냐하면 그리스를 세계의 중심으로 보는 순간 나머지 나라, 그리고 그 출신 사람들은 주변이 되어버린다. 그리스에게 지배를 받아도 당연한 일이 되어버리고, 노예적인 삶이나 사고방식을 지녀야 하는 사람으로 치부된다. '세계 시민'을 자처한 디오게네스의 시각은 사람들 사이에 우월과 열등, 지배와 피지배를 가리는 수직적인 사고방식에 대한 비판이다. 모두 동일한 인간이고, 인간으로서 누려야 할 기본적인 권리가 보장되어야 한다는 세계주의적 문제의식이다.

이제 르파주의 〈디오게네스〉가 우리를 가만히 응시하며 무엇을 묻고 있는지 보다 분명해진다. 지금 '참 사람'으로서 잘 살고 있는가? 정말 행복한 삶을 영위하고 있는가? 우리를 지배하는 통념과 상식이 과연 진리를 담고 있는가? 자유로운 인간으로 살아가고 있는가? 그가 등잔불을 들이밀었을 때 자신 있게 정말 잘 살고 있다고 말할 수 있는 사람이 얼마나 될까? 등잔이 마치 나태한 정신을 질타하는 스님의 죽비처럼 순간적으로 등을 후려치는 느낌을 준다.

3부 인생의 지혜를 구하다

인간은 왜 우울한가?

뭉크 〈우울한 저녁〉
아도르노 《미니마 모랄리아》

우울의 심연으로 당기는 그림

뭉크 〈우울한 저녁〉 1896년

노르웨이 출신의 에드바르 뭉크Edvard Munch, 1863~1944는 우리에게 잘 알려져 있는 표현주의 화가다. 한국에서의 대형 전시회가 큰 인기를 끌기도 했다. 한국인이 사랑하는 화가의 순위를 정하면 상위권에 들어갈 만하다. 여러 그림 가운데 특히 〈절규〉라는 대표작을 기억하는 사람이 많다. 그 그림은 현기증을 느끼는 상태처럼 하늘과 땅, 인물이 휘어져 출렁이는 모습으로 뇌리에 박혀 있다. 극심한 공황장애에 시달리는 순간을 포착한 느낌이다.

그는 불안 감정을 회화적으로 표현한 그림을 많이 그렸다. 우울 감정을 담은 그림도 여러 점이 있는데, 〈우울한 저녁〉이 대표적이다. 유화로 제작된 작품을 포함하여 여러 버전이 있다. 그 가운데 여기에 소개하는 목판화가 가장 깊은 공감을 불러일으킨다. 잉크의 짙은 색감과 하늘과 인물에서 배어나오는 나무의 거친 결이 고통스러운 감정을 더욱 풍부하게 전달해주기 때문이다.

한 남자가 바닷가에 앉아 있지만 특별히 눈앞에 펼쳐진 풍경을 감상하는 분위기는 아니다. 꽤 오래 손에 턱을 괴고 바닥에 시선을 고정시킨 채로 있었을 듯하다. 한동안은 이 자세 그대로 자리를 지키고 있을 것 같다. 언뜻 보기에도 깊이 침잠되어 있다. 깊이를 알 수 없는 바닥을 향해 감정이 한발씩 더 빠져들어간다.

주변 배경도 사람의 마음을 알기라도 하는 듯 비슷하게 움직인다. 하늘의 구름을 붉게 물들이며 해안선 너머로 해가 내려앉고 있다. 석양이 파도의 흰 포말을 자기 색깔로 동화시키고 바닷물에도 흔적을 남긴다. 바다는 밀물과 썰물이 주기적으로 반복된다. 잊지 않고 감정을 습격하는 우울의 특성과 잘 어울리는 쌍이기도 하다. 색의 배치도 주인공의 감정을 한몫 거든다. 아래로 내려갈수록 색이 무거워진다. 붉은 하늘 아래로 검푸른 바닷물이 이어진다. 그 아래에는 이미 어둠이 내려앉은 땅이 검은색으로 펼쳐진다. 밑으로 또 다시 밑으로 빨려 들어간다. 사람의 표정까지 겹쳐지면서 감상자 마음도 그림 속 인물의 우울을 따라 밑으로 내려가는 기분이다.

그림에 짙게 담긴 우울과 불안 감정은 뭉크의 성장 과정과도 긴밀하게 연결되어 있다. 5세가 되었을 때 어머니가 결핵으로 사망했다. 10년 후에 누이도 폐결핵으로 죽었다. 자신도 13세 즈음에 피를 토하며 죽을 고비를 넘긴 적이 있다. 또 한 명의 누이는 정신병으로 평생 고통을 겪었다. 화가로서 성공 욕구는 컸으나 현실은 따라주지 못했다. 화단과 대중의 무관심 속에서 가난한 생활을 이어갔다.

죽음의 그림자가 집안 구석구석까지 늘 따라다니고, 빈곤의 늪이 발목을 잡는 조건에서 우울함은 숙명처럼 따라붙었다. 자신의 내면을 회화적으로 표현하는 일에 특별한 주의를 기울였던 뭉크는 개인적인 취향만이 아니라 예술의 참된 가치도 여기에서 찾을 수 있다고 보았다. "예술은 자연에 대립하고, 다만 인간 내면에서 온다." 그는 무의식을 포함한 인간의 내밀한 세계를 승화시키는 과정에서 예술의 가치를 찾았다.

우울 감정은 오래 전부터 미술과 문학을 비롯한 예술뿐만 아니라 학문적으로도 꾸준한 관심 대상이었다. 고대 그리스 철학자들의 관심사 중에 하나였고, 중세와 근대에 와서도 사람들이 주목하는 감정이었다. 특히 근대 후반기부터는 전문적인 학문 대상으로 자리를 잡고 본격적인 연구가 시작되었다. 정신분석의 아버지로 불리는 프로이트의 기념비적인 연구를 출발점으로 삼아, 우울과 불안 등을 탐구하는 무의식 연구가 학문과 예술 전 분야에서 주요 흐름이 되었다.

현대사회에 와서는 대중적으로도 큰 관심 영역이 됐다. 서점 판매대에 심리학 관련 책들이 즐비하다. TV · 신문 등 대중매체에서도 심리학자들이 단골 출연자로 나와 관련 이야기를 대중과 나눈다. 연예인이나 주요 인사들이 우울증 경험을 토로한 기사도 자주 접한다. 어떻게 보면 뭉크의 그림은 현대인의 자화상처럼 여겨진다. 그렇기 때문에 날이 갈수록 그의 그림이 자주 재조명되고 회자되는지도 모른다.

우울과 불안에 대한 학문적인 진단은 여러 갈래로 나타났다. 프로이트의 정신분석은 성적인 에너지의 변화와 질곡에서 주요 원인을 찾는다. 그가 보기에 대부분 사람들은 한두 살 즈음에는 자기애에 빠진다. 자기 몸에 대한 관심이 증가하고 자주 예민한 부분을 만진다. 일정 기간이 지나면 오이디푸스 콤플렉스, 즉 엄마에 대한 사랑으로 변화한다. 점차 나이가 들면서 이성을 상대로 한 사랑으로 옮겨간다. 그런데 정상적인 성적 에너지의 흐름이 막히는 사람이 있다. 이성애 이전 상태에서 머물거나 다시 되돌아가면서 정상적인 자아가 교란된다. 굴절되고 변질된 자아로부터 우울과 같은 신경증적인 현상이 나타난다.

프로이트의 견해에는 적지 않은 한계가 있다. 인간의 복잡한 감정을 성적인 의미를 중심으로 환원시키는 경향이 심한 편이기 때문이다. 부모에게 아이들이 감정적으로 의존하는 현상은 오이디푸스 콤플렉스이기보다는 자연스러운 현상이기도 하다. 스스로 독립하지 못하는 아이들이 성인 보호자에게 의존하는 경향은 뚜렷할 수밖에 없다.

현대 심리학, 특히 한국에서 대중적 인기를 누리는 미국식 개인심리학의 접근은 좀 다르다. 주로 아이 성장 과정에서의 가정환경과 부모 역할 중심으로 연구한다. 부모의 안정적인 성 역할 분업의 정도, 부모와 자식은 물론이고 부모 사이의 유기적 관계의 정도가 어떻게 형성되어 있느냐에 따라

서로 다른 성격과 심리가 형성된다. 가정 내의 관계가 약화되거나 해체될 때 자아가 교란되고 신경증적인 우울과 불안 경향이 증가한다는 것이다. 하지만 개인심리학 역시 자아의 사회적 형성 요인을 간과하고, 가부장제적 성 역할 분업 사고에 갇혀 있다는 점에서 한계가 크다.

최근에 와서는 생리학적 · 의학적 측면에서 접근하는 경향이 부쩍 늘어났다. 체내 물질의 비정상적인 분비, 뇌파의 불균형 상태에 의해 신경증이 나타난다고 본다. 대부분의 처방은 약물 투여다. 의료산업의 상업적 이해도 맞물려 있다고 봐야 한다. 인간의 풍부하고 변화무쌍한 감정이나 심리를 체내의 물질적 분비 현상 중심으로 규정하려는 과학의 협소한 관점이라는 점도 문제가 된다.

대중적인 심리학 유행도 편향이 있기는 하다. 서점을 장식하고 있는 수많은 심리학 책의 특징이 그러하다. 대체로 우울이나 불안을 위안하는 책이다. 다독거리는 방식이다. 비유하자면 '그래 너 아프니', '많이 아프구나', '내가 위로해 줄게', '이러면 좀 나아질 거야' 등 당의정 처방으로 나타난다. 인간 심리에 대한 본격적인 분석이기보다는 위로에 치중하는 에세이에 가깝다. 그것도 나름 의미는 있다. 위안 덕분에 일시적으로나마 감정이 평온한 상태가 된다면 효과는 있다. 하지만 주로 표피적 현상 분석과 일시적 처방에 머물 뿐, 근본적 · 장기적인 문제 해결과 거리가 멀다. 문제의 사회적 접근과 대응에도 무기력하다.

인간이 우울한 수많은 이유들

호퍼 〈우울〉 1643년

우울의 원인을 가장 풍부하게 보여주는 그림으로 독일 화가 바르톨로메우스 호퍼Bartholomäus Hopfer, 1628~1699의 〈우울〉을 소개하고 싶다. 나이가 좀 들어 보이는 사람이 책상에 앉아 있다. 서재를 배경으로 한 평범한 초상화는 아니다. 제목처럼 침잠된 표정으로 우리를 응시한다. 우울의 원인을 추리할 수 있는 여러 상징이 들어 있다.

아래 오른편의 해골은 죽음을 뜻한다, 노화와 병도 포함한다. 사람은 누구나 죽음을 최대한 늦춰 오래 살려는 욕구가 있다. 의료기술의 발달로 기대 수명이 과거에 비해 크게 높아졌다. 하지만 여전히 노화와 죽음은 피할 수 없다. 나이가 들면서 몸이 쇠약해지고 질병에 시달리기도 한다. 결국 죽음의 그림자가 우리 곁에 바짝 다가오는 날이 온다. 늘어난 수명이 위안을 주지 못하는 경우도 많다. 살아 있다고 다 삶은 아니기 때문이다. 노년의 삶에서 자기 의미를 찾아야 하지만 무료한 여생이기 십상이다. 결국 오래 살고 싶은 욕망의 적인 질병과 노화의 두려움, 노년에 겪는 무의미한 나날의 반복, 죽을 수밖에 없는 숙명에서 오는 상실감이 우울의 원인이 된다.

그림 아래 왼편에는 금화와 목걸이 등 보석 장신구가 가득하다. 부의 축적이라는 인간의 욕망을 보여준다. 현대인은 부를 얻기 위한 경쟁으로 일생을 살아간다. 재산을 쌓기 위해 남을 딛고 올라서야만 한다. 사회적으로 일확천금을 노리는 대박의 꿈을 부채질하고 사람들은 재테크와 투기에 몰두한다. 하지만 대다수 사람에게 부의 욕망은 허물어지는 모래성에 불과하다. 욕망이 큰 만큼 상실감도 크다. 대박의 꿈은 대박의 실망으로 귀결된다. 우울 증상이 과거보다 많아질 수밖에 없는 현실이다.

손으로 펼쳐들고 있거나 앞에 수북이 쌓아놓은 책은 당연이 지식의 추구를 가리킨다. 학자만이 아니라 보통 사람 중에도 지식에 대한 갈증을 갖는 사람이 적지 않다. 하지만 여러 현실 조건과 인식 능력의 한계 때문에 벽에 막힌다. 사람에 따라 지적 욕망은 우울감이 스며드는 통로가 된다. 특히 정보기술이 발달한 현대사회는 더하다. 지식 기반 사회는 평생에 걸친 지식 획득을 강박관념처럼 요구한다. 하지만 정보의 바다에 빠져 허우적대는 현실이다. 깊이 있는 통찰, 지식과 지식을 연결시키는 논리적인 체계는 오히려 약화되고 있다. 그 간극에서 오는 상실감이 우울을 더 키운다.

자세히 들여다보면 오른편 벽에 무언가 걸려 있는 게 보인다. 판화나 스케치 종류의 그림이다. 남녀가 육체적 사랑을 나누는 장면이다. 인간의 본성에 해당하는 사랑과 성에 대한 욕구다. 이것 역시 우울의 원인이 된다. 누구나 평생 사랑을 갈구한다. 하지만 뜻대로 되지 않는다. 연애와 결혼을 해도 또 다시 상실감을 맞이한다. 다시 새로운 감정을 찾지만 권태만 남는 경우가 많다. 그 안에서 사랑과 욕구는 상처로 남는다.

하나만 더 살피자. 책상 옆으로 큼지막한 지구의가 있다. 세계로 확대되는 인류의 관심을 상징한다. 호퍼가 활동을 하던 시대는 세계를 향한 유럽 대륙의 욕망이 폭발하던 때다. 이미 백수십 년 전에 콜럼버스가 아메리카 대륙에 발을 디뎠다. 아프리카와 아시아를 비롯하여 전 세계를 향한 식민지 팽창 욕구가 유럽 전역에 샘솟기 시작하던 시기다. 세계 여러 지역에 대한 대중들의 관심도 증가했다. 하지만 소수의 권력과 부를 장악한 사람만 해당될 뿐, 일반 사람들은 자신이 태어난 지역에서 평생을 살아가던 시절이었다. 세계로의 관심과 현실의 고립된 개인의 간극도 상실감의 원인이 된다. 세계화가 특징적 현상이 된 현대사회에서는 그 간극이 더 크다. 오히려 개인들은 사소한 일상에 발이 묶여 있고, 관계 단절에서 오는 고립감을 느끼며 살아간다.

화가는 이 그림을 통해 무엇을 보여주고자 했을까? 그림에 마련해 놓은 수많은 상징은 두 측면으로 우리의 문제의식을 자극한다. 하나는 화가가 우리에게 내놓은 상징들이 인간의 대표적인 욕망에 해당한다는 점이다. 끝을 알 수 없는 욕망의 저수지들이다. 인간 내부에서 꿈틀거리는 욕망의 무한성과 현실에서 살아가는 인간 존재의 유한성 사이를 갈라놓은 거대한 벽이 우울을 불러일으킨다.

다른 하나는 우울의 원인이 한두 가지로 환원될 수 없다는 점이다. 우울의 통로는 수도 없이 여러 갈래로 뚫려 있다. 여러 계기와 조건을 통해 우리 마음으로 소리 없이 스며든다. 그만큼 인간의 감정은 깊이와 넓이를 가늠할 수 없을 만큼 복잡하고 풍부하다. 학문을 들먹이며 한두 가지로 압축하여 설명하는 오류에 빠지지 말라는 문제의식을 자극한다. 그러한 의미에서 이 그림은 위안을 통해 일시적으로 사람들을 달래는 서점의 숱한 책보다 더 심리학적이다.

아도르노
정신분석은 자기 환멸을 강요한다

무의식이 정신에서 차지하는 중요성을 인정하면서도 근대와 현대 심리학의 한계를 직시했던, 독일 사회학자이자 철학자인 테오도어 아도르노 Theodor Adorno, 1903~1969가 《미니마 모랄리아》에서 던진 통찰은 함께 고민해볼 만하다.

> 심리학은 처음부터 인간을 객체로, 분석 재료로 만들었으며, 인간 자체를 사물들 중의 하나로 만듦으로써 사물들은 무無라는 속성을 인간에게도 덮어씌웠다. (…) 심리학의 중심 이념이면서 선험적 대상인 자아는 심리학의 시선을 만나면 비존재로 변해버린다. (…) 심리 기술이란 심리학의 단순한 타락 형태가 아니라 심리학의 원칙 안에 이미 내재된 것이었다. (…) 정신분석은 인간이란 아무것도 아닌 존재임을 증명해낸다. 정신분석은 인간이 스스로에 대해 환멸감을 느끼도록 하고 자아의 통일성이나 자율성을 공격함으로써 인간을 합리화의 메커니즘에 완전히 굴복시켜 순응하도록 만든다.

심리학이 어떻게 인간을 객체로 전락시킨다는 걸까? 대부분의 심리학은 무의식이 자리 잡고 있는 감정이나 욕망 자체로 접근하지 않는다. 오히려 무의식에서 가장 멀리 떨어져 있는, 의식 중에서도 가장 냉철한 이성을 통해 감정을 분석한다. 우울이나 불안을 이성의 분석 대상으로 삼음으로써 인간을 대상화한다. 인간을 주체로 세우는 방식이 아니라 분석 대상인 객체 지위로 떨어뜨린다. 자연과학에서 사물을 관찰하듯이 인간을 관찰한다. 인간을 사물로 만든다.

이 과정에서 다양하고 풍부한 감정이 빈약하게 변질된다. 심리학이 위안을 준다고 주장하지만 사실은 진정한 개인성을 몰수해 간다. 개인의 감정은 서로 다를 수밖에 없다. 호퍼 그림에서 보았듯이 사람마다 다양한 통로로 감정이 형성된다. 한정된 그림의 한 장면 안에서만 대여섯 가지가 나올 정도다. 수십 년에 걸친 삶의 과정을 고려하면 그 통로는 수백 가지가 될 것이다. 여기에 개인이 자율적인 선택을 하며 살아간다는 점까지 더하면 그 조합은 거의 무한대에 이른다. 이를 통해 인간을 구성하는 세포의 수만큼이나 셀 수 없이 많은 감정 상태가 만들어진다.

그런데 심리학이 이를 몇 가지로 압축하고 규정할 때 개인의 고유성은 크게 훼손된다. 사람이 행복하려면 고유성, 즉 개인의 독특한 감정이 인정돼야 한다. 하지만 심리학은 '자아의 통일성이나 자율성'을 훼손시켜 놓는다. 무의식이 인간을 획일적 존재로 만드는 것이 아니다. 오히려 이를 연구하는 심리학이 인간을 획일적 존재로 만든다.

심지어 심리학이 하나의 '기술'로 격하된다. 예를 들어 현대사회에서 소비심리학이라는 말을 노골적으로 사용한다. 심리를 기술적으로 조작해서 물건을 사게 만든다. 정치심리학도 마찬가지다. 선전과 홍보를 통한 정치적 심

뒤러 〈우울 I〉 1514년

리 조작에 심리학이 활용된다. 아도르노의 말대로 일부 심리학에서 일으키는 부분적인 타락의 결과가 아니라 심리학 전반에 나타나는 현상이다. 심리학 내에 인간을 기술로 다루는 요소를 가지고 있다는 점에서 심리학 자체의 문제다.

우울과 불안은 외부에서 침투하여 정신과 감정을 오염시키는 이물질이 아니다. 정신을 죽음으로 몰아넣는 질병이 아니다. 정상에 대비되는 비정상으로 치부해서는 안 된다. 우울과 불안은 인간이라면 모두가 갖고 있는 정신의 내적인 요소다. 개인마다의 인생 경로, 일상적인 삶의 조건에 맞물리면서 발현되는 방식과 역할이 달라질 뿐이다.

우울과 불안은 질병 요소가 아니라 오히려 창조적 요소로 작용하기도 한다. 그것들은 욕망이 실현되지 않을 때 자라나기 때문이다. 인간 존재의 유한성을 넘어서 최고 수준으로 역량을 승화시키기 위해서는 욕망을 집중시켜야 한다. 우울과 불안은 대부분의 사람에게 얇고 넓게 퍼져 있는 욕망을 한군데로 집중시켜 창조적 역량을 극대화시키는 방향으로 작용하기도 한다.

독일 르네상스 미술을 대표하는 화가 알브레히트 뒤러Albrecht Durer, 1471~1528의 〈우울 I〉은 우울의 창조적 승화 가능성을 보여준다. 이 그림에서도 우울을 표현할 때 단골로 나타나는, 턱을 괴고 있는 여인이 전면에 있다. 뒤의 벽에 걸린 모래시계와 종은 인간의 유한성을 보여준다. 모래시계의 모래가 아래로 반쯤 내려가 있다. 이미 인생의 반을 살았다. 모래가 아래로 더 흘러내리고 옆의 종이 울리면 죽음이 찾아올 것이다. 우리는 그만큼 한정된 시간 안에서 살아간다. 강렬한 욕망과 현실의 유한성 안에서 자라나는 우울의 특성과 유사하다.

대부분의 화가가 자신의 감정을 화폭에 담는다는 점을 생각하면, 이 그림의 여신은 곧 뒤러의 내면이라 여겨도 무방하다. 뭉크와 호퍼도 마찬가지다. 하지만 뭉크나 호퍼의 우울한 인물과는 차이가 있다. 뭉크 그림의 인물은 눈을 내리 깔고 있고, 호퍼의 그림에서는 우수에 잠긴 눈빛이다. 반면 뒤러가 그린 우울한 여인은 눈을 한 방향에 고정시키고 뚫어지게 응시한다. 풀어지고 흐려진 눈빛이 아니라 눈을 치켜뜨고 몰입하는 분위기다.

인물을 둘러싼 몇몇 상징을 보더라도 화가가 주인공을 통해 감상자에게 전달하려는 메시지는 다른 작가들과 다르다. 뭉크는 우울 감정에 빠진 상태를 생생하게 보여주고, 호퍼는 엄습하는 우울의 원인을 다양한 측면에서 파고든다. 이에 비해 뒤러는 우울을 통해 이루는 성취에 관심을 두는 분위기다.

화가가 심어놓은 몇몇 상징이 이를 뒷받침한다. 먼저 그녀의 머리를 장식하고 있는 월계관이 눈에 들어온다. 월계관은 명예와 영광을 상징한다. 고대 그리스에서 경기 승리자에게 월계수 가지와 잎으로 관을 만들어 씌워준 데서 비롯되었다. 이후 운동 경기만이 아니라 학문을 비롯한 여러 분야에서 이룬 뛰어난 성과를 기리는 데 쓰였다.

그림 속의 여인이 월계관을 쓰고 있다는 것은 우울이 이룩할 탁월한 성취를 암시한다. 허리에 여러 개의 열쇠를 차고 있는 점도 눈여겨볼 만하다. 열쇠는 문을 열고 들어간다는 뜻일 텐데, 마찬가지로 성공을 상징한다. 그 아래로는 복주머니처럼 귀중한 물건을 담아두는 주머니가 몇 개 있다. 우울이 만들어낼 성과를 보여준다. 건물 옆에 있는 높은 사다리도 서양회화에서 구원이나 승화의 상징이라는 점에서 같은 의미로 볼 수 있다.

날카로운 눈으로 몰입하는 그녀의 모습은 성취와 더욱 긴밀하게 연결된다. 남다른 성취는 자신이 이루고자 하는 바에 몰두한 결과로 나타나기 때문이다. 무엇에 몰입하고 있을까? 그녀의 주변에 힌트가 될 만한 물건들이 널려 있다.

일단 뒤러가 화가이니 예술적인 성취가 우선이다. 이 그림 자체가 예술적인 자부심을 드러낸다. 또한 바닥에 널려 있는, 톱 · 대패 · 망치 · 못 등 건축에 쓰이는 다양한 도구들도 그 일부다. 르네상스 시대에 건축은 예술의 중요한 한 분야였다. 오른손에 들고 있는 컴퍼스, 앞에 놓인 원구와 다각형 모양의 입방체도 뒤러의 예술적 성취와 연관이 깊다. 그는 공간의 측정과 구조를 지배하는 수학적 원리, 인체의 완전한 비례법을 과학적으로 확립하여 회화 작업에 적용하고자 했다.

나아가 무릎에 놓인 두툼한 책은 학문에 대한 열정을 짐작케 한다. 게다가 옆의 아기 천사는 펜을 들고 무언가 쓰는 중이다. 단순히 읽고 탐구하는 데 머물지 않고 저술 작업의 욕구도 비친다. 실제로 뒤러는 과학의 원리를 예술 작업에 직접 적용했을 뿐만 아니라 학문적으로 정식화하고자 했다. 그러한 열정을 담아 《인체비례론》과 《도시와 성의 요새화론》 등의 책을 내기도 했다.

각 학문이 분화되고 전문화된 현대사회와 달리 르네상스 시대의 천재성은 다양한 분야의 융합에서 나오는 것이었다. 레오나르도 다 빈치가 미술 · 건축 · 학문 등 다방면에 걸쳐 뛰어났듯이 말이다. 또한 르네상스 시대에는 정신적인 활동을 중심으로 하는 예술가의 경우, 우울 기질이 천재성에 기여한다는 믿음을 갖고 있기도 했다.

20세기 초현실주의를 대표하는 프랑스의 시인이자 미술 이론가 앙드레 브르통이 "아름다움은 발작적이다. 그렇지 않으면 전혀 아름다운 것이 아니다."라고 한 것도 비슷한 문제의식에서 나온 것이다. 우울은 창조적인 영감을 제공하기도 한다. 또한 존재의 유한성에 대한 내적 성찰을 통해 정신의 평온을 만드는 입구가 되기도 한다.

물론 병적 증상도 있지만 여러 가능성이 있다는 점에서 우울을 이물질이나 질병으로만 바라봐서는 안 된다. 정신과 감정의 자연스런 일부로 바라보면서 긍정적으로 기여하도록 하고, 개인의 다양성을 인정하고 적용하려는 시선이 필요하다. 무조건 피하려 하기보다는 우울을 현재와 미래를 위한 자극으로 전환시키는 시각이 중요하다. 그러한 의미에서 우울하자! 우울을 비정상적인 상태로 치부하지 말고 승화와 발전의 계기로 만들자!

병과 죽음을 응시하다

뵈클린 〈페스트〉
카뮈 《페스트》

구원의 길 또는 감염의 진원지

뵈클린 〈페스트〉 1898년

스위스 출신의 상징주의 화가 아르놀트 뵈클린Arnold Böcklin, 1827~1901의 〈페스트〉는 많은 사람에게 익숙한 그림이다. 오랜 기간 유럽인들을 공포에 떨게 만들었던 페스트의 참상을 담고 있다. 역병을 다룬 그림 가운데 동양과 서양 회화를 통틀어 가장 잘 알려져 있다. 세계적으로 코로나19 바이러스가 대유행하면서 다양한 매체를 통해 부쩍 자주 소개되었다.

어떤 그림보다도 역병의 특징을 잘 보여준다. 과거에 여러 차례 유럽을 덮친 페스트가 가공할 정도의 피해를 주었기 때문에 역병을 다룬 그림이 많다. 그런 그림들은 기본적으로 페스트로 죽어가는 사람들의 두려움을 표현했다. 하지만 뵈클린의 그림은 상당히 달랐다. 이전의 페스트 그림에는 대체로 종교적 시각이 짙게 배어 있다. 보통 그림 한편에 성스러운 분위기를 풍기는 교회가 보인다. 자비를 바라는 마음을 담아 성모상이 등장하는 경우도 많다. 하늘을 나는 천사는 희망의 메시지를 전한다. 신부가 기도를 하고, 사람들은 하늘을 보며 참회하거나 구원을 갈구한다.

뵈클린의 〈페스트〉는 어느 한 구석에서도 종교적 상징을 찾을 수 없다. 일단 교회가 보이지 않는다. 천사도 없고 신부도 없다. 사람들은 하늘을 보며 기도하거나 구원을 간청하지 않는다. 그저 괴로워한다. 구원 이미지보다는 페스트라는 악귀 이미지가 독자적인 주인공이다. 역병과 죽음에만 주목해서 그렸다는 점에서, 근대와 현대의 역병 이미지를 잘 보여준다.

먼저 역병의 무시무시한 모습이 한 눈에 들어온다. 방금 무덤에서 튀어나왔을 듯한 해골 형상이 죽음의 신이라는 점을 단번에 보여준다. 낫을 들고 하늘을 날며 눈에 보이는 대로 살육을 저지르고 있다. 얼굴에서는 어떠한 감정도 느껴지지 않는다. 그저 기계적이고 무차별적으로 죽음을 퍼뜨리는 악의 화신일 뿐이다.

역병이 휘두르는 낫이 섬뜩하다. 한국인들이 흔히 알고 있는 낫과 다르다. 우리의 낫은 한 손에 쥐고 사용할 정도로 작다. 다른 손아귀에 쥔 만큼만 자른다. 하지만 서양 낫은 자루도 길고 날도 굉장히 크다. 선 채로 두 손으로 휘두르는 방식이다. 동작 범위 내에 있는 곡식이나 풀이 잘린다. 대량 살육의 상징으로 부족함이 없다.

벽에 기대 죽어가는 노인이 있고, 그 앞에는 어린 소녀의 시신이 누워 있다. 일반적인 질병은 나이가 들어 신체가 노쇠해지면서 나타나는 경우가 많다. 하지만 이 그림에서는 나이와 성별을 가리지 않고 사신의 검은 그림자가 덮친다. 페스트가 창궐하는 장소도 눈여겨볼 만하다. 이전의 그림을 보면 대도시의 그럴 듯한 건물이 등장하는 경우가 많다. 뵈클린은 평범한 사람들이 일상을 영위하는 골목을 배경으로 삼았다. 역병은 특별한 사람만 노리지 않는다. 가족과 이웃 사람들이 죽어나가고, 한순간에 일상이 무너진다.

특히 용을 타고 하늘을 날아다닌다는 설정이 역병의 특징을 잘 보여준다. 같은 위험이라 하더라도 땅에서 오는 것과 하늘에서 오는 것은 전혀 다른 느낌을 준다. 지상에서의 위험은 비록 돌발적이라 해도 가늠하거나 예측 가능성이 조금이라도 있다. 아무리 가늘고 흐릿하더라도 평소에 마주치는 상황과 연결선이 있을 테니 말이다. 비록 미리 알기는 어렵다 해도, 적어도 상황이 벌어지고 나면 무슨 일인지 가늠할 수는 있다.

예를 들어 현실에서 벌어지는 가장 대규모 살육 현장인 전쟁이라 해도 전조 증상이 있기 마련이다. 국지전이나 군비 증강은 직접적인 징후다. 이해관계가 걸린 국가 사이의 경제적 긴장 고조도 예후가 된다. 급작스레 전쟁이

터졌다고 해도, 발발하고 나면 어떤 사태인지 알 수라도 있다.

하지만 하늘에서 오는 위험은 예측이나 상황 파악이 훨씬 더 어렵다. 눈으로 확인하는 게 어렵기 때문에 언제 나타날지 모른다. 위에서 퍼부어대니 어느 방향으로 영향이 파급되고, 피해의 범위가 어디까지 확대될지 짐작하기도 어렵다. 페스트를 비롯한 대규모 역병이 그러하다. 언제 나타날지, 어디까지 전파될지 가늠하기도 어렵다. 뵈클린의 그림은 역병이 가진 급작스러움과 불확실성을 보여준다.

또 하나 주목해서 볼 필요가 있는 부분이 용의 머리 쪽 상황이다. 무심코 그냥 하늘이나 허공을 그렸다고 생각하며 지나치기 십상이다. 무언가 잔뜩 안개가 낀 듯 뿌연 상태여서 앞이 잘 보이지 않는다. 앞에 있는 건물의 반이 안 보일 정도로 가려져 있다. 역병 그림이니 화재와는 상관이 없을 테고, 불길이 보이지도 않는다. 화가는 캔버스 안에 왜 이런 설정을 만들어 두었을까? 역병은 불투명하다. 당장은 물론이고 어떤 앞날이 기다리고 있는지 불확실 투성이다. 짙은 안개 속을 걸어가듯 더듬거려야 하는 역병의 불안한 상황을 보여주려는 설정이 아닐까 싶다.

네덜란드 화가 피터 브뤼겔Pieter Brueghel, 1525~1569의 〈죽음의 승리〉도 함께 감상해보자. 이 그림도 종교적인 메시지보다는 페스트가 주는 공포를 극대화했다. 마치 지옥의 한 장면을 보는 듯 끔찍하다. 해골 모습의 역병 사신이 온 천지에 가득하다. 낫 · 창 · 칼을 휘두르며 사람들을 공격한다. 그들의 손길과 무기가 닿는 곳마다 시체가 즐비하다. 사람들은 처형대에 매달려 있기도 하고, 사신의 칼과 낫에 목이 베이기도 한다. 죽음의 신에게서 도망가려 발버둥을 치지만 누구도 빠져나가지 못한다. 중앙에는 아예 그물을 이용해

브뤼겔 〈죽음의 승리〉 1562년

무더기로 잡아간다. 오른편에는 한 무리를 큰 건물로 몰아넣는 중이다. 건물에는 관을 앞세운 사신들이 줄지어 기다리고 있다.

세상의 권력과 부를 가진 자도 벗어나지 못한다. 왼편 아래로 왕관을 쓰고 있는 권력자가 쓰러져 있다. 등 뒤로 사신이 모래시계를 들고 있어서 곧 죽음에 이를 것임을 암시한다. 그 앞으로는 금화와 은화가 가득한 통이 나뒹군다. 엄청난 재산도 역병으로부터 지켜줄 방공호가 되지 못한다. 적을 무찌르는 데 쓰이던 무기나 군대도 무용지물이다. 오른편으로 기사 복장을 한 사람들이 칼을 휘두르며 막아보려 애를 쓰지만 맥없이 무너진다.

젊음과 무관심도 피해가지 못한다. 맨 오른쪽에 젊은 남녀가 만돌린을 연주하며 노래를 부른다. 세상에서 벌어지는 일에 관심을 두지 않고 오직 인생을 즐기려는 듯하다. 하지만 바로 옆으로 사신이 바짝 다가와 바이올린을 켠다. 신체적으로 건강한 젊은 시절이기에 역병조차 무서울 게 없다는 사고 방식을 비웃는다.

역병 앞에서는 종교적 구원도 맥을 못춘다. 왼편으로 큼지막한 십자가가 세워져 있는 건물이 있고, 흰옷을 입은 사제들이 성가를 부르는 모습이 보이는 듯하다. 하지만 꼼꼼하게 보면 역병의 소굴이다. 얼굴과 몸은 모두 해골이고, 건물 안에는 검은 악마의 옷을 입은 사신들로 가득하다. 페스트를 비롯해 역병이 돌 때마다 오직 종교가 구원의 길이라며 사람들을 모아서 기도에 열중했던 교회가 오히려 감염의 진원지 역할을 했던 역사적 사례를 보여주는 듯하다.

카뮈

어느날 쥐들은 또다시 나타날 것이다

카뮈 《페스트》 표지그림, 1947년

뵈클린과 브뤼겔의 그림을 보면 세계인을 두려움으로 몰아넣은 코로나19 사태가 자연스럽게 떠오른다. 코로나19는 대륙과 인종을 가리지 않고 블랙홀처럼 혼란의 소용돌이가 됐다. 처음 중국에서 시작된 후 단 몇 달 사이에 전 세계가 바이러스의 영향 아래 들어갔다. 수많은 사람이 감염되고 죽었다. 오랜 기간 각 분야에서 선진국으로 인정받고, 안정된 국가체제를 유지하던 나라들조차 우왕좌왕하며 갈피를 잡지 못했다.

19세기까지는 흑사병으로 불린 페스트가 역병의 대표 주자였다. 20세기에는 새로운 죽음의 사자인 바이러스가 등장했다. 1918년의 스페인 독감이 대표적 사례다. 1차 세계대전 전체 사망자의 3배가 넘는 약 5천만 명이 죽을 정도로 참혹했다. 그런데 당시 세계 인구는 약 16억 명, 지금의 4분의 1 수준이었다. 현재의 인구를 기준으로 하면 거의 2억 명이 죽은 꼴이니 얼마나 경악할 일인가.

스페인 독감의 파장이 얼마나 컸을지는 짐작하고도 남는다. 당시는 병원이나 치료 장비, 마스크 등이 지금보다 훨씬 부족했다. 공공의료 준비 정도도 매우 낮은 상태였다. 지금보다 방역 수준이 현저하게 열악한 수준이어서 피해가 더 클 수밖에 없었다.

또 하나 주목할 것은 대부분의 바이러스 독감이 그러하듯이 여러 차례 유행이 이어졌다는 점이다. 스페인 독감의 직접적인 파장은 2차 대유행 때 가장 컸다. 이때 치사율이 엄청나게 높은 고병원성 바이러스로 변이가 일어났다. 젊은 층의 치사율이 매우 높았다. 2차 대유행 때 죽은 사람의 60%가 20~45세였다.

어떤 면에서는 지금과 별로 다르지 않다. 코로나19 감염자 폭발로 수많은 나라에서 의료체계가 붕괴되었다. 감염된 환자가 병원에 입원하지도 못하고 복도에 앉아 있거나 집에 방치되어 있는 경우도 많았다. 나름대로 의료체계가 버티고 있는 나라도 감염자가 두 배 정도만 늘어나면 기존 의료체계로는 감당하기 어려워 어떤 일이 벌어질지 알 수 없다. 체육관에 수용되거나 아예 무방비 사태가 될 수도 있다.

역병의 참상을 기억하는 것만으로는 부족하다. 역병이 인간에게 주는 교훈을 끌어내는 작업이 보다 중요하다. 프랑스 작가이자 철학자인 알베르 카뮈Albert Camus, 1913~1960의 소설 《페스트》에서 우리는 그 교훈을 끌어낼 수 있다.

> 페스트가 닥쳤을 때 사람들은 언제나 무방비 상태였다. (…) 재앙이 비현실적인 것이고 지나가는 악몽에 불과하다고 여긴다. 그러나 재앙이 항상 지나가 버리는 것은 아니다. 악몽에서 악몽을 거듭하는 가운데 지나가 버리는 쪽은 사람들, 그것도 첫째로 휴머니스트들이다. 왜냐하면 그들은 대비책을 세우지 않았기 때문이다. (…) 모든 사람의 마음속에는 이제 극도로 늙고 극도로 음울해진 희망, 심지어 그냥 가만히 죽어가지도 못하게 하는 희망, 삶에 대한 단순한 아집에 불과한 희망밖에는 남아 있지 않았다. (…) 결정적 승리가 될 수 없음을 알았다. 꾸준히 살아 있다가 아마 언젠가는 인간에게 불행과 교훈을 가져다주기 위해 또다시 저 쥐들을 흔들어 깨워 어느 행복한 도시로 몰아넣어 죽게 할 날이 온다는 것을 알고 있었기 때문이다.

《페스트》는 독서에 약간만 관심을 가진 사람이라면 읽었을 만큼 필독서에 해당한다. 역병의 특징은 물론이고 인류가 어떤 태도로 접근해야 하는지를 일깨워주는 소설이다. 출판 당시의 《페스트》 표지그림은 페스트가 창궐

한 오랑시의의 전체 모습을 보여준다. 전면에는 두려움에 휩싸여 어찌할 바를 모르는 인간이 보인다. 세균의 숙주 역할을 하는 수많은 쥐가 도시로 몰려들고 있어서 페스트가 급속하게 번지는 상황임을 암시한다. 페스트 균에 감염될까 봐 사람들이 문밖으로 나오지 않아 길거리에는 아무도 보이지 않는다. 저 멀리 대성당 건물이 보이지만 희망적인 분위기와는 거리가 멀다.

카뮈는 먼저 "페스트가 닥쳤을 때 사람들은 언제나 무방비 상태였다."라고 한다. 골목마다 죽은 쥐가 무더기로 발견되어도 무슨 일이 벌어지고 있는지 인지하지 못한다. 감염자와 사망자가 생겨나도 일시적인 사건 정도로 치부한다. 하루 수십 명에 달하던 사망자가 다소 줄면서 도시는 곧바로 일상의 번잡한 생활로 돌아간다. 사망자 수가 감당할 수 없게 치솟고 나서야 사태의 심각성을 깨닫는다. 비상사태를 선포하고 도시를 봉쇄한다. 도시 밖으로 외출을 금지하고, 위반자 투옥 포고문이 발표된다. 사람들이 독 안에 든 쥐가 된다.

역병은 그렇게 미처 준비하지 못한 상태에서 몰아닥친다. 머리 위에 떨어졌을 때조차 벌어진 파국적 상황을 쉽사리 믿지 못한다. 처음에 코로나19 유행이 시작되었을 때도 마찬가지였다. 누구도 전 세계인의 일상이 다 무너지는 사태를 상상조차 못했다. 그저 몇 년 전의 메르스 바이러스 사태가 벌어졌을 때처럼 일부 지역의 국한된 현상으로 생각했다. 그만큼 역병은 무방비 사태로 있을 때 급습한다.

도시가 봉쇄되고 매일 당연한 듯 누리던 모두의 일상생활이 붕괴되고 나서야 현실로 받아들인다. 소설에서도 마찬가지다. 도시 봉쇄와 함께 강제 입원, 가족 강제 격리, 식량 보급 제한, 배급제, 등화관제 등이 실시된다. 어떤 면에서는 코로나19로 겪는 상황과 비슷하다. 여러 나라에서 국경과 도시를 봉쇄하고, 외출을 금지시킨다. 상점 폐쇄도 다반사다. 한국처럼 마스크 생산량이 세계 최고 수준인 곳에서도 처음 몇 달 동안은 배급제를 실시했다. 다른 나라에서는 그조차도 어려워 감염이 더 빠르고 넓게 확산됐다. 페스트 창궐 때 보인 혼란상과 큰 차이가 없다.

카뮈는 왜 사람들의 마음속에 "극도로 늙고 극도로 음울해진 희망"만 남아 있다고 했을까? 사람들은 페스트로 봉쇄된 도시 안에서 비뚤어진 희망에 몸을 맡긴다. 대부분 오늘의 참혹함을 현실로 인정하지 않으려는 듯 허망한 추억만 생각하며 살아간다. 평온했던 과거의 일상을 회상하며 막연하게 머지않아 괜찮아질 것이라는 꿈을 꾼다. 현실과 동떨어진, 그래서 생명력이 없는 음울한 희망이다.

혹은 기자 랑베르처럼 도피에서 희망을 찾기도 한다. 어떤 수를 써서라도 봉쇄된 도시를 탈출하겠다는 생각뿐이다. 안전지대로 돌아가서 자기 안위만 해결하겠다는 비뚤어진 희망에 몸을 맡긴다. 하지만 다른 지역으로 도망간다고 한들 문제가 끝나지 않는다. 역병의 특징상 한 지역에서 증상이 나타나는 순간 곧 나라 전체로 파급된다. 오늘날에는 비행기를 비롯한 교통의 발달로 세계가 촘촘하게 연결되어 있어서 모든 나라로 파급된다. 세계 어디에도 안전지대는 없기에 희망은 허망함으로 끝나기 마련이다.

소설 속에서는 낡고 절망적인 희망에 의지하는 인간 군상도 펼쳐진다. 파늘루 신부가 보이는 사고방식과 행위가 대표적이다. 역병은 "신의 징벌"이고, 신의 뜻이기에 인간에게 닥친 "시련조차 우리에게 유익"하다며 성당에 모여 더욱 절실하게 기도하라고 주문한다. 하지만 교회라는 한정된 공간에 여러 명이 밀집하여 큰 소리로 기도하고 노래 부르는 행위가 감염의 대규모 확산 통로가 되었다는 점에서 절망적인 희망이다.

의사 리유는 최선을 다해 사람들을 보호하기 위한 소임을 완수하고자 하지만 눈에 보이지 않고 소리도 내지 않는 적과 싸우는 일이기에 좀처럼 성과가 나타나지 않는다. 그럼에도 그는 신에 의지하지 않고, 주체적으로 운명에 도전한다. 코로나19에 대응하는 우리 내부에서도 발견할 수 있는 태도다. 불안 속에 살면서 막연하게 좋아질 날을 기다리는 부류가 있는가 하면, 적극적으로 돌파하려는 사람들이 있다. 특히 방역 현장에서 불철주야로 헌신하는 의사와 간호사들이 그러하다.

그런데 이 소설에서 가장 인상적인 대목은 소설의 마지막 구절이다. 수많은 희생과 우여곡절을 겪으며 페스트가 진정됐다. 그런데 카뮈는 "결정적 승리가 될 수 없음을 알았다."라고 한다. 역병의 근원은 소멸되지 않고 참을성 있게 기다리다가 일정한 조건만 형성되면 "인간에게 불행과 교훈을 주기 위해" 다시 나타날 것이라고 전망한다.

역병이 주는 교훈을 통찰하라는 주문이다. 뵈클린의 그림도 마찬가지다. 뵈클린을 흔히 '죽음의 화가'로 부른다. 하지만 죽음을 보여주는 데 머물지 않고, 죽음을 생각하게 만드는 화가다. 그는 죽음을 응시하는 그림을 자주 그렸다. 죽음을 자기 문제로 떠올리고 깊이 있게 생각하도록 자극한다. 제일 유명한 것은 〈죽음의 섬〉이라는 연작이다. 페스트를 계기로 메시지를 전달하려 한다. 그 메시지를 읽어내는 것이 그림 감상의 핵심이다. 카뮈와 뵈클린이 우리에게 고민하도록 던져준 역병의 교훈을 무엇일까?

삶의 한복판에 있는 죽음

뵈클린 〈죽음과 자화상〉 1872년

카뮈가 실존주의 철학자이기도 하다는 점을 고려할 때 소설의 내용을 존재론적인 성찰과 연관시켜 해석할 수도 있다. 뵈클린의 그림 역시 다른 그림과 연관해서 보면 개인이 내적으로 가져야 하는 성찰을 요구한다. 〈죽음과 자화상〉과 함께 감상하는 게 도움이 된다. 전면에 붓과 팔레트를 들고 있는 화가가 보인다. 그의 시선이 향한 곳에 거울이 있으리라. 거울을 통해 자기 등 뒤에 바짝 다가온 죽음의 그림자를 본다. 죽음은 멀리 있지 않고, 일상에 가까이 있다.

화가 개인의 경험도 그림 안에 녹아들어 있다. 막연한 표현이 아니라 절실한 자기 경험과 느낌이 포함되어 있다. 그는 당대에 화가로서 충분히 인정을 받지 못했기 때문에 극도의 빈곤한 삶을 살았다. 그 과정에서 가족이 온갖 병마를 겪었다. 페스트, 콜레라, 장티푸스 등으로 부인과 여섯 자녀를 잃었다. 자신도 늘 위험에 노출되어 있었다. 죽음이 언제든지 등 뒤로 찾아와 '자 이제 가야지!'라며 어깨를 두드릴 날이 올 수 있다는 두려움을 안고 살았다. 그의 몸에 밀착하여 바이올린을 연주하는 죽음의 신은 자신의 일상이기도 했다.

누구나 다 죽는다는 걸 알고, 떠올리는 것 아니냐고 할지 모르겠다. 정말 그럴까? 누구나 결국 죽음에 이른다는 생각은 한다. 하지만 이러한 종류의 앎은 일반적인 의미의 죽음이다. 신이 아닌 이상 모든 인간이 죽을 운명이라는 추상적인 의미다. 자신에게 항상 죽음의 그림자가 드리워져 있고 언제든 죽을 가능성을 갖고 살아간다는 절박함과는 다르다.

역병이 유행하는 상황에서도 마찬가지다. 직접 감염되기 전에는 죽음을 떠올리지 않는다. 그나마 과거의 페스트는 세균성 전염병이라서 파급력이 덜했다. 세균은 미생물이긴 하지만 하나의 생명체다. 독자적 · 완결적인 세포 구조를 갖고 있어서 샘플 채취와 배양이 쉽다. 그만큼 백신과 치료제 개발이 용이하고, 대부분의 세균은 항생제를 통한 제어가 가능하다. 흔히 접하는 식중독균, 대장균, 콜레라균, 결핵균 등이 세균에 들어간다. 현재의 과학과 의학 수준으로 어느 정도 통제가 가능하다.

코로나19와 같은 바이러스는 전혀 다르다. 완결적인 생명체가 아니라. 유전물질을 단백질이 싸고 있는 단순한 형태다. 불안정한 상태이기에 끊임없이 변이가 일어난다. 그래서 샘플 채취나 배양이 어렵고, 연구도 어렵다. 독감을 떠올리면 쉽게 이해가 간다. 독감 바이러스의 종류가 200종이 넘는다. 사스, 메르스, 코로나19 등 코로나 계열의 바이러스는 변이가 심해 더 불안정하다. 백신이나 치료제 개발이 어렵다.

사회적이고 의학적인 대처가 일차적으로 중요하지만, 전파력이 빠르고 치사율이 높은 신종 바이러스가 계속 출현하는 원인을 찾아야 한다. 자연 파괴로 인해 야생동물을 숙주로 하는 신종 · 변종 바이러스와 인간의 접촉면이 넓어졌고, 공장식 대량 사육이 늘어나면서 가축이 바이러스에 전염될 가능성도 커졌다. 세계화 시대 지구가 하루 생활권으로 변한 것도 코로나19가 짧은 시간에 전 세계적으로 대유행하는 데 영향을 줬다. 결국 대량생산, 대량소비, 대규모 도시문명이 원인이다. 인류가 미래의 희망으로 여겼던 기계문명에 대한 성찰이 필요하다.

수많은 과학자 · 의학자가 코로나19 대유행 이후 더 이상 옛날로 돌아가지 못한다고 전망한다. 그런데 우리는 얼마나 실감하고 있을까? 사실상 현실로 받아들이지 않는다. 만약 받아들였다면 이미 엄청난 변화가 진행 중이어야 한다. 개인의 삶이 통째로 바뀌어야 한다. 국가의 제도와 정책도 송두리째 바뀌어야 한다. 학교와 기업의 대규모 시스템, 도시 시스템은 유지되기 어렵다. 자유로운 이동을 특징으로 하는 국가 간 관계도 변해야 한다.

그러나 이러한 변화를 받아들일 수 있을까? 여전히 '이 또한 지나가리라!' 하는 분위기다. 그저 '좋았던 과거'로 돌아갈 날만 손꼽아 기다릴 뿐, 절실하게 현실로 받아들이지 못하고 있다. 과학기술을 신봉함에도 전문가의 견해를 허풍이나 과장이라 여기며 자기 위안을 삼는다. 그 결과 눈앞에서 벌어지는 사태를 당면한 현실로 받아들이지 못한다.

죽음이 늘 등 뒤에 와 있다는 인식은 삶의 태도에 영향을 준다. 죽음을 막연한 미래의 일로만 생각할 때 오늘이 계속 이어진다는 관성적 사고가 생긴다. 오늘은 무수한 여러 날 가운데 하루에 불과한 것으로 생각된다. 지금, 여기의 유일성은 사라진다. 그만큼 소중하지 않다. 코로나19가 주는 내적 교훈은 죽음을 정면으로 응시하라는 것이다. 이를 통해 오늘 하루의 유일성이 얼마나 중요한지를 깨달아야 한다.

행복의 기준도 바뀌야 한다. 코로나19 대유행은 방만한 대면 접촉에 기초한 인간관계, 무한한 물질적 만족 추구에 반성적 사고를 촉구한다. 보다 긴밀한 관계 중심으로, 일상 속에서의 내적 만족 중심으로 인생관이 변화되어야만 하는 때다. 이렇듯 뵈클린의 그림은 죽음을 매개로 어떻게 살아야 하는지를 고민하게 한다.

김홍도 〈지팡이를 든 두 맹인〉
프롬 《소유냐 존재냐》

김홍도는 왜 맹인을 그렸을까?

김홍도 〈지팡이를 든 두 맹인〉 18세기 후반

한국인이라면 조선 후기의 화가 김홍도金弘道, 1745~?를 모르는 사람이 거의 없다. 신윤복과 함께 가장 유명한 옛 화가다. 수많은 풍경화를 남겼지만 우리에게는 주로 풍속화로 익숙하다. 초등학교 때부터 교과서를 통해 〈서당〉, 〈씨름〉 등 대표적인 풍속화를 접했기 때문이다. 그림의 구성과 형식에 익숙하다. 그림에 대한 해석도 들어봤다.

하지만 〈지팡이를 든 두 맹인〉은 낯선 그림이다. 오랜 기간 세상에 알려지지 않아, 본 적이 없으니 당연하다. 이 그림은 2005년에 와서야 미공개 화첩이 모습을 드러내며 알려졌다. 미공개 화첩에는 김홍도가 60세 전후에 그린 10여 점의 작품이 담겨 있다. 말년을 대표하는 작품들임에도 불구하고 거의 그림만 소개됐다. 별다른 분석과 설명도 없이 그림만 덜렁 있는 경우가 대부분이다.

이 그림에는 '호방하고 원숙한 필치가 돋보인다.'라는 짧은 평이 전부다. 하지만 그림을 아무리 뜯어봐도 호방한 구석을 찾을 수 없다. 필치라 했으니 글씨를 대상으로 한 말이다. 한 호흡의 막힘도 없이 단박에 써내려간 글씨가 호방한 느낌을 주기는 한다. 하지만 그림에 대해서는 이렇다 할 분석이 없다. 지팡이를 든 맹인이라는, 그림을 보는 순간 누구나 알 수 있는 상황 설명만 있을 뿐이다.

김홍도가 이 그림을 통해 드러내고자 했던 생각에는 별로 관심이 없는 것 같다. 그런데 조금만 주의를 기울이면 단지 호기심만으로 우연히 만난 두 맹인을 그린 그림이라고 보기 어렵다. 시각 장애인을 길에서 만나는 게 흔한 일은 아니다. 하물며 신분이 다른 두 명의 맹인이 길에서 마주치는 일은 더 드물다. 아무 생각 없이 재미 삼아 그릴 만한 장면은 아니다.

게다가 화첩에 함께 실린 다른 그림들을 보면 간단하게 넘기기 어려운 심상치 않은 구석이 많다. 김홍도의 미공개 화첩 속 작품 중에는 석가의 제자인 수보리가 참선하는 〈수보리구경〉, 달마의 면벽좌선 모습이 나오는 〈구년면벽좌선〉, 지혜의 상징 문수보살이 주인공으로 나오는 〈묘길상〉 등 불가와 연관된 그림이 많다. 웃통을 벗은 사람이 통 안의 물고기를 응시하며 도를 구하는 듯한 〈계색도〉는 다분히 도가적인 분위기를 풍긴다. 조선의 사고방식과 문화를 지배하던 유가의 가치와는 다른 결을 가진 그림들이다. 그 가운데 두 맹인의 그림이 등장하니 무언가 화가 나름의 메시지를 던지려는 의도가 있다고 봐야 한다.

현상으로 드러난 상황은 단순하다. 어떤 사정이 있었는지 둘이 길에서 만나 이야기를 나눈다. 신분의 차이가 금방 눈에 들어온다. 왼편 사람은 챙이 넓은 갓을 쓰고 소매가 길게 늘어진 도포를 걸치고 있으니 양반임이 분명하다. 오른편 인물은 소매가 좁은 평복 차림이다. 머리는 상투도 틀지 않고 모자도 쓰지 않아, 아직 혼인을 하지 않은 평민 총각임을 알 수 있다.

김홍도가 장애인의 우스꽝스러운 모습을 조롱하기 위해 그렸을까? 그의 평소 관심과 태도를 고려하면 그럴 리가 없다. 김홍도는 자신의 그림에서 평민을 비롯한 사회적 약자에 대해 따뜻한 시선을 보내곤 했다. 하물며 신체적인 장애 때문에 세상을 살아가는 데 어려움을 겪는 이들을 놀려먹기 위한 고약한 마음으로 그렸다는 게 말이 되지 않는다.

대체 무슨 목적으로 그렸을까? 좀 더 세밀한 눈으로 관찰하면 다른 게 보인다. 양반은 짚신을 신고 윗부분이 구겨진 갓을 쓰고 있다. 살림살이가 녹록치 않은 몰락한 양반의 처지다. 그렇다고 기가 죽은 태도는 아니다. 부채를 치켜들고 상체를 뒤로 젖히고 있는 모습이 뚜렷하다. 무언가 고자세로 위세를 부리며 한바탕 큰 소리를 지르는 중이다. 이에 비해 옆에 있는 맹인은 당황하여 멈칫하는 기색이다.

조금만 상상력을 발휘하면 어렴풋하게 이야기가 그려지지 않는가? 양반 맹인이 다른 맹인에게 길을 묻는 상황일 수 있다. 설명이 만족스럽지 않아, 양반의 위세를 부리며 "어허 이놈! 똑바로 가르쳐줘야지!"라고 호통을 치는 장면일 수 있다. 혹은 길을 가다 서로 부딪힌 후에 벌어진 일을 떠올리는 것도 가능하다. 양반들의 막무가내 하대가 몸에 배어 일단 "어허 이놈! 앞을 똑바로 보고 다녀야지!"라고 소리지르는 중일지도 모른다.

몇 갈래로 이야기를 떠올리면 다양하게 생각의 지평이 넓어진다. 김홍도가 맹인에 대한 조롱을 의도했을 리 없다면, 현실에서 눈 뜬 장님으로 살아가는 우리를 고발하려는 게 아닐까? 맹인이 맹인에게 길을 묻는 어리석음을 매일 저지르면서도 지혜롭다고 여기는 사람들을 조롱하는 게 아닐까? 서로 앞을 보지 못하는 처지이니 어떤 결과가 닥칠지는 자명할 것 같다. 길을 잃거나 환난을 당하기 십상이다.

부채를 흔들어대며 호통치는 양반을 강조한 점도 눈여겨볼 만하다. 맹인을 비유로 삼아 당시 양반들의 허구적인 모습을 비판하려는 의도가 읽힌다. 신분을 앞세워 위세와 차별을 일삼는 사대부에 대한 조롱 말이다. 눈 뜬 장님은 세상 이치를 다 아는 듯하지만 결국 무지와 억지를 부리는 양반에 다름 아니다. 자신이 곧 진리인 듯 매사 가르치려 들고 무조건 따르라며 억지를 부린다. 무엇보다도 신분에 기대어 백성을 업신여긴다. 특히 김홍도는 중인 출신이어서 뛰어난 능력을 지녔음에도 충분한 존중을 받지 못했다.

나아가 선비의 진리 기준인 유가에 대한 의문까지 담은 듯하다. 화첩에 함께 실린 불가와 도가 경향 그림을 보면 유가에 대한 비판 의식을 충분히 연결시킬 만하다. 공자와 맹자로 대표되는 유가의 가르침은 앞을 분간하지 못하는 장애와 정반대편에 자리를 잡고 있다. 언제든 무엇이든 분명하게 이치를 밝힐 수 있고, 또한 밝혀야 한다고 믿었다. 어짊과 어리석음, 옳음과 그름은 직접 사물 보듯 명확하게 분별해야 한다는 관점이다. 군자는 항상 밝은 눈으로 본다. 그에 따르지 않을 때 소인배에 불과하다.

하지만 도가와 불가는 다르다. 사물이나 세상이 그렇게 분명하지 않다. 이것이 저것이 되고, 저것이 이것이 되기에 상대적이다. 유가처럼 인의를 명확히 분별하지 않는다. 유가는 인과 불인을 구별하고, 의와 불의를 나누면서 인과 의를 강조한다. 예와 비례를 기준으로 사람을 갈라친다. 유가는 세상을 분열과 차별로 몰고간다는 게 도가와 불가의 기본 문제의식이다.

공자는 기원전 5~6세기의 사상가다. 조선은 그로부터 무려 2천 년 후의 시대다. 조선의 사대부들은 자기 눈이 아니라 2천 년 전 공자와 맹자의 말을 근거로 세상을 바라보고 판단했다. 공자의 가르침으로 세상의 모든 현상과 사람의 도리를 설명하려 했다. 이를 벗어나면 사문난적으로 몰리고 화를 당했다. 자기 눈으로 보지 못하고, 2천 년 전의 기준으로만 세상을 본다면 눈 뜬 장님이나 다르지 않다.

허황된 가정만은 아니다. 김홍도 자화상의 변화 궤적을 보면 충분한 개연성이 있다. 청년기에 그린 자화상은 엄격한 유가 선비 풍모다. 어디 한 군데 흐트러지지 않은 옷매무새다. 눈매도 날카롭고 경직된 분위기다. 유가 시인 두보의 마음가짐을 보는 듯 철두철미한 선비 자세다. 하지만 말년의 자화상은 다르다. 옷도 풀어져 있고, 바지도 걷어 올려 선비 풍모와는 거리가 멀다. 옆에 술병을 두고 악기를 분다. 술과 흥에 취해 세상을 유랑하며 노래하는 도가의 시인 이백을 보는 듯하다. 세상을 살면서 내적인 변화를 겪은 듯하다. 김홍도는 그러한 문제의식을 이 화첩에 담은 게 아닐까 싶다.

맹인이 맹인을 이끌면 무슨 일이 생기는가?

브뤼겔 〈맹인을 이끄는 맹인〉 1568년

김홍도의 맹인 그림을 보면 떠오르는 서양화가 한 명이 있다. 네덜란드 화가 피터 브뤼겔Pieter Brueghel, 1525~1569의 〈맹인을 이끄는 맹인〉이다. 풍속화로 김홍도가 한국을 대표한다면 유럽에서는 단연 브뤼겔이 손꼽힌다. 시각 장애인을 다룬 그림 가운데 세계에서 가장 유명하다. 여섯 명의 맹인이 주인공이다.

맨 앞에서 길을 인도하던 맹인이 웅덩이에 빠져서 나뒹군다. 넘어지는 충격에 애지중지하며 갖고 다녔을 악기가 박살이 났다. 문제는 나쁜 일이 여기에서 그치지 않는다는 점이다. 맹인들이 앞 사람의 등에 손을 얹거나 지팡이를 잡은 채 서로에게 의지하며 걷고 있었기 때문이다. 바로 뒤에 따라가던 맹인도 크게 휘청대면서 넘어지는 중이다. 상황으로 봐서는 나머지도 줄줄이 넘어질 운명이다.

왼쪽 아래 구석으로 생뚱맞은 모양의 이상한 작은 나무 한 그루가 보인다. 이파리 하나 없이 앙상하다. 뒤편의 다른 나무와 상당히 다르다. 대부분 이파리가 울창한데 이 나무만 계절에 맞지 않는다. 기독교 그림에서 종종 다루는 '사망의 나무'를 의미한다. 재난이나 환난에 빠진 상황을 상징한다. 맹인이 맹인의 인도를 따를 때 곤란에 처하게 되는 상황을 암시한다.

서양 회화에는 맹인이 맹인을 이끄는 그림이 상당히 많다. 서구적 사고방식과 문화의 뿌리인 기독교의 《성경》에서 나오는 내용이기 때문이다. 〈마태복음〉에서 예수가 제자들에게 전한 주요한 가르침 가운데 하나다. 비유 방식의 가르침이기 때문에 화가들의 상상력을 강하게 자극한 것 같다. 성경 내용은 다음과 같다.

유대 율법의 가르침을 문구 그대로 준수하는 데 철저했던 바리새파 사람들과 율법학자들이 율법에 따르지 않는다며 예수의 제자들을 비판했다. 음식을 먹을 때 손을 씻지 않으니 율법과 전통에서 벗어나 있다는 지적이다. 예수가 군중을 가까이 불러 모아서 말한다. "입으로 들어가는 것은 사람을 더럽히지 않는다. 더럽히는 것은 오히려 입에서 나오는 것이다." 손을 씻지 않고 먹는 건 율법을 운운할 만큼 큰 문제가 아니라는 뜻이다. 입으로 들어가는 것은 무엇이나 뱃속에 들어갔다가 뒤로 나가기 마련이다. 진짜 더러운 것은 입에서 나오는 말이다. "입에서 나오는 것은 마음에서 나오는 것인데, 바로 그것이 사람을 더럽힌다."

율법의 문구에 매달리기만 할 뿐 신의 진정한 뜻에서 멀어져버린 바리새파와 율법학자들이 오히려 큰 문제라는 예수의 일갈이다. 전통을 핑계 삼아 신이 바라는 것을 무시하고 있다는 비판이다. 예수의 가르침에 바리새파 사람들이 더욱 비위가 상해 반발했다고 제자들이 전하자 예수는 맹인의 비유를 든다. "그들은 눈먼 길잡이들이다. 맹인이 맹인을 인도하면 둘 다 구렁에 빠진다."

현실을 자기 눈으로 보지 않고 고정된 율법의 틀 안에서 외운 문구대로 이해하고 행동한다면 눈 뜬 장님이나 다름없다는 비판이다. 바리새파 지도자를 따라가다가는 오히려 수렁에 빠진다. 그들이야말로 잘못된 지도자고 신앙적인 의미에서 정신 불구다. 브뤼겔 역시 장애인이 아니라, 보고도 알지 못하는 인간, 특히 지도적 위치에 있는 사람들에 대한 조롱을 담았다. 〈지팡이를 든 두 맹인〉에서 김홍도가 던진 메시지도 비슷해 보인다. 조선의 사대부도 대부분 2천 년 전 공자의 문구에만 의존했다는 점에서 유대 율법학자들과 크게 다르지 않다.

브뤼겔의 그림은 당시 네덜란드의 역사를 반영하는 면도 있다. 16세기의 네덜란드는 칼뱅 영향의 개신교 분위기가 퍼져나가던 중이었다. 하지만 현실은 엄격한 가톨릭 국가인 스페인 지배 아래 있었기 때문에 모진 탄압을 감내해야 했다. 특히 카알 5세 때는 학정의 고통이 극에 달했다. 브뤼겔은 부패한 교회와 무능한 지도자에 맹목적으로 추종하는 사람들을 풍자하려는 의도를 품었던 듯하다.

조금 더 확대 해석하면 정치적 · 종교적 측면만이 아닌 일상을 지배하는 무지에 대한 조롱도 느껴진다. 브뤼겔이 상징 활용에 능숙했음을 고려할 때 맹인의 수가 여섯 명이라는 게 우연으로 보이지 않는다. 여섯은 성경에서 중요한 의미를 갖는 숫자다. 〈창세기〉에서 신은 세상을 만들 때 날을 일곱으로 구분하고 여섯 날은 일을 한다. 땅과 하늘, 사람과 동물 등 세상 만물을 만들고, 일곱 째 날은 쉰다. 성경에서 노동과 수고를 요구하는 날의 수와 동일하다. 즉 여섯은 일상을 뜻한다. 종교와 정치만이 아니라 일상의 수많은 눈 뜬 장님을 보여주는 게 아닐까 싶다.

에리히 프롬

소유로서의 신념과 존재로서의 신념

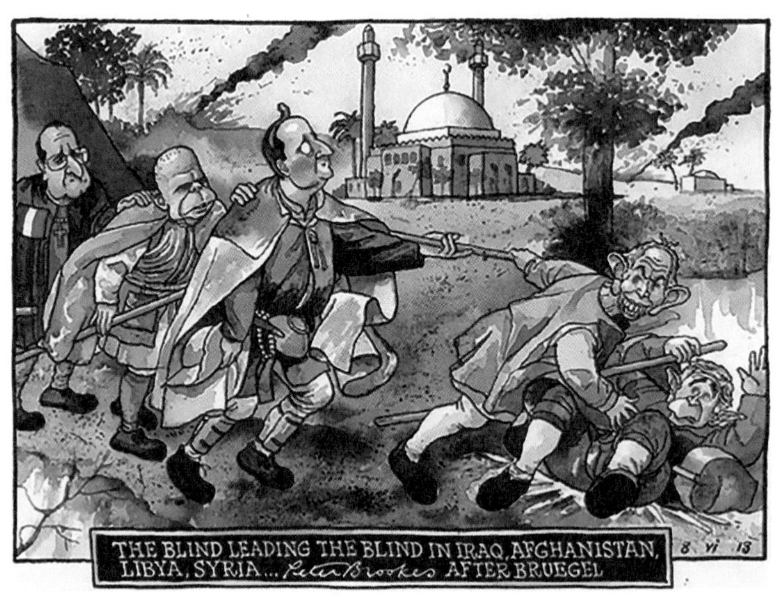

브룩스 〈맹인을 이끄는 맹인〉 2015년

김홍도나 브뤼겔의 그림과 함께 깊게 생각할 만한 고전이 있다. 우리에게 꽤 친숙한 사회학자이자 심리학자인 에리히 프롬Erich Fromm, 1900~1980의 《소유냐 존재냐》이다. 프롬은 소유로서의 신념과 존재로서의 신념을 구분한다.

> 소유양식으로서의 신념은 합리적 증명이 없는 대답을 가진다. 다른 사람이 창조한 정식定式으로 구성되며, 여기에 굴복하여 받아들인다. 그 신념은 관료들이 지니고 있는 실제적인 권력 때문에 확실성을 지닌다. 규모가 큰 사람들의 집단에 가입하기 위한 입회권이다. 스스로 생각하여 결정을 내리는 일의 어려움을 덜어준다. (…) 존재양식으로서의 신념은 어떤 관념의 신봉이 아니라 내적 지향이며 태도다. (…) 자신 · 타인 · 인류에 대한, 완전히 인간적이 되는 우리 능력에 대한 신념도 확실성을 내포한다. 그러나 자기 경험에 근거를 둔 확신이지, 어떤 것을 믿도록 명령하는 권위에 대한 복종이 아니다.

눈 뜬 장님은 신념이 없거나 무지해서 나타나는 현상이 아니다. 거짓된 지식에 대해 과도한 확신을 가질 때 나타난다. 즉 신념의 부재가 아니라 왜곡된 신념이 문제를 일으킨다. 프롬이 지적하는 소유로서의 신념이 대표적이다. 증명이 없다는 것은 합리적 설득의 자리를 큰 소리가 대신한다는 뜻이다. 목소리 큰 놈이 이긴다는 말처럼 이런 경우는 많다. 사적인 모임에서 하는 잡담이나 술자리 언쟁에만 해당되는 말이 아니다. 나름대로 토론에 익숙한 집단이 공적으로 중대한 일을 결정할 때도 자주 나타난다. 논리적인 논박과 증명보다는 삿대질과 고함이 난무하는 대한민국 국회가 대표적이다. 기업의 회의에서는 상사의 일방적인 태도로 나타난다.

타인의 정식에 굴복한다는 것은 무슨 뜻일까? 정식은 고정된 도식 안에서 사고하는 도그마를 의미한다. 유연하고 변화하는 생각이 아닌, 고정된 신념에 대한 굴복은 자연스러운 동의와는 거리가 멀다. 실질적인 위력을 행사하는 권력에 의해 확실성이 담보된다. 자신의 판단이 아니라 강자나 다수에 굴복한다. 프롬은 이런 태도가 소유로서의 신념이 강한 집단에 들어가서 권력을 맛볼 수 있게 해주는 '입회권'을 얻기 위한 것이라고 말한다.

왜곡된 신념은 권력을 가진 집단과 아무런 권력도 없는 개인 사이에 나타나는 현상에 국한되지 않는다. 일정한 권력을 가진 사람이나 집단도 더 큰 권력에 굴복한다. 영국의 풍자화가 피터 브룩스Peter Brookes, 1943~의 만평 〈맹인을 이끄는 맹인〉이 좋은 참고가 된다. 브뤼겔을 패러디하여 현대의 국제정치 상황을 풍자한 그림이다.

전체적인 구성은 브뤼겔의 작품 그대로다. 다만 인물과 시대적 배경이 다르다. 원래는 뒤에 기독교 교회가 있었으나 지금은 이슬람 성전이 보인다. 또한 여기저기 불길이 타오른다. 상황을 봐서는 비행기나 미사일을 이용한 폭격으로 일어나는 불길이다. 그림 아래 글을 보면 이라크, 아프가니스탄, 리비아, 시리아에 대한 서구의 전쟁 선포와 대규모 폭격이 이어지는 장면이다.

맹인 인도자에 의존하여 뒤를 따라가다 줄줄이 넘어지는 맹인들의 정체가 흥미롭다. 맨 앞에서 길을 이끌다 웅덩이에 나자빠지는 인물은 미국의 부시 대통령이다. 뒤이어 넘어지는 인물은 영국 총리였던 토니 블레어다. 이어서 후임 영국 총리였던 캐머런과 외무장관 헤이그, 마지막으로 프랑스 대통령을 역임한 올랑드가 넘어질 차례다.

배경과 인물들을 보면 2001년 9.11테러로 시작된 '테러와의 전쟁'을 다룬 그림이다. 한 장면 안에 들어있기는 하지만 동일한 시간과 공간에서 벌어진 사건이 아니다. 10여 년에 걸쳐 일어난 일을 미국 · 영국 · 프랑스 최고 권력자를 동원해서 재구성했다. 폭격은 서구 강대국의 이슬람 국가에 대한 무력 개입을 보여준다. 맹인들이 줄지어 있는 순서는 테러와의 전쟁이 10여 년이 넘도록 세계를 뒤흔드는 과정을 보여준다. 미국 부시 대통령은 아프가니스탄과 이라크에 대한 대대적인 폭격과 지상군을 투입하면서 유럽을 비롯한 여러 나라를 전쟁에 끌어들였다.

당시 영국 총리였던 토니 블레어는 전쟁에 가장 적극적으로 합류했다. 미국의 2001년 아프가니스탄 침공, 2003년 이라크 침공 당시 앞장서서 영국 군대를 파견했다. 블레어는 워낙 미국의 신보수주의 세력에 끌려 다녀서 '부시의 푸들'이라는 조롱을 받았다. 캐머런은 2015년에 이슬람을 상대로 한 미국 · 영국 테러 포위망을 재구축했다. 그 일에 실무적으로 앞장 선 인물이 외무장관 헤이그였다. 프랑스의 올랑드 대통령은 2015년 파리에서 IS에 의한 동시다발 테러가 발생하자 오바마 미국 대통령과 협력하여 테러와의 전쟁에 나섰다. 프랑스군은 IS의 본거지로 지목된 시리아에 20차례에 걸쳐 대규모로 폭탄을 투하했다.

그런데 왜 '맹인을 이끄는 맹인'이라는 제목을 붙였을까? 미국은 '대량살상무기'를 제조하고 있다는 것을 명분으로 이라크를 침공했다. 이라크가 9.11테러를 자행한 탈레반의 배후라는 증거는 없으니 인류의 안전을 위협하는 무기를 공격의 구실로 삼았다. 증거는 없었다. 일단 전쟁을 벌이고 지상군을 투입하여 찾는 방식이었다. 하지만 인공위성을 통해 산악지대의 작은 시설까지 감시하는 미국이 사막지대의 대규모 무기 시설 증거를 제시하지 못한다는 것은 이치에 맞지 않는다. 결국 이라크를 점령한 상태에서 미국 의회의 조사단이 약 1년에 걸친 조사 결과를 발표하면서 '잘못된 정보에 기초한 전쟁'이었음을 실토했다.

사실 세계 대부분의 사람은 미국의 이라크 공격 목적이 석유 패권에 있다는 사실을 잘 알고 있었다. 미국의 세계 석유 지배의 가장 긴밀한 파트너가 영국이었다. 추악한 전쟁에 수많은 나라가 휘말려 들어간 꼴이다. 미국이라는 맹인이 이끄는 대로 주요 강대국이 맹인이 되어 깊은 수렁에 빠졌다. 그 결과 기독교 대 이슬람 진영 사이의 군사적 긴장이 어느 때보다 높아졌다. 유럽을 포함한 전 세계가 테러와 보복 공격의 연쇄 사슬에 묶이는 처지가 되었다.

희생자에 대한 인식을 놓고도 비논리적인 억지가 반복된다. 2015년 파리 테러로 인한 희생자는 130명이다. 온 세계가 경악했고, 추모 발길이 끊이지 않았다. 그런데 불과 40여 일 전에 미국 지원을 받은 사우디아라비아가 이끄는 아랍 다국적군이 예멘 해안 도시 모카의 예식장을 공습해서 민간인 131명을 살해했다. 비슷한 희생자 규모지만 미국 배후의 공격에 의한 희생자에 대해서는 아무도 관심을 갖지 않았다. 조사도 없었고, 각국 정치인들의 추모 행위도 없었다. 국제 언론도 사실상 침묵했다. 평등이라는 보편적 가치를 들먹일 필요도 없이, 상식적으로 말이 되지 않는 대조적 반응이다. 하지만 현실은 이러한 왜곡과 억지가 지배한다. 눈 뜬 장님이 아니고 무엇이겠는가.

전체 테러와의 전쟁 과정에서 발생한 희생자를 놓고 봐도 마찬가지다. 9.11테러로 인한 희생자는 2,996명이었다. 유엔 보고서에 따르면 2001년 미국의 아프가니스탄 침공으로 실해당한 민간인이 1만8,000여 명에 이른다. 테러와의 전쟁에 휘말린 파키스탄에서는 같은 기간 시민 2만1,500여 명이 목숨을 잃었다. 미국과 캐나다와 이라크 보건부 공동조사단에 따르면 2003년 미군의 제2차 이라크 침공 뒤 2015년까지 약 50만 명의 시민이 희생당했다. 시리아인권감시소는 미군과 동맹군의 공격에 의해 4년 동안 약 34만여 명의 시민이 목숨을 잃었다고 밝혔다. 미국-사우디아라비아 다국적군이 공격한 예멘에서는 시민 2,700여 명이 살해당했다. 무려 100만 명에 이르는 무슬림 희생자가 발생했지만 아랑곳하지 않는다.

이 또한 초등학생도 비교할 수 있는 수치조차 무시해버리는 눈 뜬 장님에 다름 아니다. 오히려 미국을 중심으로 한 강대국이 만들어낸 '테러와의 전쟁'을 확고한 신념으로 여긴다. 합리적이고 논리적인 비교와 증명은 어디에서도 찾아보기 어렵다. 서구 강대국이 갖고 있는, 실제적인 권력에서 오는 확실성을 신념으로 받아들이고 따를 뿐이다. 세계질서에서 자국의 이익을 챙길 수 있는 '입회권'이 주어진다고 믿었기 때문이다.

소유로서의 신념에 지배당하는 눈 뜬 장님 경향은 일상의 사소한 생각과 습관까지 파고든다. 거리예술 벽화 〈맹인을 이끄는 맹인〉은 그 단면을 보여준다. 이 그림에서도 앞을 보지 못하는 사람들이 줄지어 걸어간다. 이번에는 연령도 다양하다. 앞에는 청소년이나 청년들이 더듬거리며 발걸음을 옮긴다. 뒤편으로는 중년쯤 되어 보이는 사람이 위태롭게 걷는다. 아예 스스로 눈을 가려 맹인처럼 앞을 못 본다.

창문이나 문 상태로 봐서는 쇠락한 마을 분위기를 풍긴다. 사람이 살지 않는 빈집처럼 보인다. 그 이유는 오른편으로 보이는 시설을 통해 어느 정도 짐작 가능하다. 하늘 가득 흰 연기를 뿜어대며 원자력발전소가 가동 중이다. 여기에서 만들어진 전기가 왼편 위의 고압선을 타고 주변 도시로 공급될 것

거리예술 벽화 〈맹인을 이끄는 맹인〉 연도 미상

이다. 아이러니컬하게도 옆에는 전통사회에서 에너지 동력 역할을 하던 풍차가 서 있다. 원자력발전소가 들어선 지역은 방사능 오염 위험성 때문에 쇠락의 길을 걷는 경우가 많다. 이 마을도 비슷한 처지에 있는 듯하다.

몇 차례의 원전 폭발 사고를 겪은 후에야 인류는 원전을 축소하여 장기적으로 완전히 폐쇄하는 방향으로 가고 있다. 대부분의 나라가 수십 년 전에 더 이상 원전을 건설하지 않는 쪽으로 정책 결정을 내렸다. 미국은 당시 거의 완공 단계에 들어서던 원전 건설을 중단시키기도 했다. 하지만 여전히 원전에 의존하는 사고방식이 국민적으로 널리 퍼져 있는 아주 소수의 나라가 있다. 한국이 대표적이다.

대부분의 나라는 수요 관리 중심의 전력 정책을 편다. 전체 전력량을 한정해 놓고 에너지 절약 등을 통해 수요를 조절하는 방식이다. 한국은 공급 관리 중심이다. 필요하면 발전소를 더 짓는다. 에너지가 무한하다는 맹신이 우리의 사고방식에 깊게 깔려 있다. 그 결과 원자력 의존도가 세계적으로도 최상위에 속한다. 심지어 건설 당시 안정성을 계산하여 정해 놓은 사용 기간이 한참 지난 원전, 그 결과 매해 크고 작은 결함으로 가동이 중단되기도 하는 원전을 계속 가동해야 한다는 '원전 마피아'의 주장에 동의하는 사람이 아직도 적지 않다.

우리나라의 1인당 에너지 소비량은 세계 최고 수준이다. 거실 등에 형광등이 6~8개 정도 있어야 정상이라고 여긴다. 여름이면 수많은 상점이 문을 열어 놓고 에어컨을 튼다. 밤이면 네온사인이 도시를 환하게 밝힌다. 원전 사고와 오염 위험성만이 문제가 아니다. 에너지 과잉소비로 인한 기후위기가 이미 현실의 심각한 문제로 나타나고 있음에도 에너지 무한 공급이라는 허구적 신화를 맹신하며 살아간다. 위기가 눈앞에 닥쳐왔는데도 사고방식과 생활습관을 바꾸지 않는다는 점에서 눈 뜬 장님의 대열을 따라가고 있다.

이에 비해 존재로서의 신념은 내적 지향이다. 단지 정보와 지식의 양의 많고 적음의 문제가 아니다. 출발점이 타인의 시각이 아닌 자신의 생각이다. 정해지고 주어진 타인의 도그마가 아니라 자율적 · 객관적 관찰에 기초하여 자기 생각과 판단을 중심에 놓고 세상을 바라본다. 권위에 복종하는 것이 아니라 자신의 생각을 중심에 놓는다.

다시 김홍도로 돌아가자. 그는 젊은 시절에 유가에서 정해 놓은 선비의 이상과 도덕률을 기준으로 삼았고, 성공을 꿈꾸며 맹렬하게 살았다. 스스로 중인 신분임에도 불구하고 양반 선비처럼 행세하는, 일종의 '강자와의 동일시' 사고방식을 가졌다. 〈지팡이를 든 두 맹인〉은 젊은 시절 강자와 동일시한 자신에 대한 성찰이 아닐까?

맹인의 비유를 통해 자신을 비롯하여 많은 사람이 눈 뜬 장님으로 살아가는 잘못을 범하지 말자는 권유로 다가온다. 자기 눈으로 세상을 보기를, 타인과 강자의 눈을 의심하기를, 과거로부터 오는 사회적 규범과 통념을 의심하기를 촉구하는 메시지가 느껴진다. 직접 관찰하고, 생각하고, 판단하고, 행동하라고 한다. 이제 우리가 대답할 차례다.

이명기 〈초당독서〉
헤세 〈독서에 대하여〉

책 읽게 만드는 그림

18세기 후반에 도화서 화원으로 활약한 이명기李命基, 1756~1813의 〈초당독서〉는 경치 좋은 산 아래 초가에서 책 읽기에 몰두하는 선비의 모습을 담았다. 우리의 옛 그림 가운데는 독서 장면을 묘사한 그림이 제법 많다. 아무래도 과거시험을 통한 입신출세를 꿈꾸던 시대라 선비들이 유가 경전을 읽는 모습이 흔하고 익숙했을 것이다.

이명기 〈초당독서〉 18세기 후반

요즘에는 '입신출세'나 '입신양명'이라는 말을 부정적인 의미로 사용한다. 높은 지위에 올라가기 위해 수단과 방법을 가리지 않는 사람을 떠올린다. 인간으로서의 도리를 버리면서까지 성공하려는 탐욕스러운 태도도 연상된다. 일단 사전적인 뜻과 비교해보면 크게 어긋난 해석이 아니다. 입신출세立身出世는 세상에 나아가 성공하여 높은 지위에 오르는 일이다. 입신양명立身揚名은 자신의 뜻을 확립하고 이름을 드날린다는 뜻이다.

하지만 유가에서 말하는 이들 용어는 우리의 통념과 상당히 다른 의미를 가지고 있는데, 군자로서 적극적으로 추구해야 하는 바람직한 삶의 태도를 뜻한다. 공자는 《논어論語》의 〈이인里仁〉 편에서 다음과 같이 강조한다. "지위가 없음을 걱정하지 말고 입신하는 방법을 걱정할 것이며, 자기를 알아주지 않음을 걱정하지 말고 알아주게 되도록 애써야 한다."

어떻게 하면 입신할 수 있는지 그 방법을 찾으라고 한다. 또한 세상이 자신의 능력을 인정하도록 노력해야 한다. 공자가 보기에 출세하고 이름을 얻는 것은 부정적인 일이 아니다. 오히려 적극적으로 추구해야 할 덕목이다. 단순히 세상의 이치와 인간의 도리를 아는 것만으로는 군자를 지향하는 선비라고 할 수 없다. 군자는 자신의 뜻을 세우는 데 머물지 않고 세상에 나아가 이를 실현하는 사람이다.

선비는 국가를 움직일 수 있는 관직에 진출하여 뜻을 펼쳐야 했다. 그래서 조선의 선비들은 벼슬을 맡아 유가에서 중시하는 가치관을 세상에 실현하고자 애썼다. 선비들은 그 관문인 과거시험에 급제하기 위해 어린 시절부터 학문을 닦았다. 또한 직책을 맡은 후에도 끊임없는 공부를 통해 공자와 맹자가 강조하는 덕치의 근본 원리를 지속적으로 습득하고자 했다.

조선시대 그림 중에 선비의 독서 모습이 자주 등장하는 이유다. 수많은 독서 그림 중에 개인적으로 이명기의 〈초당독서〉가 가장 탁월한 성취를 보여준다고 생각한다. 보통은 자연과 더불어 독서삼매경에 빠진 선비의 모습을 담는다. 이명기의 그림은 인물화, 산수화 요소가 모두 상당한 경지에 올라 있다. 나아가 두 요소의 융합이 하나의 그림 안에 매우 자연스럽게 어우러진 점도 큰 매력이다.

이명기는 18세기 후반에 활동한 인물 화가로 유명했다. 그의 집안은 2대에 걸쳐 임금의 모습을 그리는 일에 참여했다. 이명기는 정조의 명으로 신하들의 초상화를 그릴 만큼 왕의 신뢰를 받았다. 정약용은 "관료들의 초상과 낡은 초상의 모사까지 모두 이명기가 그렸다."라는 기록을 남겼다. 〈초당독서〉는 전형적인 초상화는 아니지만, 독서하는 사람이 주인공으로 등장하는 만큼 능숙한 인물화 솜씨가 부각될 수 있는 소재였다. 또한 산 속에 있는 초당을 그릴 때는 산수화 실력도 유감없이 발휘하고 있다.

옛 그림에는 화제, 즉 그림과 어울리는 글이 함께 있는 경우가 많다. 이 그림은 화제의 내용과도 전체적으로 조화를 잘 이루고 있어 마음이 끌린다. 그림 윗부분에 "글 읽은 지 여러 해, 어린 소나무 용비늘처럼 늙었네."라는 글이 보인다. 당나라의 시인이자 화가였던 왕유王維의 시 내용 중에 "글을 쓴 지 여러 해, 어린 소나무 모두 용비늘처럼 늙었네."라고 한 대목을 고쳐 인용했다.

먼저 산수화로서의 매력을 살펴보자. 초당 앞의 구부러진 소나무가 멋스럽다. 거친 붓질로 소나무 껍질을 표현하여 화제에서 언급한 용비늘 느낌이 살아난다. 여러 군데 줄기가 깊게 패이고 옹이진 모습까지 더하여 바위 틈새에서 어렵게 자라온 세월을 보여준다. 바위 언덕에서 생존하려다 보니 여기저기 뿌리가 드러난다. 사람들이 겪어야 하는 세상의 온갖 어려운 풍파가 나무를 통해 드러나는 듯하다. 날카로운 솔잎을 하나도 놓치지 않겠다는 듯 섬세하게 묘사했다.

워낙 주변에 나무가 많아 조잡스러울 위험성이 있으나, 뒤편의 나무와 숲은 무심한 듯 간명하게 그려서 전체적으로 안정된 분위기다. 뒤편의 깎아지른 듯 웅장한 절벽은 더 굵고 거칠게, 앞의 작은 바위 언덕은 이에 비해 조금은 더 가늘고 부드럽게 표현하여 각각의 특징과 다채로움이 살아난다. 초당의 지붕도 자연스럽다. 다만 앞으로 튀어나온 차양막 표현이 좀 과하긴 하지만 그림 전체로 놓고 볼 때 크게 거슬리지는 않는다.

이번에는 인물 묘사에서 나타난 특징을 살필 차례다. 인물을 확대한 부분도를 통해 조금 더 자세히 보자. 선비는 허리를 꼿꼿하게 세운 채, 조금도 흐트러지지 않은 자세로 독서에 열중한다. 아주 간단한 묘사지만 눈을 책에 고정시키고 몰입하는 게 전해진다. 자기 혼자 방에 있는데도 머리에 건을 쓰고 나름대로 차리고 있다. 옷도 그냥 실내복이 아니라 곧 손님이라도 맞이할 것처럼 제대로 갖춰 입었다. 가부좌를 틀고 앉아 있어서 보이지는 않지만 발에도 버선을 신었을 듯하다.

창밖으로 책 읽는 소리가 들릴 것 같다. 옛 선비들은 요즘처럼 묵독, 즉 소리 없이 책을 읽는 게 아니라 한 구절씩 소리 내어 읽었다. 그림 속 선비에게는 오직 책과 자신, 그리고 내용을 머릿속에서 곱씹는 생각만이 있을 듯하다. 유유자적 한가로운 독서가 아니다. 진지하다 못해 심지어 경건함까지 느껴지는 순간이다.

이명기의 인물 묘사 능력과 묘미는 문밖의 시동과 비교할 때 더 살아난다. 아이는 선비가 마실 차를 마련하는 중이다. 화롯불 위에 주전자를 올리

이명기 〈초당독서〉 부분도

고 차를 우려낼 물을 끓인다. 두 팔로 무릎을 감싸고 고개를 파묻고 있다. 한눈에도 굉장히 무료해 보인다. 공부를 위해 마련한 산 속의 초가이니 몇 년 동안 허구한 날 선비와 단 둘이 지내왔을 것이다.

책에만 빠져 사는 선비가 무슨 재미가 있었겠는가. 아이로서는 그저 하루 빨리 선비의 공부가 끝나 사람들이 사는 마을로 내려가고 싶은 마음뿐이리라. 서로 다른 마음 상태를 동작을 통해 잘 표현하고 있다. 공부에 정진하는 선비의 긴장된 모습과 오직 시간 때우는 것만이 전부인 일상을 보내는 아이의 무료한 모습이 극적으로 대비되면서 그림의 재미를 한껏 끌어올린다. 화가의 인물화 묘사 능력이 뛰어나기에 가능한 일이다.

독서 장면도 주목해서 봐야 한다. 책상 위에 지금 읽는 책 말고 다른 책이 없다. 옆의 벽에도 다른 책이 없다. 독서 장면을 담은 다른 그림들에서는 책상에 책이 여러 권이 쌓여 있고, 책장도 빼곡하게 채우는 경우가 많다. 풍부한 지식을 자랑하듯이 말이다. 하지만 이 그림의 선비는 여러 날에 걸쳐 이 한 권의 책에만 집중한 눈치다. 한 글자나 한 문장도 놓치지 않고, 읽은 내용을 곱씹어 사색하는 분위기다.

유가에서 중시하는 공부 방법이다. 공자는 《논어》의 〈위정爲政〉 편에서 공부에 대한 올바른 태도를 제시한다. "배우기만 하고 사색하지 않으면 멍청해지고, 사색만 하고 배우지 않으면 정신이 위태로워진다." 책을 보되 글자에 매달리거나 암기하는 방식이어서는 안 된다. 사색하지 않는 공부는 멍청이를 만든다. 지식이 뒷받침되지 않는 생각은 뿌리 없는 나무와 같다. 지식과 사색이 결합될 수 있는 공부가 바로 정독이다.

우리는 책과 제대로 만나고 있는가?

슈피츠베크 〈독서광〉 1851년

독일 화가 카를 슈피츠베크Carl Spitzweg, 1808~1885의 〈독서광〉은 책 읽기에 빠져 있는 그림이라는 점에서는 〈초당독서〉와 같다. 하지만 독서를 대하는 발상이나 방식에서는 지극히 상반된 모습이다. 〈독서광〉의 주인공은 책을 보관하고 분류하기 위해 별도의 방대한 서재를 갖춘 장서가다. 사람보다 책이 먼저 눈에 들어온다. 사방이 틈이 없을 정도로 빽빽한 책장으로 둘러싸여 있다. 높은 천정까지 온갖 종류의 책으로 가득하다.

책장의 윗부분은 손이 닿지 않으니 꽤 높은 사다리를 이용해야 한다. 사다리 꼭대기까지 올라가 동시에 여러 권의 책을 살피는 중이다. 왼손에 든 책에 머리를 파묻다시피 한 채 내용에 빠져 있다. 그런데 오른손에도 방금 전에 읽었던 것처럼 보이는 책을 펼쳐들고 있다. 게다가 팔꿈치와 무릎에도 한 권씩 끼고 있다. 사다리에서 위태로운 자세로 얼마나 자세히 보겠는가. 그냥 주마간산으로 보는 식이다. 얕게 여기저기 조금씩 보는 잡식성 다독이다.

이 그림을 보면서 우리 사회의 독서문화를 떠올린다. 독서에 상당한 관심을 갖고 꽤 많은 시간을 쏟는 사람 중에는 잡식성 다독 경향을 가진 사람이 많다. 심지어 독서에 나름 일가견이 있다고 자부하는 작가들이 이를 적극적으로 권하기도 한다. 왜곡된 유행 현상도 일부 나타난다. 1년에 100권 읽기, 심지어 하루에 1권 읽기를 권한다. 이런 방식으로 지적 욕구를 충족시키고자 하는 사람이 적지 않다.

여러 분야의 책을 닥치는 대로 읽는다. 동시에 여러 권을 뒤적거리기도 한다. 그런데 이러한 방식은 만화책을 보거나 TV 드라마를 보는 것과 별로 다를 바가 없다. 깊이 있는 사색과 숙고의 과정 없이 눈으로만 보기 때문이다. 만화책이나 드라마를 무시하는 말이 아니다. 통찰을 동반하는 사색이 어렵다는 의미다. 숙고하지 않는 독서는 수백 권을 읽어도, 몇 권을 제대로 정독한 것만 못하다.

다양한 분야에 대한 풍부한 독서가 문제라는 뜻은 전혀 아니다. 오히려 다양성을 잃는 게 더 큰 문제다. 두 가지 점에서 다양성은 독서에 필수적이다. 하나는 여러 분야를 접하는 일이다. 전문 분야에 한정된 독서는 사고의 폭을 좁힌다. 다른 하나는 여러 관점을 접하는 일이다. 대부분의 주제에는 치열한 논쟁 지점이 내장돼 있기 마련이다. 왼쪽 끝에서 오른쪽 끝까지를 살피면서 자신의 입장을 만들어나갈 때 보다 균형 잡힌 시야를 가질 수 있다.

가장 잘못된 독서 방식은 편식성일지도 모른다. 특정 분야에서 좀처럼 벗어나지 않고, 특정한 관점을 가진 책에만 집착하는 경향 말이다. 자신이 관심 있는 특정 분야나 동의하는 관점에 서 있는 책을 더 자주 접하는 것이야 자연스러운 경향이다. 하지만 그 정도를 넘어 다른 분야나 관점의 책을 거의 곁에 두지 않는 편식 독서는 위험하다.

아돌프 슈뢰터Adolf Schrödter, 1805~1875의 〈서재의 돈키호테〉는 편식성 독서를 상징적으로 보여준다. 완역된 책을 읽었든 아니든 누구나 줄거리 정도는 알고 있는, 세르반테스 소설 《돈키호테》의 한 대목을 회화로 묘사한 것이다. 서재 가득 오직 기사의 무용담을 담은 소설만 쌓아두고 매일 독서 삼매에 빠져 있다. 그림의 출발이 되는 소설의 관련 대목은 다음과 같다.

“이 시골 귀족은 기사소설에 빠져든 나머지 사냥도, 재산 관리도 제쳐두었다. 집안 가득 기사소설을 빼곡하게 들여 놓았다. (…) 이러한 이유로 판단력을 잃었고, 심지어 아리스토텔레스가 부활한다 해도 결코 이해하지 못했을 것들을 이해하고 의미를 되새기느라 밤을 지새우곤 했다. (…) 책에

슈뢰터 〈서재의 돈키호테〉 1834년

서 읽은 몽환적인 이야기들이 진실이라고 생각했으며, 이 세상에서 이보다 더 확실한 이야기는 없다고 확신하기에 이르렀다."

슈뢰터의 그림에서 돈키호테는 책장이 모자라 바닥까지 가득 쌓아둔 온갖 종류의 기사소설을 닥치는 대로 읽는다. 한 손으로 머리를 감싸고 있는 모습이 기사가 모험 과정에서 위험에 처한 내용을 읽고 있는 듯하다. 소설의 기사가 된 듯, 내용 전개에 따라서 팔과 다리를 움직이고 있으리라. 옆의 탁자와 뒤의 벽장에 있는 기사들의 낡은 투구와 창은 현실과 소설을 분간하지 못하는 돈키호테를 드러내주는 소품이다.

편식성 독서는 좁은 프리즘을 통해 세상을 보게 만든다. 돈키호테가 기사소설의 도전과 전투, 상처와 사랑의 밀어를 통해서만 세상을 보듯 말이다. 세상에서 벌어지는 일들 사이의 다양한 연관관계를 이해하기보다는 폐쇄된 공간에 자신의 생각을 가둔다. 끊임없이 변화하는 역동적인 과정을 놓치고 콘크리트처럼 고정된 틀 안에서만 생각하기 쉽다. 경직된 사고와 편견을 만들어내는 위험한 독서법이다.

한국은 편식성 독서를 권하는 사회다. 무엇보다도 기능적인 목적을 가진 특정 분야의 책에만 매달리게 한다. 우리는 이미 고등학교 시절부터 문과와 이과로 분리된다. 더군다나 대학은 아예 더 좁은 전공별로 나뉘어 해당 분야의 책만 주로 접한다. 대학을 마칠 때까지 취업 관련한 책만 붙들고 있어야 하는 형편이다. 직장을 다니면서도 끊임없이 업무에 필요한 정보를 새롭게 취득하도록 요구받는다. 나름대로 폭을 넓힌다 해도 이른바 자기계발서로 불리는 처세 위주의 책이나 재테크 관련 서적이 대부분이다. 다양한 분야의 독서를 가치가 없는 시간 낭비로 여긴다.

관점의 편식도 문제다. 진보든 보수든 자기 생각의 기반이 되는 입장을 대변해주는 책 말고는 거들떠보지도 않는 경우가 많다. 세상과 인간을 바라보는 특정한 시선은 우리들의 행동에도 폭넓게 영향을 미치기 마련이다. 돈키호테는 지금까지 읽었던 소설 속 기사들의 편력과 모험들을 직접 따라 하는 것을 통해 자신의 이름을 길이 남기려 한다. 그는 스스로 편력하는 기사가 되어 무기를 들고 말 등에 올라 세상 곳곳을 돌아다닌다. 물론 소설 속 돈키호테는 문학적인 과장이 상당히 섞여 있다. 하지만 정도의 차이가 있을 뿐 보통 사람들의 경우에도 편협한 독서에 따른 편견은 편협한 행동을 초래한다.

헤세
시간만 낭비하는 독서의 미련함

우리에게 《데미안》이나 《젊은 날의 초상》 등으로 잘 알려져 있는, 독일의 소설가이자 시인인 헤르만 헤세Hermann Hesse, 1877~1962는 〈독서에 대하여〉에서 왜곡된 책읽기가 초래하는 위험성을 날카롭게 지적했다.

> 인생은 짧다. 무가치한 독서로 시간을 허비한다면 미련하고 안타까운 일이 아니겠는가? 내가 여기서 말하고 싶은 것은 책의 수준이 아니라 독서의 질이다. 한 권 한 권 책을 읽어나가면서 기쁨이나 위로 혹은 마음의 평안이나 힘을 얻지 못한다면 문학사를 줄줄이 꿰고 있다 한들 무슨 소용인가? 아무 생각 없이 산만한 정신으로 책을 읽는 건 눈을 감은 채 아름다운 풍경 속을 거니는 것과 다를 바 없다.

독서 자체가 무가치하다는 게 아니다. 책을 멀리하는 삶은 최악이라는 점이 전제되어 있다. 사실 한국사회에서도 잘못된 독서 이전에 제일 심각한 것은 책에 대한 무관심이다. 세계적으로도 책을 안 읽는 나라로 꼽힌다. 조사 방법에 따라 수치는 다소 차이가 있지만 각 나라의 독서량을 비교한 어떠한 조사에서도 한국은 하위권을 벗어난 적이 없다.

반면에 독서의 적이라 해도 과언이 아닐 분야의 이용률은 세계 최고 수준을 자랑한다. 책을 읽지 않게 만드는 환경은 여러 가지다. 특별한 용도가 없어도 수시로 열어보게 만드는 스마트폰, 한 번 빠지면 헤어 나오지 못하는 TV 등이 대표적이다. 여기에 직장인의 경우 퇴근 후에 시간을 물 쓰듯 사용하도록 유혹하는 유흥도 크게 한몫 거든다. 돈 버는 일 이외에는 신경을 끄게 만드는 경제주의적인 사고방식과 생활도 해당된다.

이 모든 분야에서 한국인들은 둘째가라면 서러워할 만큼 적극적이다. 매일 일과 수면 이외의 시간에 제일 많이 하는 것들이다. 매년 실시되는 스마트폰 사용 시간 조사에서 상위권을 놓치지 않는다. 한국은 하루 TV 시청 시간에서도 세계 최고 수준이다.

다른 나라와 비교한 조사는 없지만 유흥 시간도 크게 다르지 않을 것이다. 한국의 대도시 어디를 가도 새벽까지 네온사인이 불야성을 이루니 말이다. 오죽하면 한국의 밤 문화가 세계적으로 유명하겠는가.

경제주의적인 삶의 태도에서도 뒤처지지 않는다. 통계청 조사에 따르면 10명 중 9명이 하루 독서시간 10분 이하에 머문다. 연평균 도서관 이용률도 OECD 평균의 2분의 1에 불과하다. 흔히 독서를 멀리하는 이유로 학생은 공부를, 성인은 직장 일을 꼽는다. 사실은 해야 할 공부나 일이 많아서 독서를 못 한다는 말은 전적으로 핑계에 불과하다. 그냥 봐야 할 필요성을 못 느끼고, 보고 싶은 마음도 없을 뿐이다.

그런데 헤세는 독서가를 자처하는 사람들에게도 문제가 있다고 말한다. 집 안 서재에 책이 가득하고 늘 손에서 책을 놓지 않아도 가치 없는 시간을 보낼 수 있다. 잡식성 독서든 편식성 독서든 문제가 되기는 마찬가지다.

방향을 제대로 잡지 못한 독서는 시간 낭비나 다를 바 없다. 이것저것 뒤적거리다 남는 것이 없는 시간 죽이기가 되기 십상이다. 또한 다양성을 상실한 독서는 성찰 없는 편견을 부채질한다. 눈을 감고 자연을 감상하는 어리석음이다.

헤세는 인생의 짧음에 경각심을 가지라고 한다. 1달에 1권을 제대로 읽으면 1년에 12권이다. 1주일에 1권을 읽는다면 1년에 약 50권 정도가 된다. 철학을 비롯한 대부분의 인문학 · 사회학 고전은 한 달에 한 권을 제대로 소화하기도 쉽지 않다. 그런데 인류의 짙은 숨결과 깊은 정신을 담고 있는 고전만 해도 최소한 수천 권에 이른다. 여기에 한국에서만 매달 새롭게 출판되는 책도 수천 종에 이른다. 짧은 인생에서 가치 있는 책을 골라 깊이 있게 읽는 게 쉬운 일은 아니다.

처음부터 정독의 습관을 갖는 게 중요하다. 체계적인 세계관과 인생관을 듬뿍 담고 있는 고전 반열의 책이라면 더욱 그러하다. 사람들이 술술 읽힌다고 생각하는 소설이라 해도 고전에 속하는 작품들에는 공통적인 특징이 있다.

보통은 읽는 도중에 몇 군데 턱 막히는 대목과 만나기 마련이다. 고전이 고전인 이유가 바로 이 대목에 있다. 작가가 책을 통해 전하고자 하는 메시지를 압축적으로 담아놓은 부분이다. 하지만 대부분 딱딱하고 이해하기 어려운 내용이 나오면 책장을 넘기는 속도가 빨라지고 줄거리만 찾아 넘어가 버린다. 책을 안 읽은 것이나 마찬가지다. 성찰을 요구하는 대목을 붙잡고 고민하고 나서야 다음 대목으로 넘어가는 정독의 습관이 중요하다.

물론 다독 자체가 나쁜 것은 아니다. 보다 정확히 말하자면 독서를 통해 이루어야 할 목적이 여러 분야 풍부한 지식을 하나로 꿰는 통섭이기에 다독이 필요하다. 대신 맥락을 잃고 표류하는 독서가 되지 않기 위해서는 정독을 전제로 한 다독이어야 한다.

독서는 세상과 인간을 이해하는 통로다. 책을 읽지 않는 것은 세상과 인간을 향해 등을 돌리는 행위다. 독서는 평생 동행해야 하는 벗이다. 서점을 찾는 일이 일상의 한 부분으로 자리 잡게 하자. 집안에 책장을 마련하고, 괜찮은 책으로 채워보자.

백성의 고통을 그리다

윤두서 〈나물 캐는 여인〉
정약용 《유배지에서 보낸 편지》

왜 산비탈에서 나물을 캘까?

윤두서 〈나물 캐는 여인〉 17세기 말~18세기 초

조선 후기의 문인이자 화가인 윤두서尹斗緖, 1668~1715는 옛 사람 가운데 얼굴이 가장 익숙한 인물이다. 조선 최고의 걸작으로 꼽히는 자화상의 주인공이니 말이다. 한국인 가운데 안광을 뿜어대며 감상자를 응시하고, 사방으로 뻗친 덥수룩한 수염이 인상적인 그의 자화상을 못 본 사람은 드물다. 화선지를 가득 채운 그의 얼굴 묘사는 워낙 사실적이어서 사람들의 기억 속에 그 모습이 생생하게 남아 있다.

하지만 자화상 이외에 윤두서의 다른 그림은 낯설다. 그가 그린 〈나물 캐는 여인〉도 마찬가지다. 나물 캐는 여인의 모습을 그린 조선의 화가는 의외로 꽤 많은 편인데, 대부분 윤두서 이후의 작품이다.

한시의 경우에도 조선 사대부의 관심은 주로 임금이나 나라에 대한 충성, 학문에 머물렀다. 매화 · 난초 · 국화 · 대나무를 묘사한 사군자, 혹은 산과 들의 꽃이나 강물 등도 다뤘지만 백성의 삶에 밀착해서 시를 쓰거나 그림을 그리는 경우는 드물었다. 윤두서가 첫발을 떼었다고 해도 과언이 아니다. 그의 영향을 받아서 18세기 후반에 김홍도를 비롯하여 몇몇 화가가 시골 아낙이나 일하는 백성의 일상을 화폭에 담기 시작했다. 그런데 나물 캐는 여인 그림은 후대 어느 화가들보다 윤두서의 작품이 훨씬 뛰어나다.

〈나물 캐는 여인〉은 일에 열중하는 아낙을 담은 평범한 그림처럼 보인다. 수십 년 전까지만 해도 봄이면 마을 주변의 들에 바구니를 들고 쑥 · 달래 · 냉이 · 미나리 · 두릅 · 취나물 등 각종 나물을 캐는 여인을 쉽게 볼 수 있었다. 그러니 조선 사회에서는 더욱 일상적인 모습이었을 테고, 윤두서도 그저 늘 보던 일상을 묘사했다고 여기며 무심하게 지나치기 쉽다.

하지만 자세히 관찰하면 다른 그림과 구별되는 특징을 발견할 수가 있다. 먼저 꽤 가파른 산비탈이라는 점이 주목된다. 후대의 화가들은 대체로 들이나 밭 주변처럼 평지에 앉아 나물을 캐는 여인을 그렸다. 그런데 이 그림에서 두 여인은, 가파른 정도라든가 뒤편의 산을 고려하면 꽤 높은 곳까지 올라와 있다.

요즘에야 봄나물은 입맛을 돋우는 제철 음식이지만, 조선의 백성에게 봄나물을 캐는 것은 그리 한가한 일이 아니었다. 거의 매년 봄이면 고통스럽게 보릿고개를 넘어야 했다. 전 해 가을에 수확한 곡식은 겨울을 지나며 이미 바닥이 난 상태여서, 햇보리가 나오기 이전의 두세 달은 굶주림을 겪어야 하는 시간이었다. 이 시기에 백성들은 봄나물로 그나마 끼니를 때울 수 있었다.

나물 캐는 일은 가난한 백성들에게 절박한 생존의 문제였다. 마을 주변 들판의 각종 나물은 제대로 다 자라기 전에 이미 사라져버린다. 산비탈까지 갔다는 것은 이미 인근 평지에서는 더 이상 나물을 구할 수 없는 상황임을 보여준다. 윤두서가 산 중턱까지 올라가서 나물을 찾는 아낙을 그린 것은 그가 백성의 삶에 얼마나 밀착해 있었는가를 말해준다.

조금 더 자세히 보면 그나마 널려 있는 나물을 캐는 장면도 아니다. 앞에 망태기를 들고 있는 여인은 꼬챙이를 들고 유심히 땅을 살핀다. 뒤에 있는 여인은 고개를 돌려 두리번거린다. 이미 먼저 다녀간 아낙들이 산비탈 봄나물도 다 캐간 것이 분명하다. 주변에 나물이 없다.

배를 곯고 있는 아이들을 생각하며, 오랜 시간 나물을 찾아 이 높은 비탈까지 왔는데 여인의 망태기에 나물이 보이지 않는다. 밑바닥에는 조금 있을지 모르지만 적어도 수북하게 쌓인 상태는 아니다. 산비탈까지 나물이 바닥났지만, 샅샅이 살피면서 한 뿌리라도 더 캐려 하는 아낙네들의 절박한 심정이 그림에 담겨 있다. 이를 산비탈과 여인들의 동작, 빈 망태기를 통해 전달하는 윤두서의 탁월한 묘사력이 두드러진다. 윤두서(공재)가 왜 정선(겸재), 심사정(현재)과 더불어 조선 후기의 삼재三齋로 일컬어지는지를 알게 해준다.

윤두서의 화풍은 그가 평생 겪었던 삶의 궤적과도 상당한 연관성이 있다. 증조부인 윤선도는 조선시대 치열한 당쟁 과정에서 세력이 약한 남인을 대표하는 인물이었다. 윤선도를 비롯하여 자손들도 이후 대대로 핍박을 받았고 귀양살이를 했다. 정치적 탄압을 피해 아예 관직에 나아가지 않고 낙향해서 스스로 유배나 다름없는 일생을 보내는 경우가 많았다. 윤두서도 젊은 시절에 진사에 급제했지만 관직의 길을 포기하고 귀향하여 학문 활동과 시서화에 매진했다. 이 과정에서 선비임에도 불구하고 직업 화가 이상의 묘사력을 지닌 그림을 꽤 남겼다.

따뜻한 시선으로
백성의 고통에 공감하다

윤두서 〈돌을 깨는 석공〉 18세기 초

강희언 〈돌을 깨는 석공〉 18세기 말

윤두서는 백성의 궁핍한 생활을 개선하기 위한 나름의 노력도 기울였다. 해남으로 귀향한 이후에 끼니도 이어가지 못할 만큼 피폐해진 현실을 보고 충격을 받았다. 백성에게 경제적인 도움을 주기 위해 집안 소유의 산에 있는 나무를 베어 염전사업을 지원했다. 풍족하진 못하더라도 먹고사는 데 조금이라도 도움을 주기 위한 방편이었다.

특히 17세기 후반에 기근이 자주 찾아왔다. 그는 기근에 고통받는 마을 사람들을 위해 인력과 재산을 내놓아, 버려지거나 못 쓰는 땅을 개간하는 일을 죽을 때까지 지원했다. 그런 점에서 볼 때 윤두서는 당시 조선의 사대부 중에 드물게도 백성의 가난에 함께 아파하고, 이를 넘어서고자 하는 실천적 태도를 늘 지니고 있었다.

윤두서는 〈나물 캐는 여인〉만이 아니라 여러 작품에서 백성의 고된 삶을 생생하게 담았다. 〈돌을 깨는 석공〉도 그런 그림이다. 두 명의 석공이 산에 있는 큰 바위를 쪼개는 중이다. 나이 든 석공이 바위에 대고 있는 뾰족한 물건 위로 젊은 석공이 쇠매를 휘두르고 있다. 이미 상당 시간 작업을 해서 온몸이 땀범벅이 되었는지 윗옷을 벗어젖히고 있다.

우연히 길을 가다가 먼발치서 본 모습을 그린 게 아니다. 석공들이 바위를 깨는 과정 전체를 주의 깊게 관찰한 흔적이 역력하다. 아마 산의 작업장까지 따라가서 꽤 긴 시간 동안 일하는 모습을 옆에서 관찰했으리라. 윤두서 그림 속 석공 뒤쪽에 있는 바위 깨는 도구들이 매우 사실적으로 묘사된 것을 보면 알 수 있다.

그리고 작업 과정도 제대로 반영되어 있다. 큰 바위에 구멍이 네 개 뚫려 있다. 간격이 규칙적인 것으로 봐서 도구를 사용하여 인위적으로 뚫은 구멍이다. 지금은 구멍에 나무를 박아 넣는 작업을 하는 중이다. 이 나무에 물을 부으면 나무 부피가 커지면서 바위가 떨어져 나온다. 서양에서도 대리석을 떼어낼 때 같은 방식을 사용했다. 돌을 깨는 모든 과정을 관심과 애정을 갖고 꼼꼼하게 관찰했기 때문에 가능한 묘사라고 봐야 한다.

또한 후대 화가인 강희언姜熙彦, 1710~1784의 그림과 비교하면 윤두서의 묘사력이 얼마나 뛰어난지를 확인할 수 있다. 〈나물 캐는 여인〉에서 보이는 탁월함이 우연한 성취가 아니라는 점을 알게 해준다. 직업 화가인 강희언은 자신의 그림이 '공재의 석공 그림을 배워서 그린 것'이라고 했다. 강희언은 당대에 이미 꽤 유명한 화가였고 작품도 많이 전해진다.

두 그림을 비교해보면 윤두서의 관찰력과 묘사력이 두드러진다. 사진으로 찍은 것처럼 두 사람의 석공 그림은 동작, 표정, 주변 환경 등이 똑같은 것 같지만 자세히 보면 다르다. 먼저 윤두서 그림 속의 청년이 훨씬 역동적이다. 사소해 보이는 세밀함과 집중도의 차이가 만들어낸 효과다.

윤두서 그림 속 청년의 왼쪽 어깨가 아주 조금이지만 앞으로 더 튀어나와 있다. 그만큼 몸의 반동을 이용하여 힘껏 쇠매를 내려치는 동작을 살려낸다. 야구에서 투수가 몸 전체의 반동을 통해 공에 최대한 체중을 실어 힘껏 던지는 것과 마찬가지다. 에너지를 뽑아내기 위해서는 몸의 기울기가 더 가파를 수밖에 없다. 윤두서의 청년 석공에는 이러한 노동 작업의 특징이 더 잘 반영되어 있다.

등의 근육도 더 깊고 거칠게 묘사되어 있어서 힘을 쥐어짜내는 분위기가 역력하다. 그리고 몸을 틀어 몸의 반동을 이용하면 옆구리가 접히게 된다. 주름이 좁을 때 더 깊이 있게 틀어진 느낌이 든다. 그런데 강희언의 그림에서는 주름 사이의 간격을 좀 더 넓게 두고 허리둘레도 굵어서, 몸을 비튼 것이 아니라 살이 찐 것처럼 보일 정도다.

입도 비교할 필요가 있다. 입을 벌리고 있는 강희언의 청년과 달리 윤두서는 힘을 최대한 끌어내기 위해 앙다문 입을 그렸다. 나아가 눈의 묘사도 일정하게 차이가 나타난다. 윤두서의 경우 눈이 코 쪽으로 더욱 치우쳐 있어서 측면의 느낌이 보다 분명하다. 쇠매로 내려치려고 하는 나무 쐐기의 위치와 시선이 일치한다. 이에 비해 강희언은 눈과 코가 더 떨어져 있어서 시선이 나무 쐐기와 살짝 어긋나서 어색하다.

나이 든 석공의 차이도 눈여겨볼 필요가 있다. 청년이 쇠매를 제대로 내려칠 수 있도록 도구를 이용하여 나무를 잡고 있다. 아무리 청년이 능숙한 솜씨로 정확히 타격점을 찾아 휘둘러도 순간적으로 겁이 나기 마련이다. 윤두서의 그림에서 위축된 모습으로 고개를 돌리는 모습이 더 생생하게 표현돼 있다. 어깨를 더 좁히고 있고, 주변의 옷 주름도 더 좁게 잡아서 몸이 안으로 더 움츠러든 느낌이 살아난다.

회화에 나타난 두 화가의 차이는 단순한 그림 그리기 기술의 차이를 넘어선다. 일단 윤두서가 직접 석공의 작업을 꽤 긴 시간 꼼꼼하게 관찰했다는 점이 격차를 만들어냈을 것이다. 이는 백성의 현실적인 삶에 대한 관심과 밀착 정도의 차이를 반영하는 게 아닌가 싶다. 이러한 점이 화가로서의 묘사력에도 적지 않은 영향을 주었다고 봐야 한다. 화가가 지닌 시대정신이나 깊은 내면은 그림을 통해 밖으로 드러날 수밖에 없다.

정약용

시대를 잘못 만나 호걸의 뜻이 꺾이다

윤두서 〈수하한일〉 18세기 초

〈나물 캐는 여인〉에는 인상적인 장면이 하나 더 있다. 하늘 위로 높이 날아가는 작은 새 한 마리 모습이다. 현실의 빈곤한 삶에서 벗어나 희망찬 미래를 기대하는 시골 아낙들의 마음이 새로 표현된 것이 아닐까. 다른 한 편으로는 화가 자신의 심정을 그림 한 구석에 담은 게 아닐까 하는 생각도 든다.

윤두서가 백성의 고된 삶에 눈길을 주고, 이를 개선하기 위해 노력한 것은 분명하지만, 그렇다고 해서 선비로서의 입신출세에 대한 꿈이 아예 없었다고 보기는 어렵다. 물론 관직에 진출하려는 집착으로 살던 흔한 선비는 아니다. 윤두서의 다음 시조를 보면 입신출세 욕망과 세상의 이해에서 벗어난 초연한 삶 사이에서 고뇌하는 마음이 느껴진다.

옥에 흙이 묻어 길가에 버려있으니
오는 이 가는 이 흙이라 하는구나.
두어라 알 이 있을지니 흙인 듯 있거라.

자신을 흙이 묻은 옥에 비유한다. 초야에 묻혀서 살아가니까 사람들이 흙이라고 생각한단다. 자신을 어떻게 보든 상관 않겠으니 그냥 두라 한다. 그저 흙인 듯이 살아갈 생각임을 밝힌다. 세상의 복잡함과 이기심에서 벗어나 초연한 인생을 꿈꾸는, 신선의 풍모를 지닌 선비를 떠올리게 된다.

하지만 동시에 자기 능력에 대한 자부심과 관직에 나아가 자신의 뜻을 펼치고자 하는 마음도 묻어난다. 스스로를 옥에 비유하는 데서 그 일단을 발견할 수 있다. 다른 어떤 선비와 비교해도 뛰어날 만큼 충분한 학문적 수준과 능력을 갖추고 있다는 뜻이다. 그럼에도 큰 뜻을 품고 능력도 갖추었지만 세상에 나아가 뜻을 펼치지 못하는 현실에 대한 안타까움도 진하게 풍긴다. 하긴 관직을 맡아 유가의 가치를 실현하고자 하는 꿈이 없었다면, 26세에 과거시험을 통해 진사에 급제할 일도 없었을 것이다.

〈수하한일樹下閑日〉에는 두 욕망의 경계에 서 있는 윤두서의 마음이 비친다. 나무 그늘 아래에서 한 선비가 세속의 근심을 잊고 한가로운 나날을 보내는 중이다. 이 그림에서도 하늘 위로 날아가는 새가 보인다. 나무 밑의 사내 그림에는 세상에 나아가 큰 뜻을 펼치지 못하는 스스로의 처지를 담은 듯하다. 하늘 높이 날아 앞을 가로막은 산을 넘으려는 새는 여전히 사대부로서의 웅대한 희망을 품고 있는 자신의 심정을 대변한 게 아닐까.

윤두서의 능력에 대해서는 조선 후기의 실학자로 유명한 정약용丁若鏞, 1762~1836의 글을 통해서도 잘 알 수 있다. 윤두서의 외증손자이기도 한 그 역시 당쟁으로 인해 유배의 고통을 겪는다. 유배 중에 썼던 《유배지에서 보낸 편지》에 윤두서의 뜻과 능력을 안타까워하는 내용이 나온다.

> 공재께서는 성현의 재질을 타고나시고 호걸의 뜻을 지니셨기에 저작하신 것에 이러한 종류가 많습니다. 애석하게도 시대를 잘못 만났고 수명까지 짧으시어 끝내 포의布衣로 세상을 마치셨습니다. 내외 자손 중에서 그분의 피를 한 점이라도 얻은 자라면 반드시 뛰어난 기상을 지닌 자손 있을 텐데, 역시 불행한 시대를 만나 번창하지 못하고 있으니 어찌 운명이 아니겠습니까. 그분이 남긴 원고와 글씨 중에는 후세에 알려질 만한 것이 많은데 안방 다락에 깊이 숨겨진 채 쥐가 갉아먹

고 좀이 슬어도 구제해낼 사람이 없으니 또한 슬픈 일이 아니겠습니까?

정약용이 보기에 윤두서는 시대를 넘어 인류에게 귀감이 되는 큰 뜻을 펼친 '성현'에 비유될 정도의 인물이다. 단순히 생각만 웅대한 게 아니다. 이를 실현할 뛰어난 기개와 용기를 지니고 있는 호걸이다. 하지만 공자와 맹자를 팔아가며 자기 권력욕을 채우려는 소인배들이 당쟁의 승자가 되는 시대 때문에 초야에 묻혀 평생을 지내야 했다. '포의'는 베로 만든 옷, 즉 벼슬이 없는 선비로 평생을 살았다는 의미다.

위로는 윤선도부터 아래로는 윤두서의 후손에 이르기까지 정치적 핍박은 집안 대대로 피하지 못한 운명이었다. 당쟁 과정에서 남인 세력은 계속 유배 생활을 벗어나지 못하면서 후대로 갈수록 위축된다. 관직에 나아가지 못하고 변변한 역할도 하지 못하면서 가세가 급격하게 기운다. 그러다보니 윤두서의 뛰어난 글이나 작업을 이어받아 결과물로 내놓을 후손조차 없는 처지에 대해 정약용은 한탄을 하고 있다.

이 편지는 윤두서가 지은 천문지리에 대한 책을 보고 나서 정약용이 쓴 글이다. 윤두서는 유학과 관련된 연구나 시서화만이 아니라, 천문지리 · 병법 · 상업 등 다양한 분야를 연구했고 많은 글을 남겼다. 어떤 면에서는 시대를 앞서 실학을 준비했던 선비가 아니었을까. 국가의 실질적인 운영과 백성 삶과 연관된 여러 분야를 실사구시의 정신으로 탐구했던 그의 태도가 이후 실학자들에게 영향을 끼쳤을 가능성이 높다.

이러한 선구적인 역할이 회화로 나타난 게 〈나물 캐는 여인〉을 비롯한,

당시의 풍속을 담은 윤두서의 뛰어난 그림들이다. 백성의 실제 처지와 일상생활에 대한 깊은 관심, 이를 마치 현장에 함께 있는 느낌을 갖도록 하는 생생하고 세밀한 묘사력이 조선 후기의 풍속화로 이어졌다. 그의 그림들이 윤두서를 화가로서뿐 아니라, 비판적 시대정신과 일하는 사람들에 대한 따뜻한 시각을 가진 실천하는 학자로도 기억하는 계기가 됐으면 좋겠다.

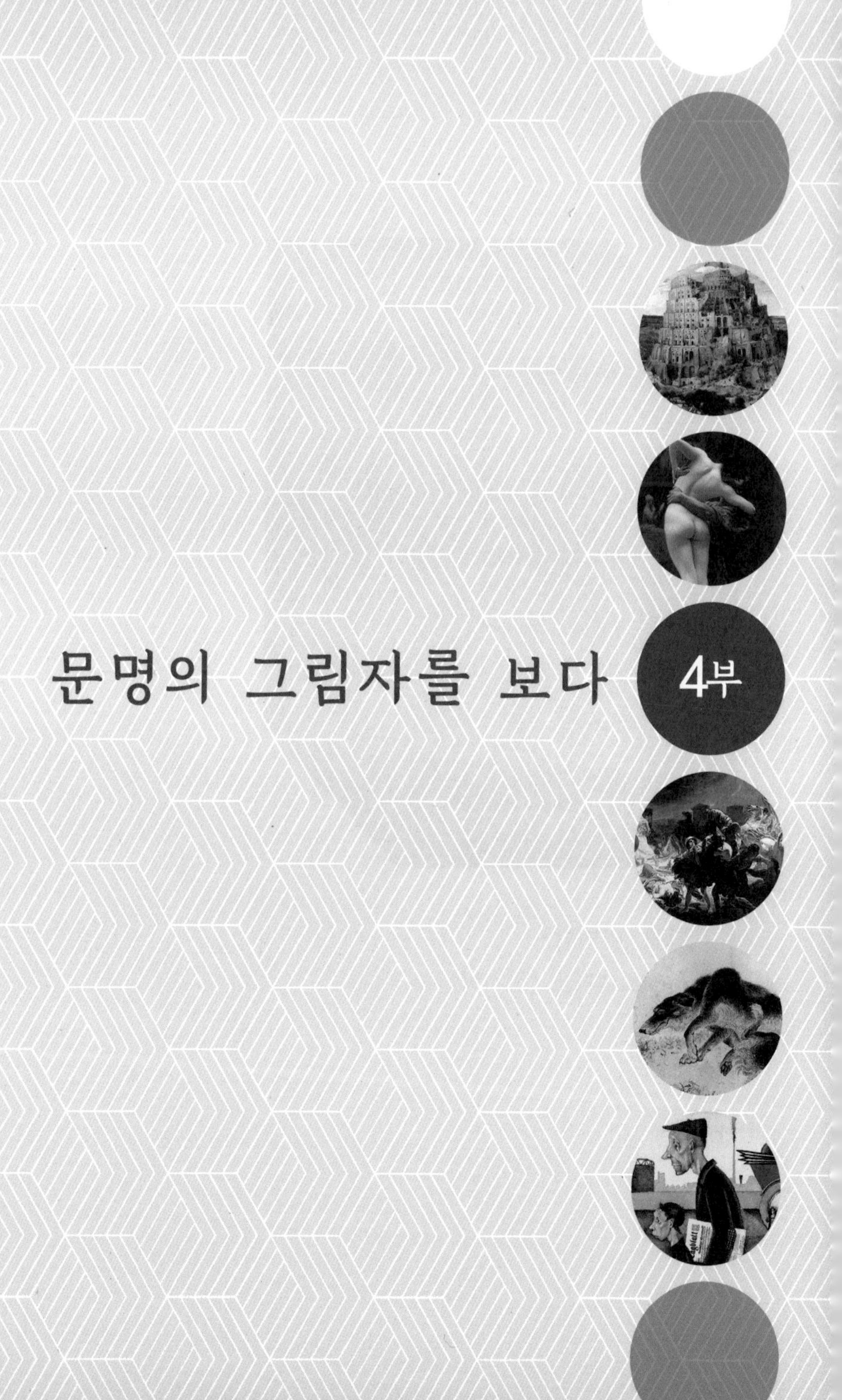

4부 문명의 그림자를 보다

근대국가는 축복인가?

브뤼겔 〈바벨탑〉
아리스토텔레스 《정치학》

신의 저주를 못 본 척한 새로운 바벨탑 그림

브뤼겔 〈바벨탑〉 1563년

앞서 맹인 그림을 그린 화가로 소개된 피터 브뤼겔Pieter Brueghel, 1525~1569은 네덜란드, 나아가서는 유럽을 대표하는 농민화가로 불린다. 농촌의 풍경과 풍습을 다룬 작품들로 우리에게 친숙하다. 〈네덜란드의 속담〉, 〈푸른 외투〉, 〈어린이의 놀이〉 등이 대표적이다. 특히 당시의 농촌을 다룬 풍속화에서 한 화면 안에 마을 사람 수십 명이 등장하여 각기 특색 있는 모습과 동작을 보여주는 그림이 많이 알려져 있다.

몇몇 작품만 봐도 당시 네덜란드의 시골 풍경이 한 눈에 들어온다. 그의 그림에는 전통적 의상은 물론 당시 사람들의 사고방식이나 생활습관도 자연스레 스며들어 있다. 이를 위해 그는 한정된 캔버스 공간 안에 수많은 사람들과 사물을 정교하게 담아내는 데 특별한 능력을 보여준 화가다.

〈바벨탑〉도 그의 대표작 중 하나다. 성경에 나오는 이야기를 기본 소재로 한 그림이다. 워낙 유명한 이야기여서 설사 기독교인이 아니라 해도 기본 줄거리는 대부분 잘 알고 있을 것이다. 성경 〈창세기〉에 다음과 같은 이야기가 나온다.

"사람들이 말했다. '어서 도시를 세우고 그 가운데 꼭대기가 하늘에 닿게 탑을 쌓아 우리 이름을 날려 사방으로 흩어지지 않도록 하자.' 야훼께서 도시와 탑을 보고 생각하셨다. '사람들이 한 종족이라 말이 같아서 안 되겠구나. 이것은 사람들이 하려는 일의 시작에 지나지 않겠지. 앞으로 하려고만 하면 못할 일이 없겠구나. 당장 사람들이 쓰는 말을 뒤섞어 놓아 서로 알아듣지 못하게 해야겠다.' 야훼께서 사람들을 온 땅으로 흩으셨다."

성경에 의하면 바벨탑을 건설한 니므롯 왕은 최초의 왕국을 세웠다. 바벨탑은 인간이 신에게 던진 도전장이었다. 끝이 하늘에 닿을 만한 거대한 탑을 쌓으려 했다. 이에 신이 선택한 응징 방법이 언어의 교란이었다. 그 결과 의사소통 곤란으로 갈등과 충돌이 생겨 사방으로 흩어짐으로써 탑 건설은 중단되었다.

기독교는 오랜 기간 유럽인들의 사고방식과 생활 전반을 지배했다. 그러므로 신을 믿지 않거나 도전하는 인간의 오만을 경계하는 내용이 담긴 바벨탑 그림이 꽤 많았다. 그 중에는 단연 브뤼겔의 〈바벨탑〉이 가장 잘 알려져 있다. 주변 풍경이나 건물과 대비되어 바벨탑의 거대한 규모가 단번에 느껴지고, 탑의 세부와 수많은 사람의 움직임이 정교하게 묘사되어 있기 때문이리라.

그림을 보면 중앙에 거대한 바벨탑을 올리는 중이다. 윗부분을 제외하고는 대체로 골격을 갖춘 상태다. 내부 공사가 활발하게 진행 중인 듯하다. 거의 완성 단계에 도달해 있다. 일부분 드러난 내부 구조를 보면 전체적으로 수백 개의 방이 들어설 규모다. 바로 뒤에 있는 건물과 비교하면 얼마나 큰지 알 수 있다. 물가의 범선이 장난감처럼 보인다. 탑의 꼭대기가 본래의 목표대로 이미 구름이 걸려 있다. 하늘 뚫고 올라간 탑의 위세에 압도된다.

왼쪽 앞으로는 탑 건설을 명령한 니므롯 왕이 시찰 나온 모습이 담겨 있다. 오른쪽 항구에는 크고 작은 배들이 분주하게 물자를 실어 나르는 모습이 보인다. 뒤로는 수많은 집이 촘촘하게 들어서 있는 시가지가 보인다. 상당한 규모의 도시가 건설되어 있고, 인구도 상당수에 이른다는 점을 쉽게 알 수 있다.

탑의 외벽과 내부, 주변의 공사 현장에서 작업에 몰두하는 사람이 어림잡아 수백 명은 될 듯하다. 형식적으로 대충 그려 넣은 게 아니다. 작업의 종류에 따라 서로 다른 다양한 동작을 놓치지 않고 세밀하게 묘사했다. 브뤼겔 작품에서 흔히 발견되는 특징이기도 하다. 다양한 신분과 직업을 가진 사람들이 수십 명에서 수백 명이 등장하곤 한다. 브뤼겔은 속담이나 교훈을 상징하는 각 등장인물 특유의 동작을 재치있게 묘사하고 있다.

하지만 브뤼겔의 〈바벨탑〉을 주목하는 이유는 세부 묘사의 탁월함, 신에게 도전한 인간의 오만을 응징하는 1차원적 교훈을 넘어선 곳에 있다. 수많은 〈바벨탑〉 가운데 브뤼겔의 작품을 고른 것은 그의 그림이 보는 이로 하여금 깊은 성찰을 하게 만들기 때문이다.

실제로 많은 사람이 브뤼겔의 〈바벨탑〉을 보면서 인간의 오만이 만들어낸 비극을 묘사한 장면으로 생각하며 지나친다. 그런데 자세히 살펴보면 그의 그림에는 통상적인 바벨탑 그림이 주는 느낌과는 다른 점이 있다. 무엇보다 그림에서 신에 의한 응징을 묘사하는 내용을 찾아볼 수가 없다. 분노에 찬 야훼의 흔적도 없고 언어가 교란되어 당황해하는 사람들의 모습도 없다. 흩어져 도망가는 인간들의 모습이 어디에도 없다. 그림에 마련된 여러 장치와 성경 이야기를 연결해서 보면 다른 방향으로 생각을 자극한다. 단순히 신화적인 이야기가 아니라 인류 역사에 대한 여러 문제의식을 우리에게 던져준다.

탑은 계속 쌓아야 한다?

도레 〈바벨탑〉 1865년

바벨탑을 묘사한 다른 화가들의 그림과 비교해보면 브뤼겔의 독특한 문제의식이 무엇인지 분명하게 드러난다. 바벨탑을 그린 대부분의 화가들은 신의 보복에 직면한 인간의 공포를 묘사했다. 19세기 중반 프랑스를 대표하는 판화가이자 삽화가였던 폴 귀스타브 도레Paul Gustave Dore, 1832~1883의 〈바벨탑〉은 성경 내용을 충실하게 반영한 전형적인 바벨탑 그림이다.

뒤편으로 우뚝 솟은 거무튀튀한 바벨탑이 음울한 분위기를 자아낸다. 흑백 판화라서 그렇겠지만, 이 그림은 탑 주변의 상황과 맞물리면서 전체적으로 어둡고 절망적인 분위기를 전달한다. 검은 구름에 가려진 탑 꼭대기를 보면, 곧 거센 태풍이라도 한바탕 불어댈 것 같다. 마치 거대한 몸집의 괴물이 서있는 느낌이다.

하늘을 향해 절규하고 있는 중앙의 남자는 인간에게 재앙을 내린 신에게 항의하는 것 같기도 하고, 잘못을 뉘우치며 용서를 구하는 것 같기도 하다. 오른쪽으로는 고개를 파묻고 무언가 고뇌에 잠긴 사람이 보이고 머리를 쥔 채 고통스러워하는 사람도 있다. 그 아래로는 지금 눈앞에서 벌어지고 있는 사태가 무엇인지, 어떻게 대처해야 하는지를 놓고 심각한 표정으로 논쟁을 벌이는 사람들이 보인다.

그리고 뒤편에는 일하던 사람들이 우왕좌왕 하는 중이다. 신이 벌로 내린 언어의 교란 때문에 의사소통이 되지 않아서 생긴 혼란 상황을 보여준다. 서로 무슨 말을 하는지 모르고, 그러다 보니 탑을 건설하는 데 어려움을 겪는다. 더 나아가 서로 갈등과 싸움이 확대되면서 건설 현장은 난장판이 되어간다. 화가는 금방이라도 재난이 생길 듯한 긴장된 분위기를 통해 성경에 나온 혼란상을 극적으로 전달하는 데 초점을 맞춘다.

이탈리아 르네상스 흐름을 네덜란드에 전한 얀 반 스코렐Jan van Scorel, 1495~1562의 〈바벨탑〉도 성경 내용을 회화적으로 재현하는 데 충실하다. 이 그림은 언어가 제대로 소통되지 않으면서 생긴 분란에 주목한다. 서로가 상대의 말을 알아듣지 못하면, 감정적으로도 격돌하게 된다. 여러 날 오해와 언쟁이 쌓이다 보면 결국 폭력을 동반한 충돌로 귀결된다.

그림은 활기찬 건설 분위기에서 점차 혼란 상황으로 옮겨가는 현장을 생생하게 묘사한다. 왼편이나 오른편으로는 석공들이 탑을 쌓는 데 사용할 바위를 일정한 모양으로 다듬는 일에 열중이다. 몇몇 사람은 바위와 물건을 옮기는 일로 분주하다. 물자를 실은 수레가 줄지어 탑 위로 올라가고 있다. 귀족 복장을 한 관리 책임자들이 공사가 빨리 진행되도록 감시하고 독촉하는 모습도 보인다.

하지만 점차 불길한 징조가 나타난다. 중앙에 무언가 심각한 표정으로 언쟁을 벌이는 사람들의 분위기가 심상치 않다. 도무지 이해가 가지 않는다며 난처한 표정과 몸짓으로 이야기하지만 상대방은 이해를 하지 못하겠다는 듯 엉뚱한 방향을 바라보거나 딴청을 부린다. 관리 복장을 한 사람에게 몰려들어 격한 동작으로 호소하지만 소통보다는 중구난방으로 혼란만 가중되는 상황이다. 결국은 시간이 지나면서 탑 건설에 사용되던 도구들이 이제는 무기가 되어 서로를 공격하는 데 쓰이리라. 최종적으로는 서로의 살 길을 찾아서 흩어지게 될 것임을 예감케 한다.

맨 앞에 발가벗은 모습으로 바벨탑을 가리키는 사람은 화가 자신이다. 바벨탑의 비극을 잊어서는 안 된다는 점을 일깨우려는 의도다. 신의 권위를 넘보려는 어떤 시도도 하지 말고, 오직 신에게 복종하라는 메시지다. 인간의

스코렐 〈바벨탑〉 1550년

교만에 경종을 울리려는 교훈을 그림 안의 자신을 통해 우리에게 전한다.

하지만 브뤼겔의 〈바벨탑〉은 다르고 새롭다. 전반적으로 어둡거나 혼란 직전의 불길한 상황이 아니다. 탑은 곧 격랑이 몰아닥칠 폭풍전야 분위기가 아니라 밝고 활기찬 건설현장을 떠올리게 한다. 여기저기에서 힘찬 망치 소리가 들릴 것만 같다. 밝은 햇볕이 탑과 주변을 비추고 있으며 뒤편으로는 푸른 숲과 도시 풍경이 펼쳐진다. 하늘도 쾌청하고 탑은 이미 구름을 뚫고 하늘에 바짝 다가서 있다. 어디에서도 인간의 도전에 대한 응징을 보여주는 단서를 찾아볼 수가 없다.

세부로 들어가서 보면 더욱 그렇다. 브뤼겔의 〈바벨탑〉 부분도를 통해

브뤼겔 〈바벨탑〉 부분도

각 장면에 더욱 밀착해 보자. 먼저 그림의 왼편 밑을 확대한 위의 부분도를 보면 바벨탑 건설을 명령한 니므롯 왕의 현장 시찰 모습이 나온다. 신의 뜻을 거역한 죄인의 이미지는커녕 아주 당당한 모습이다. 왕을 수행하는 신하나 창을 들고 있는 병사의 모습도 기세가 등등하다. 돌을 다듬던 석공들이 왕의 일행을 맞이하고 있다.

왼쪽 사람들은 탑을 쌓는 데 필요한 크기로 돌을 자르고 나르는 중이다. 망치와 정을 들고 돌의 표면을 정성스럽게 다듬기도 한다. 몇몇 인부가 무릎을 꿇고 엎드린 자세다. 왕이 왔으니까 두 손을 공손하게 모으고 맞이하는 장면일 수도 있고, 혹은 뭔가 잘못한 게 있어서 질책을 받는 모습일 수도 있다. 어디에도 언어가 혼란케 되어서 의사소통이 안 되는 곤란이 없다. 오히려 왕이 위풍당당한 모습으로 탑을 제대로 지으라고 재촉하는 모습에 가깝다.

아래의 부분도에는 탑 건설에 필요한 물자를 나르는 배와 선착장이 나온다. 큰 규모를 자랑하는 여러 척의 범선이 쉴 새 없이 들락거린다. 사람들이 부지런히 다종다양한 물자를 옮기고 있다. 기중기 모양의 기계를 통해 무거운 짐을 탑으로 올리는 장면도 보인다. 마치 풍요로운 항구 도시의 모습을 보는 착각을 불러일으킨다. 아주 활기차고 하루가 다르게 탑이 제 모습을 찾아가는 현장이다. 힘찬 망치 소리와 기계 돌아가는 소리, 일하는 사람들의 거친 숨소리가 들릴 것만 같다. 모든 구석을 밝은 햇빛이 비춘다. 멸망을 자초하고 있거나 재앙을 앞두고 있는 바벨탑 이미지와는 거리가 멀다.

아리스토텔레스
인간의 언어 능력은 국가 건설의 필수 재료

브뤼겔은 왜 기존의 통념과는 다른 바벨탑을 그렸을까? 혹시 인간의 의지나 도전에 대한 신의 응징과 관련하여 다른 문제의식을 던져주고 있는 것은 아닐까? 바벨탑에 대한 신의 저주에 저항을 하고 싶었던 것일까? 인간의 언어를 혼잡케 하여 서로의 의사소통을 차단하려던 신의 뜻에 거부감을 느꼈던 것일까? 신의 존재에 다가서려던 인간의 도전에 흥미를 느꼈던 것일까?

바벨탑 건설을 명령한 니므롯은 성경에 의하면 인류 역사상 첫 왕이었다. 그가 건설한 첫 나라는 큰 제국이었다. 성경 내용은 단순히 신화적인 이야기를 넘어 당시의 역사적인 전개과정을 반영한다. "사람들은 동쪽으로 옮겨오다가 시날 지방 한 들판에 이르러 거기 자리를 잡았다."는 성서 내용은 평지를 만나 정착과 농경 생활을 시작했다는 뜻이다.

'시날'은 메소포타미아 지역이다. 인류의 문명이 시작된 곳이다. 현재까지의 고고학 발견에 의하면 오늘날 이라크 남부 지역에 해당하는 수메르Sumer가 인류 최초의 문명 발상지다. 수메르인은 대략 기원전 5000~4000년부터 이 지역에 정착했고, 기원전 3000년경에 왕국을 건설했다. "어서 도시를 세우고 그 가운데 꼭대기가 하늘에 닿게 탑을 쌓아 우리 이름을 날려 사방으로 흩어지지 않도록 하자."는 내용은 고대 국가의 건설 과정을 담고 있다. 그러면 바벨탑은 신으로부터 독립하여 인간의 왕국을 건설하고자 했던 인류의 상징이 된다. 결국 바벨탑 이야기는 인간의 왕국과 신의 왕국 사이의 갈등으로 이해된다.

문명 초기와 고대국가 이전까지 인간은 불가사의한 자연의 위력 앞에 무력함을 느껴야 했다. 어쩌면 자연을 움직이는 신비로운 힘을 가진 절대적 존재로서의 신에 대한 의존이 생긴 것은 당연했을지도 모른다. 하지만 문명을 통해 인류는 점차 자연을 움직이는 이면의 비밀을 신비가 아닌 과학적 원리로 이해하기 시작했다. 또한 고대국가 건설을 통해 세상을 지배하는 힘을 창조주의 신비가 아니 인간 세계의 권력으로 대체했다.

신의 절대적 권위를 담은 성경은 노아의 홍수와 바벨탑의 심판을 통해 인간에 대한 지배권을 확고히 하려 했던 듯하다. 그리고 인간들은 유럽의 중세에 이르기까지 그 위세에 주눅이 들어 납작 엎드려 있었다. 그러다가 다시 언어를 통합하고 인간의 왕국을 세우려는 시도가 본격적으로 전개된 때는 근대국가 건설기였다.

특히 신이 언어의 교란을 통해 인간의 권력을 약화시키려 했던 점이 의미심장하다. 언어는 인간의 의지에 의한 국가 구성과 연관된다. 일찍이 그리스 철학자 아리스토텔레스Aristoteles, 기원전 384~322는 《정치학》에서 언어에 의해 인간은 국가를 만들 수 있었다고 보았다.

국가는 결사의 일종이며, 모든 결사는 어떤 좋은 것을 달성하기 위하여 형성된다. (…) 인간의 언어는 무엇이 유리하고 불리한지, 따라서 무엇이 올바르고 그른지를 말할 수 있게 한다. 동물과 비교해볼 때 사람의 독특한 점은 선과 악, 정의와 불의, 또는 다른 유사한 성질들을 인식할 수 있는 능력에 있다. 이러한 인식이 사람들 사이에서 공통되므로 가족이나 국가가 형성된다. 이제 우리는 다음과 같은 결론을 내릴 수 있다. 즉 개인이나 가족이 시간으로는 국가에 선행하지만 논리적으로는 국가가 개인이나 가족에 선행한다.

아리스토텔레스에 의하면 인간만이 유일하게 언어 능력을 가지고 있다. 동물도 적지 않은 경우 집단을 형성하며 살지만 인간은 언어 능력에 의해 자연발생적인 단순한 집단을 넘어서 인위적인 사회 조직을 형성해나가는 '정치적 동물'이 될 수 있었다. 국가라는 결사는 기본적으로 좋은 상태에 도달하기 위한 인간의 자유 의지가 만들어낸 결과물이다. 국가가 개인이나 가족에 선행한다는 주장은 신의 권위에 균열을 낸다. 신은 주로 개인의 내면이나 가족의 관습을 통해 위력을 발휘한다. 그런데 인간의 자유 의지로 만들어낸 국가가 이에 선행한다고 하니 신의 절대성은 결정적으로 약화된다.

특히 국가의 구성에서 언어가 중요한 역할을 한다. 개미 · 양 · 말 등의 동물도 집단을 형성한다. 하지만 인간은 혈통 승계나 생존을 위한 자연발생적이고 초보적인 공동체를 넘어서 인위적인 국가체제를 만들 수 있는 능력을 지닌 존재다. 선과 악, 정의와 불의 등 사회의 규칙을 형성해야 사회 조직을 만들 수 있다. 도덕적 · 법적 규범을 구별해내고 이를 통해 거대한 국가가 하나로 일사분란하게 움직일 수 있게 된다.

이는 근본적으로 언어에 의해 가능할 수밖에 없다는 주장이다. 언어의 핵심 역할은 의사소통을 통한 통일성의 실현이다. 그런 점에서 언어가 바벨탑과 연관해서 매개되고 있는 점을 유념할 필요가 있다. 왜 성경에서 신은 언어를 혼잡케 하여 인간의 고대국가가 신에게 도전하는 것을 막았는가? 그게 바로 국가 건설에 주춧돌이 되는 동력이 언어의 통일성이었음을 오히려 반증해주는 것이 아닐까 싶다.

니므롯을 중심으로 건설한 최초의 국가는 고대국가를 말한다. 성경의 구약은 기독교의 뿌리인 유대교의 경전이다. 나중에 로마를 통해 세계종교로 거듭나는 기독교와 달리 유대교는 국가가 아닌 일부 부족 집단의 종교였다. 그런데 주변에서 수메르를 중심으로 이름을 바꿔가면서 국가체제가 건설되면서, 주변의 부족 집단을 무력으로 흡수하면서 점차 거대한 제국을 형성했다. 이러한 고대국가 건설에 대해 부족 종교인 유대교의 반감과 저항이 일정하게 창세기 안에 담겨 있다는 역사적인 해석이 가능하다.

어찌 보면 기독교에 의한 신의 왕국이었던 서양의 중세는 바벨탑 이야기와 닮았다. 하나의 거대한 제국을 상징하는 바벨탑을 무산시키고 사람들을 작은 규모로 쪼개 사방으로 흩어놓았던 이야기와 중세의 사정이 일정한 연관성을 지니기 때문이다. 중세는 로마가 만들었던 거대한 제국을 허물어트리고 장원을 중심으로 한 지역 단위로 흩어진 체제였다. 거대 국가를 대신하여 종교가 개인과 작은 집단을 지배하는 신의 왕국이 등장했다.

브뤼겔은 국가체제를 상징하는 바벨탑을 매개로 해서 중세의 굴레를 넘어서려 했던 게 아닐까? 이 그림은 흔히 암흑의 시대로 불리는 중세가 약화되고 근대로의 여명이 어렴풋이 모습을 드러내는 경계선의 시기에 태어났다. 화가는 중세의 억압적 체제에 문제점을 느끼고, 인간의 자유 의지로 새로운 세상과 국가를 만들어 나가고자 하는 바람을 그림에 담고자 했던 듯하다.

근대의 출발점에서 흩어진 중세의 장원 체제를 통합하여 거대한 근대국가 체제를 형성하기 위해 언어의 통일이 중요했다는 점에서도 바벨탑 이야기는 좋은 소재였으리라. 근대국가를 향한 핵심 과제는 전반적인 통일성 확보였다. 행정부와 군대의 통일은 물론이고, 하다못해 사회에서 사용하는 각종 측정 단위의 통일도 전제되어야 했다. 그리고 이 모든 과제가 가능해지기 위해서는 언어 통일이 전제되어야 했다.

실제로 중세 유럽의 각 지역은 수많은 언어가 공존하고 있었다. 대규모 국가 단위로 통일되고 일사불란함을 갖추기에는 어려운 상황이었다. 그러므로 근대국가를 향한 과정에서 언어의 통일은 주요 관심사였다. 그게 바로 우리가 알고 있는 표준어다. 그 이전까지 표준어라는 개념이 없었다. 표준어를 통해 사회 전체의 응집된 힘을 만들어내고, 국가에 필요한 법적 · 도덕적 규범을 구성원 전체에 심어나가는 역할을 했다.

브뤼겔은 언어를 매개로 새로운 국가를 만들어나가는 근대적 조짐을 예감하고 〈바벨탑〉 그림을 통해 드러내고자 한 게 아닐까? 그렇기 때문에 다른 화가들처럼 재앙을 앞둔 바벨탑이 아니라, 활기차고 건설적인 분위기로 가득한 바벨탑을 그린 게 아닐까? 그의 그림은 이렇게 생각의 지평을 확장하는 재미를 제공한다.

이후의 역사적인 과정을 보더라도 근대사회는 언어를 매개로 여러 분야에서 통일적인 장치들을 마련했다. 이를 통해 거대한 근대국가를 만들고 현대국가까지 이어져온 동력을 제공했다. 하지만 우리는 동시에 언어의 통일성으로 초래된 어두운 그늘도 냉철한 눈으로 살필 필요가 있다. 언어의 통일은 획일화와 문화적 차별을 낳았기 때문이다. 근대국가는 통합과 획일화로 나아가는, 브레이크가 고장이 난 열차와 같았다.

근대국가는 표준어를 해친다는 이유로 각기 다른 민족어와 방언을 탄압하거나 적어도 부끄러움의 대상이 되도록 유도했다. 그 결과 각 지역의 고유한 문화를 담고 있는 방언, 즉 사투리들이 급속하게 사라졌다. 유네스코 조사에 의하면 지난 5백 년 사이에 지구의 토착 언어 수천 종이 사라졌다. 앞으로 백 년 이내에 현재 사용되는 언어의 절반이 사라질 위기에 처해 있다고 경고한다.

언어는 사고의 표현이고 문화의 표현이다. 언어의 다양성 상실은 곧바로 문화의 다양성 훼손으로 이어진다. 문화가 획일화될 때 그만큼 사고방식, 삶의 방식이 획일화된다. 현실에서는 전 세계 각 지역이 고유의 전통과 특성을 잃고 유럽이나 미국 중심의 서구적 사회체제와 문화, 사고방식의 지배 아래 놓인다.

브뤼겔의 〈바벨탑〉을 보며 그 양 측면 모두를 생각할 때 균형 잡힌 시야를 갖출 수 있다. 한편으로는 인간의 자유의지와 이성을 통해서 스스로 운명을 개척해 나가고자 했던 희망을, 다른 한편으로 통일성의 이름으로 저질러지는 인간의 오만이 불러올 수 있는 위험성을 감지하는 일이다.

제롬 〈피그말리온〉
보부아르 《제2의 성》

꿈은 이루어진다?

제롬 〈피그말리온과 갈라테이아〉 1890년

한국인에게 "꿈은 이루어진다!"라는 문장은 특별한 의미를 지닌다. 2002년 월드컵 당시에 인기를 끌었던 응원 구호로 익숙하다. 이전까지 한국 축구는 4회 연속 및 통산 5회 월드컵 본선 진출이라는 큰 성과를 거두었지만, 늘 16강 진출에 실패하면서 좌절감을 맛보아야 했다. 2002년 월드컵은 한국과 일본에서 열렸기 때문에 어느 때보다도 16강 진출을 향한 국민적 기대가 컸다. 그런데 16강을 넘어 8강, 나아가 4강이라는 신화를 이루었으니 말 그대로 "꿈은 이루어진다!"였다.

꿈의 실현을 상징하는 그리스 신화로 피그말리온에 관한 이야기가 있다. 워낙 특이한 내용이어서 많은 사람이 줄거리를 알고 있다. 조각가 피그말리온은 자신이 만든 아름다운 여인 조각상과 언제나 함께 생활했다. 갈라테이아라는 이름까지 붙여주고, 옷도 갈아입히면서 연인으로 여기며 살았다. 아름다움의 여신 아프로디테의 축제날에 조각상이 진짜 여인으로 변하게 해달라는 소원을 간절하게 빌었다. 집으로 돌아와 조각상에 입을 맞추자 조각상이 사람으로 변했다. 여신의 도움으로 꿈이 이루어진 것이다.

피그말리온 신화는 극적인 요소 때문에 많은 화가가 캔버스에 담았다. 대부분 조각상이 사람으로 변하는 순간을 묘사한 그림이다. 이 가운데 프랑스 화가 장 레옹 제롬Jean-Leon Gerome, 1824~1904의 〈피그말리온과 갈라테이아〉가 가장 널리 알려져 있다. 회화적인 측면에서 뛰어난 성취를 보여주는 그림이기도 하다.

일단 신이 소원을 들어주어 조각상이 여인으로 변하는 장면이라는 점에서는 비슷하다. 그림 오른쪽에서 아프로디테의 지시를 받은 에로스가 사랑의 화살을 쏘아 꿈을 실현시켜주는 중이다. 몇 군데에서 다른 그림보다 뛰어난 점을 살펴볼 수 있다. 몸을 틀어서 작업대 아래의 화가에게 몸을 싣는 자세가 상당히 어색할 수 있음에도 불구하고 안정적인 구도를 통해 자연스러움을 살린다.

무엇보다도 독창적인 묘사로 상황 전달의 효과를 높였다는 점에서 뛰어나다. 대부분의 화가는 피그말리온이 조각상을 실제 연인으로 만들어달라고 빌거나, 혹은 소원이 이루어져 인간으로 변한 후를 그렸다. 하지만 제롬은 특이하게도 전이나 후가 아니라 조각상이 변하는 '과정'에 주목한다. 묘사 방법이 매우 흥미롭다. 자세히 관찰하면 화가가 이 장면을 연출하기 위해 얼마나 고심했는지 알게 된다.

먼저 색이 효과적인 역할을 한다. 갈라테이아를 보면 하반신은 흰색이다. 조각대가 있는 아래로 갈수록 하얗다. 위로 가면서 온기가 도는 붉은색이 짙어진다. 다음으로 형태의 차이가 효과를 더한다. 정강이와 발은 딱딱한 조각상처럼 경직된 모습이다. 하지만 상체는 피그말리온과 키스를 나누는 동작을 활용하여 자연스럽게 허리를 굽히고 몸을 돌린다. 또한 팔로 유연하게 끌어안는다. 사람으로 변하는 순간을 색과 형태의 차이를 통해 생생하게 전달한다. 그만큼 꿈이 이루어지는 환희의 순간이 실감난다.

피그말리온은 주로 긍정적인 메시지를 전하는 신화로 알려져 있다. '피그말리온 효과'라는 말이 자연스럽게 쓰이기도 한다. 오래 전에 미국에서 실시한 실험 이후 생겨난 용어다. 한 초등학교에서 '하버드식 돌발성 학습 능력 예측 테스트'라는 이름으로 검사를 했다. 하지만 실제는 보통의 지능 테스트였고, 조사 결과와는 아무 관계없이 무작위로 일부 학생을 뽑았다. 임의로 선택된 아동 명부를 담임교사에게 보여주고, 앞으로 수개월 간에 성적이 향상될 학생이라고 알려주었다. 이후 발전 가능성이 뛰어난 학생들로 지명된 그룹에서 뚜렷한 성적 향상 결과가 나타났다. 교사의 믿음과 학생 스스로 자신에 대해 갖는 기대가 향상의 원인이었다는 분석이다. 자기가 마음을 먹은 쪽으로 확신을 갖고 움직이면 실제 꿈이 이루어진다는 의미다.

그런데 피그말리온을 묘사한 상당수 그림이나 '피그말리온 효과'와 같은 규정이 실제의 신화 내용과는 상당한 거리가 있다. 신화에 대한 부분적인 이해에 머물거나 심지어 왜곡으로 나타나는 경우가 많다. 줄거리만 대충 이해한 신화는 의미 없는 이야기로 전락하거나, 현실을 이해하는 데 비뚤어진 시각은 제공해 줄 수도 있다.

신화는 전체 내용을 꼼꼼하게 살펴야 할 뿐만 아니라 숨겨진 의미를 찾아내는 해석 과정이 동반되어야 한다. 신화가 만들어진 역사적 배경, 시대에 따른 다양한 해석, 현대적인 재해석 등이 맞물릴 때 신화의 진정한 의미가 살아난다. 신화의 해석에 내재된 시대정신, 사람들의 사고방식이 신화라는 형식을 통해 이어지기 때문에 신중한 파악이 필요하다.

이를 위해서는 근대와 현대에 와서 흥미 위주로 각색된 내용보다는 신화가 만들어지던 고대의 기록을 살피는 데서 시작해야 한다. 피그말리온 신화가 가장 구체적으로 실려 있는 것은 로마 작가인 오비디우스Publius Ovidius Naso, BC43~AD17의 《변신이야기》다. 먼저 조각가가 갈라테이아라는 조각상을 만들게 된 동기가 의미심장하다. "이렇게 사악한 삶을 사는 여자들을 본 피그말리온은 자연이 여성에게 지워놓은 수많은 약점이 역겨워 오랫동안 여자를 집 안으로 불러들이지 않고 독신으로 살았다."

이상적인 여성을 만들다

번 존스 〈피그말리온, 소망〉 1878년

번 존스 〈피그말리온, 완성〉 1878년

영국 화가 에드워드 번 존스Edward Burne-Jones, 1833~1898는 피그말리온 신화 줄거리에 맞춰 연작 그림을 그렸다. 그 가운데 〈피그말리온, 소망〉은 현실의 여성이 아니라 자신이 만든 조각상을 사랑하게 된 계기를 묘사한다. 오비디우스의 이야기 앞부분에 소개되어 있는 내용을 그림으로 풀어낸다. 한손으로 턱을 만지작거리며 고심에 잠겨 있다. 무엇이 그를 고민에 빠져들게 했는지는 문밖에 단서를 그려 놓는다.

골목에 두 명의 여성이 보인다. 중요한 일로 어디를 급히 가거나, 진지한 이야기를 나누는 분위기는 아니다. 한 여인이 상대의 어깨에 두 손을 장난스레 올려놓은 모습을 보면 가벼운 수다를 즐기는 듯하다. 무언가 전날 겪은 흥미진진한 이야기에 열중하거나, 혹은 곧 경험하게 될 상황에 대한 기대로 들떠 있는 느낌이다. 조각상을 만든 후의 장면을 담은 〈피그말리온, 완성〉에서도 같은 설정이 나온다. 문밖으로 두 명의 여성이 한 명은 앉고, 다른 한 명은 선 자세로 골목에서 이야기를 나눈다. 둘 다 항아리를 지닌 것으로 보면 동네 우물에 물을 뜨러 나왔다가 신나게 잡담을 나누고 있는 중인 것 같다.

여인들이 어디로 향하고 무슨 이야기를 하는지는 오비디우스가 "사악한 삶을 사는 여자들"이라고 설명한 데서 어느 정도 알 수 있다. 신화에 의하면 피그말리온은 음란한 대화를 즐기고 남자와의 관계에서 풍기가 문란한 여자들에게 환멸감을 가졌다. 화가는 신화 내용을 충실하게 반영하여 설레는 마음으로 남자를 만나러 가거나 남자와 함께 즐긴 경험을 놓고 이야기꽃을 피우는 장면을 넣었다.

그런데 오비디우스는 한 발 더 나아가 "자연이 여성에게 지워놓은 수많은 약점"이라고 한다. 자연이 지워놓았다는 것은 본성을 의미한다. 신화에서는 사랑을 향한 관심이나 성적인 욕망은 여성의 타고난 성질이라고 한다. 선택에 의해 변경되기 어려운 절대적인 약점이 된다. 여성의 본성인 이상 누구를 만나도 마찬가지이니 늘 멀리하고, 대신 여성 조각상을 만들어 사랑하게 되었다는 이야기다.

지독한 남성 중심, 가부장제 논리가 고스란히 담겨 있는 이야기다. 역사적으로 유포되어 온, 현실의 여성은 열등하고 심지어 죄인이라는 사고방식이 그대로 투영된다. 여성은 이성적 · 논리적이기보다는 충동에 자신을 맡기기 때문에 늘 불안한 존재이고, 정숙하지 못하니 도덕률과는 거리가 먼 존재라는 편견이 지배했다. 그나마 부정성을 최소화하려면 있는 그대로의 여성이 아니라, 남성에 의해 다시 만들어져야 하는 수동적인 대상이어야 한다.

피그말리온이 만족하는 여성, 남성이 요구하는 여성상은 무엇인가? 이 역시 신화 내용 속에 상징적으로 담겨 있다. 첫째로는 조각상이기 때문에 밖으로 안 나가고 오직 집안에만 머문다. 오직 한 남자를 바라보고 살아갈 때만 제대로 도리를 지키는 여성이 된다. 다양한 사회적인 관계와는 단절된 여성이다. 남성을 보조하는 역할로 고정된 존재다. 마치 기독교 성경에서 남성의 갈빗대로 여성을 만들었듯이, 그리스신화에서는 남성이 이상적인 여성을 만들어낸다.

여성은 남성에 의해 재탄생되어야 한다. 가부장제 사회 논리에 맞는 여성으로서 다시 태어나야 된다. 이 신화는 유별난 조각가의 기이한 행동만 낳은 게 아니라 이 세상 모든 남성과 여성에게 특정한 편견을 심어놓는다. 단지 꿈은 이루어진다는 추상적인 격려를 담은 게 아니다. 진정 사랑받는 존재이기 위해서는 이 세상 모든 여성이 갈라테이아가 되어야 한다는 메시지를 담고 있다. 남성들의 꿈이고 가부장제의 꿈이다.

남성이 요구하는 이상적인 여성의 둘째 요소도 신화에 담겨 있다. 존 번스의 〈피그말리온, 소망〉의 뒤편을 보면 피그말리온이 이상향으로 구상하는 여성이 나온다. 서양에서 세 명의 아름다운 여신으로 꼽는 아프로디테, 헤라, 아테나가 등장한다. 화가들은 세 여신이 누가 더 아름다운지를 경쟁하는 장면을 자주 다뤘다. 세 여신을 모델로 〈피그말리온, 완성〉처럼 아름다운 조각상을 만든다. 결국 피그말리온에게 여성의 가장 중요한 덕목은 집에 머물며 한 남자만 바라보는 여성, 그리고 아름다운 외모를 가진 여성이다.

신화에서는 보다 구체적이고 노골적으로 훌륭한 여성의 자격 기준을 아름다운 외모에 둔다. 오비디우스는 《변신이야기》에서 조각상을 완성한 이후 피그말리온의 행동을 다음과 같이 설명한다. "처녀들이 좋아할 만한 조개껍데기나 반짝거리는 조약돌, 예쁜 새, 갖가지 색깔의 꽃, 색칠한 공, 호박구슬 등을 선사했다. 조각상에 옷을 입혀주는가 하면, 손가락에는 반지를 끼워주고, 목에는 목걸이를 걸어주었다. 귀에는 귀걸이를 달아주고, 가슴에는 진주타래를 늘어뜨려 주었다."

조각상에 예쁜 꽃과 돌을 선물로 준다. 예쁜 옷을 입히고 온갖 보석으로 치장한다. 여성에게 가치 있는 모든 것은 아름다운 외모에 관련된 것이다. 여성은 늘 아름다운 외모를 추구하고 몸을 꾸미는 일에만 만족하며 살아가면 되는 존재다. 마치 집안에 두어진 화병 속의 꽃이나 새장 속의 새처럼 남성을 즐겁게 만드는 역할을 할 뿐이다.

프랑스 화가 프랑수아 부셰François Boucher, 1703~1770의 〈피그말리온과 갈라테이아〉는 이를 보다 풍부하게 묘사한다. 부셰는 귀족 취향의 장식적인 아름다움을 추구한 로코코 미술을 대표하는 화가다. 당시에 "가슴과 엉덩이를 그리는 화가"로 불릴 만큼 예쁜 얼굴과 몸을 가진 여성을 그리기로 유명했다. 자신의 재능을 발휘할 수 있는 소재를 피그말리온과 갈라테이아 신화에서 가져왔다.

그림은 중앙의 갈라테이아 조각상이 여신의 축복을 받아 사람으로 변신하는 장면을 담는다. 놀라움과 감격에 휩싸인 피그말리온의 모습을 표정

부셰 〈피그말리온과 갈라테이아〉 1767년

과 손짓을 통해 표현하고 있다. 조각상 뒤에 축복을 내리는 아프로디테 여신이 나온다. 주위로는 천사와 요정들이 새로운 여성의 탄생을 축복하는 분위기다.

누가 봐도 화가의 관심은 갈라테이아의 아름다운 외모에 집중되어 있다. 앞의 두 그림과 달리 옷을 입고 있는 모습이 이채롭다. 조각가가 항상 옷을 입혔고, "옷 입은 맵시는 매력이 있었다."라고 한 신화 내용에 보다 충실하다. 전반적으로 미모를 여성의 거의 유일한 덕목으로 여기고 찬양하는 듯하다. 현재까지 사회적 통념으로 이어지고 있는 사고방식의 원형이라 할 만하다.

보부아르
여성은 태어나지 않고 만들어진다

피그말리온 신화와 함께 자연스럽게 떠오르는 고전이 있다. 양성 평등을 위한 여성해방운동의 선구자 시몬느 드 보부아르Simone de Beauvoir, 1908~1986의 《제2의 성》이다. 페미니즘의 경전처럼 여겨지는 책이다. 실존주의 철학자이자 문학가였던 보부아르는 이 책에서 "여성은 태어나는 것이 아니라 만들어진다."라는 유명한 명제를 제시한다. 관련된 내용은 다음과 같다.

> 여자는 남자와의 관계에서 의미가 정해지고 차이가 구별되지, 여성 자신으로서 생각되지 않는다. 여자는 본질적으로 존재에 대한 비본질적인 존재다. 남자는 주체며 절대다. 그러나 여자는 타자다. (…) 어떤 주체도 자발적으로 비본질적인 객체가 되려고 하지는 않는다. 자기를 타자로 보는 타자가 주체를 정하는 것이 아니다. 자기를 주체로서 정립하는 주체에 의해 타자는 타자로 규정된다. (…) 여성은 태어나는 것이 아니라 만들어진다. 남성이 사회에서 차지하고 있는 형태는 어떤 생리적 · 심리적 · 경제적인 숙명이 결정하는 것이 아니다. 문명 전체가 수컷과 거세체를 구분하고, 여성이라는 명칭을 붙인다.

비본질적인 존재는 대상이라는 뜻이다. 누구도 자신이 비본질적인 대상, 타자로서의 객체로 취급받는 것을 원치 않는다. 누구라도 자신을 부수적이고 종속적인 존재로 낮추고자 할 리 없다. 주체와 대상은 서로 하나가 다른 하나를 전제로 성립한다. 그러므로 오직 자신들만을 주체라고 확신하는 존재에 의해 강요받을 때 여성은 어쩔 수 없이 대상의 지위로 밀려나 살아간다.

역사적으로 남성이 주체를 자처했다. 남성에 의해 여성은 이렇게 생각하고 행동해야 하며, 이것이 여성의 덕목이고 본질이라는 식으로 규정되고, 대상화됐다. 페미니즘에서 성sex과 젠더gender를 구분하는 출발점이 되는 논리다. 성이 타고난 육체적인 성징을 가진 존재를 의미하는 생물학적 개념이라면, 젠더는 사회적 개념이다.

보부아르에 의하면 생리적 · 심리적 · 경제적인 숙명이 남성과 여성의 지위와 역할을 결정하는 게 아니다. 생리적이라는 것은 육체와 연관된 요소다. 흔히 여성의 출산 기능으로부터 여성의 고유성을 끌어내는 논리가 대표적이다. 이에 근거하여 여성은 아이를 낳고, 육아와 가사에 충실해야 하는 대상으로 규정당했다.

여성의 신비로운 '모성애'가 칭송되면서, 강요된 것도 이런 맥락에서 이해할 수 있다. 모성애는 부모의 자식 사랑과는 다른 개념이다. 여성만이 고유하게 갖는 특성이다. 하지만 원시공동체 생활방식의 흔적이 남아 있는 사회에서 남성이 육아의 상당 부분을 담당하는 경우를 적지 않게 볼 수 있다. 중국에서는 여전히 주방 일을 남성의 몫으로 생각하는 사람이 많다. 모성애는 남성에 의해 만들어진 신화일 가능성이 크다.

여성과 남성을 심리적으로 분리시키려는 시도가 경제적인 측면으로도 이어진다. 남성이 경제력을 담당하고 여성이 남성의 경제력에 의존하는 식의 분별을 운명으로 포장한다. 여성이 직업을 갖더라도 여전히 분별은 이어진다. 여성은 남성에 비해 수동적이고 감성적이라는 식의 심리적 편견이 작용한다. 주로 임금이 낮은 단순 서비스직이 여성에게 적합하다는 편견도 이러한 사고방식에서 만들어진다.

문명 전체가 수컷과 거세체의 구분에 기초하고 있다는 지적도 비슷한 맥락이다. 역사적으로 대부분의 문명은 가부장제 위에서 발전했다. 돌출된 남성 성기를 가진 존재의 우월성을 드러내는 데 심혈을 기울였다. 남자 아이들은 어릴 시절부터 누가 오줌발이 더 많이 나가는가를 자랑스럽게 경쟁한다. 하지만 여자 아이들은 자신의 성기 관련한 이야기를 꺼내는 것조차 부끄럽게 여기도록 교육받는다. 그 결과 여성들은 거세된 존재로서의 상실감과 열등감을 갖고 살아가야 한다. 앞서 언급한 생리적 · 심리적 · 경제적인 숙명도 문명이 만들고 강화해온 논리다.

남성을 주체이자 우월한 존재로, 여성을 대상이자 열등한 존재로 분별하는 논리의 고대적 원형이 바로 피그말리온 신화에 숨어 있다. 갈라테이아의 운명이 현실의 여성들에게 짐 지워준 운명이었다. 여성은 태어난 게 아니라 만들어졌다는 보부아르의 통찰을 피그말리온과 갈라테이아라는 신화적 상징에서도 만날 수 있다.

통념을 벗어난 새로운 문제의식으로 제롬의 그림을 다시 보면 다른 느낌을 만난다. "꿈은 이루어진다!"는 확신이나 꿈이 실현된 순간의 환희로만 다가오지는 않는다. 기존의 차별적 시각을 가진 사람들에게는 환희의 순간이겠지만, 양성평등 문제의식으로 보자면 왜곡된 여성이 만들어지는 절망의 순간이다. 혹시 화가는 오른쪽 구석에 놓여 있는, 그리스 비극 공연에서 쓰이던 가면을 통해 이 순간이 여성에게 비극의 출발이었음을 보여주고자 한 것은 아니었을까?

재난에서 문명과 삶을 보다

브륄로프 〈폼페이 최후의 날〉

세네카 《삶의 지혜를 위한 편지》

한 순간에 하늘이 무너진 날

브률로프 〈폼페이 최후의 날〉 1833년

카를 브률로프Karl Bryullov, 1799~1852는 러시아 낭만주의 회화의 선구자로 불린다. 그 이전에 유럽과 러시아에서는 신고전주의 경향이 유행했다. 신고전주의는 그리스와 로마 조각이 가지고 있는 조형미, 역사 속 영웅의 행동이나 사건을 통한 교훈 전달에 중점을 두었다. 낭만주의는 오랜 기간 유럽을 지배한 신고전주의 형식과 내용의 경직성을 넘어 인간 감정을 폭발적으로 드러내는 방향으로 나아갔다. 낭만주의 작가들은 이를 실현하기 위해 다양한 표정과 강렬한 색채에 주목했다.

유럽에서 제리코의 〈메두사의 뗏목〉이나 들라크루아의 〈키오스 섬의 학살〉 등과 함께 낭만주의 미술이 본격 출발했고, 10여 년이 지난 후에 브률로프는 〈폼페이 최후의 날〉을 내놓으면서 러시아에 낭만주의의 새 바람을 일으켰다. 브률로프는 이 그림으로 이탈리아를 비롯해 서유럽에서 호평과 함께 국제적 명성을 얻은 러시아 최초의 화가가 되었다. 그는 루벤스나 렘브란트와 같은 기존 대가와 비교될 만한 화가로 주목받았다. 이 그림은 가로 길이가 6.5미터에 이르는 어마어마한 대작이다. 인물들이 거의 실물 크기와 비슷한 이 그림 앞에서 섰을 때 감상자들이 느꼈을 경이로움이 전해진다.

서기 79년 베수비오 화산 폭발로 폼페이가 사라지기 직전의 비극적 상황을 그린 그림이다. 폭발 현장에서 10킬로미터 남짓 떨어진 도시였지만 화산재와 용암으로 덮였다. 무려 2만 명에 이르는 시민이 그 밑에 묻혔다. 화산재가 거의 6미터가량 쌓인 상태에서 폼페이가 있었다는 사실조차 잊힌 채 긴 세월이 흘렀다. 1592년 수로공사 중 우연한 발견으로 발굴이 시작되었다.

그림을 보면 폼페이 참사 현장을 직접 보는 것 같다. 위급했던 상황이 한눈에 들어온다. 오른쪽 끝의 산꼭대기에서 화산이 폭발하면서 붉은 불길을 뿜어댄다. 벌써 산 아래로 이글거리는 용암이 흘러내린다. 폭발 충격에 의한 지진으로 건물이 붕괴되고, 하늘에서는 먼저 도착한 돌이 소낙비처럼 쏟아지는 중이다. 화산 연기와 화산재가 태양을 가린 하늘은 이미 칠흑처럼 어둡다. 곧 화산재가 덮치고 용암이 도시를 집어삼킬 것 같은 긴박한 분위기다.

폼페이의 골목은 죽음의 공포로 가득하다. 사람들은 살기 위해 집밖으로 뛰쳐나와 도시를 탈출하고자 하지만 상황이 절망적이라는 점을 잘 알고 있었을 것이다. 여러 인물을 통해 코앞까지 다가온 죽음의 그림자를 떨쳐내기 위한 간절한 몸부림이 파노라마처럼 펼쳐진다. 동작과 표정이 그들의 감정을 생생하게 전달한다.

재난 현장에 함께 있는 것 같은 느낌을 주기 위해 화가는 각고의 노력을 기울였다. 6년 가까이 각종 자료를 보면서 연구했고, 직접 폼페이 유적 발굴 현장에 가서 체험도 했다. 제작 기간만 해도 3년이 걸릴 만큼 공을 들

브률로프 〈폼페이 최후의 날〉 부분1

였다. 총 10년에 걸쳐 작업한 결과물이 그림의 구석구석에 녹아들어 있다.

세부적으로 살피면 미처 보지 못했던 여러 회화적 묘미를 만날 수 있다. 사건의 시작은 화산 폭발이다. 산 위로부터 시뻘건 용암이 사방으로 흘러내린다. 하지만 폼페이 시내에 펼쳐지는 파노라마는 오른쪽 맨 위로부터 출발한다. 폭발에 동반하는 지진과 날아드는 돌덩이 때문에 신전이 무너지는 순간이다. 신전을 떠받치고 있던 거대한 돌들에 균열이 생기고, 그 위에 있던 두 개의 석상이 바닥으로 떨어지기 직전이다.

마치 느린 화면처럼 찰나의 순간을 잡아낸 효과 덕분에 감상자가 그 시간과 공간에서 직접 체험하는 느낌을 받는다. 동상의 기단을 이루고 있는 큰 석재가 갈라지면서 내는 쩍 소리가 들릴 것 같다. 갈라진 틈으로 튀어오르는 돌가루는 재난 순간의 현장감을 고스란히 보여준다. 골목의 인물들이 위에서 떨어지는 석상을 보며 경악하는 시선까지 겹쳐 공감의 정도를 높인다. 화가의 치밀하고 탁월한 연출 능력이 돋보인다.

그림 한 점에서
대하드라마를 읽다

브률로프 〈폼페이 최후의 날〉 부분2

이 그림은 감상하는 동안에 여러 이야기를 떠올리고 풀어나가도록 자극한다는 점에서 뛰어나다. 떨어지는 석상 아래 인물 군상이 눈에 들어온다. 거동이 불편한 노인을 아들들이 들쳐 메고 피신한다. 그 뒤로 같은 가족 일원으로 보이는 노파가 바닥에 앉아있고 아들이 무언가 다급하게 설득하는 기색이다.

자연스럽게 머릿속에 다음과 같은 이야기가 떠오르기 마련이다. 늙은 부부는 몸이 불편해서 잘 움직이지 못한다. 빨리 뛰지 못하면 곧 밀어닥칠 화산재와 용암 때문에 어린 자식들도 모두 죽게 된다. 짐이 되어 자식이 위험에 처할까 근심하며 "너희들이라도 빨리 도망가서 살아!"라고 절규한다. 그런데 자식들은 그럴 수 없다며, 어떻게 해서든지 모시고 가려 필사의 노력을 기울인다. 일단 만류하는 아버지를 번쩍 들어 안고 간다. 하지만 노모는 한사코 그냥 두고 가라며 아들의 손을 뿌리친다. 긴박하고 참혹한 재난 순간에 부모와 자식의 사랑 이야기를 통해 가족을 둘러싼 도덕적 교훈을 담는다.

옆으로는 이미 실신한 젊은 여인을 한 청년이 끌어안고 뛴다. 애틋한 연인 사이로 보인다. 여인이 머리에 화관을 쓰고 있는 것으로 봐서 조금 전까지만 해도 아름답게 치장하고 연인과 달콤한 사랑의 대화를 나누었으리라. 날아드는 돌덩이에 충격을 받았는지 정신을 잃고 쓰러진 것 같다. 청년은 갑자기 닥친 상황에 어찌할 바를 모르고 당황한 표정이 역력하다. 꼬리를 물 듯 이야기를 풀어나갈 수 있게 해주는 각각의 장면이 회화에 생명력을 불어넣는다.

회화의 형식에도 흥미로운 점이 가득하다. 기본적으로 감정 묘사나 강렬한 색채 감각 등 낭만주의적인 요소가 다분하다. 자식을 빨리 보내려는 엄마의 표정, 실신한 연인을 바라보는 청년의 표정에서 풍부한 감정의 결이 느껴진다. 또한 폭발하는 화산과 용암이 뿜어내는 시뻘건 색채가 그림 전체를 물들인다. 여인들의 붉은색 옷도 낭만주의의 화려한 색채 향연을 거든다.

하지만 면밀하게 살피면 한 점의 그림 안에 수백 년에 걸쳐 변화를 겪은 여러 화풍이 종합되어 있다. 각 인물은 마치 그리스나 로마의 조각상을 보는 느낌을 주는 데 이는 신고전주의 미술의 특징적 단면이다. 부모에 대한 효도라는 도덕적 교훈을 전달하는 이야기 역시 신고전주의의 요소다.

인물의 동작에서는 신고전주의 이전에 유럽에 풍미했던 바로크 미술의 영향도 만나게 된다. 예를 들어 노인의 경우 한편으로 자식들에게 몸을 의지하였지만, 다른 한편으로는 바로 위의 신전 지붕에서 떨어지는 거대한 석상을 보며 절망의 심정으로 한 순간 몸을 뒤튼다. 과도할 정도로 몸을 뒤틀고, 명암의 극적인 대비를 통해 역동적인 분위기를 극대화시키는 바로크 미술의 특징이다. 바로 뒤에 달리는 말에서 떨어지는 남자의 동작도 마찬가지다. 극적으로 비틀어진 몸을 통해 순식간에 긴장감을 불어넣는다.

절박한 상황을 통해 메시지를 던지되, 국가를 향한 충성이나 가족을 둘러싼 전통적인 도덕률 중심의 신고전주의 방식의 교훈에 머물지 않는다. 옆쪽의 부분도를 보면 부부가 두 아이를 감싸 안고 어떻게 해서든지 살리려 애쓴다. 엄마는 두 손으로 아이를 부둥켜안고, 아버지는 아이들에게 화산재나 돌이 떨어지지 않도록 손과 옷으로 막는다. 앞서 보았던 자식을 사랑하는 부모의 마음, 부모를 향한 효심을 다시 만난다. 만약 여기에서 그친다면 신고전주의의 틀에 박힌 교훈과 별로 다를 바가 없다.

오른편에 쓰러져 있는 여인을 눈여겨 볼 필요가 있다. 이미 하늘에서

브률로프 〈폼페이 최후의 날〉 부분3

쏟아져 내려오는 돌에 맞아 죽은 상태가 아닌가 싶다. 간난아이가 엄마를 안고 울부짖지만 반응이 없다. 화가가 주변에 마련해 놓은 장치들은 비극적 상황을 보여주는 데 머물지 않는다. 쓰러진 엄마의 머리맡에 금으로 만든 촛대나 그릇과 같은 값비싼 물건들이 나뒹군다. 아이가 벌거벗고 있는 것으로 볼 때 정신없이 허겁지겁 나왔다. 그런데 그 와중에도 공들여서 금은보화를 챙기는 데 정신이 팔려 있었음이 분명하다.

화가는 재산에 집착하는 마음, 부에 대한 소유 욕구가 얼마나 허망한지 재난 상황을 매개로 전해준다. 뒤편의 할아버지도 비슷한 교훈을 암시한다. 한쪽 팔 가득 집안에 있던 금붙이들을 싸들고 피신한다. 집안 곳곳에 있던 귀한 물건을 찾다가 피신이 늦었으리라. 노인의 앞에도 죽어 있는 여인과 비슷한 운명이 기다리고 있을 것이다. 죽음 앞에서 부에 대한 집착이 무슨 소용인가.

신분과 지위를 향한 욕망에 대해서도 경고 장치를 마련해둔다. 노인 뒤쪽으로 말이 끄는 전차를 타고 가다 자빠지는 장면이 나온다. 바퀴가 부러지면서 남자가 나뒹군다. 로마 시대에 말을 타는 것, 더군다나 전차를 타는 것은 귀족 신분만 가능한 일이다. 높은 신분을 가진 귀족 집안임을 알 수 있다. 하지만 언제 닥칠지 모르는 재난 앞에서 허망하게 죽는 마당에 신분이 뭐가 소용 있겠는가. 인간이 끊임없이 신분상승을 위해 전력을 다해 인생을 걸지만 전체 삶을 놓고 볼 때 허무한 기대라는 사회적 교훈을 준다.

헛된 욕망, 가짜 욕망에 대한 경고이자 인간에게 진정 소중한 것이 무엇인가를 묻는 질문이다. 충성이나 효도 등 국가가 권하는 신고전주의적 교훈을 넘어서는 사회적 메시지도 담겼다. 이는 당시 폼페이의 특징과도 연관되어 있다. 폼페이는 귀족들의 휴양 도시였다. 화려한 집과 가구, 보석과 금으로 치장된 온갖 식기류가 인생의 목표인 사람들로 가득했다. 화가는 이 그림을 통해 부와 신분에 대한 탐욕에 물든 인간 군상을 보여줌으로써 어떻게 살아야 하는지에 대한 고민을 던진다.

마지막으로 낭만주의의 가장 큰 특징인 감정의 폭발이 잘 나타난다. 그림 왼쪽으로 엄마가 두 아이를 구하기 위해 팔로 감싸고 있는 모습이 나온다. 어떡해서든지 아이를 지키려는 의지와 감정이 표정과 동작에 뚝뚝 묻어난다. 막내의 표정에는 제발 살려달라며 두 손을 모아 비는 간절함이 가득하고, 두려움에 막 울음이 터지는 언니의 표정이 생생하다.

위쪽에 항아리를 들고 있는 여성의 황망한 모습도 마찬가지다. 어떤 판단도 할 수 없이 정신이 나가버려 동공이 풀린 정신적 공황 상태를 충실하게 살려낸다. 바로 아래로는 노파가 손가락으로 재난 현장을 가리키며 경악스러워하는 얼굴이다. 그 표정도 세부로 들어가서 보면 화가가 얼마나 섬세하게 묘사했는지 실감난다. 낭만주의 화가들은 격한 감정의 꿈틀거림에 주목했다. 그림 안에 사랑 감정이 있긴 있지만, 이에 머물지 않고 두려움 · 고통 · 회한 · 절망 등 뒤죽박죽 섞인 인간 감정을 하나의 그림 안에 집약시켰다. 상황을 매개로 감정의 파노라마가 펼쳐진다.

재미있는 요소도 있다. 항아리를 이고 있는 여성 바로 옆에 청년 한 명이 보인다. 처음 그림을 접할 때 이 사람의 얼굴이 조금 이해가 안 갔다. 워낙 대작을 그리다 보니 화가의 긴장이 일부 풀어졌나 싶었다. 표정이 상당히 애매했기 때문이다. 시선은 분명 추락하는 석상을 향하고 있는데, 공포 · 두려움 · 경악이 아니라 생뚱맞게도 마치 관찰자의 눈빛처럼 보인다.

의아해 하던 중에 과거에 접했던 화가의 자화상이 머리를 스쳤다. 이 그림을 제작하던 시기의 자화상 모습과 같았다. 다시 그림을 보자 머리에 이고 있는 상자 안의 붓이나 물감 등의 화구가 눈에 들어왔다. 폼페이 재난의 현장에서 자신이 직접 목격한 것을 생생하게 그리는 심정으로 작업에 임하는 마음을 보여주려 했던 게 아닐까?

세네카
우리는 날마다 조금씩 죽어가고 있다

실제 폼페이에서 발굴된 사람들의 모습은 브률로프 그림의 장면을 떠올리게 하는 경우가 많다. 하지만 우리가 흔히 아는 미라와는 상당히 다르다. 처음 발굴할 때 건물이나 각종 물건은 나오는 데 사람 화석이 보이지 않아 발굴단은 의아해 했다고 한다. 그런데 곳곳에 빈 공간이 있는 게 이상해서 석고를 부어보니 사람 모양이 나왔다. 재난 당시에 고열의 용암이나 화산재가 덮쳤고, 무려 2천 년 가까이 흐르면서 생명체가 있던 자리가 빈 공간으로 남았던 것이다. 그렇기 때문에 폼페이에서 발견된 사람과 동물의 흔적은 우리에게 익숙한 실물 화석이 아니라 석고로 뜬 모양이다.

그 중에는 연인으로 보이는 젊은 남녀가 서로 부둥켜안은 채 죽은 모습도 있다. 브률로프의 그림 오른편에서 실신해 있는 여성을 끌어안고 달려가던 청년을 떠올리게 한다. 남편과 아내, 그리고 두 명의 아이가 한 공간에 있는, 그림 왼편의 젊은 부부가 맞닥뜨린 상황과 비슷한 화석도 있다. 엄마가 아이를 끌어안고 죽어간 모습 그대로가 담겨 있다. 끝까지 어린 자식들을 살리려 발버둥친 가족의 참혹한 현장을 마치 실시간 보듯이 확인할 수 있다.

앞서 언급했듯이 폼페이는 귀족들의 휴양도시였다. 그림에 묘사된 금은보화가 과장이 아니다. 제국의 중심지인 로마만큼은 아니라 해도 문명이

축적한 부를 마음껏 자랑하던 도시였다. 호화로운 귀족 별장이 곳곳에 있었다. 상업 문화도 발달해서 유흥가도 많았고, 노골적으로 성행위 장면을 묘사한 벽화가 곳곳에 널려 있었다.

번창한 도시 폼페이가 하루아침에 최후를 맞이하게 될 것이라고 생각했던 사람은 아무도 없었으리라. 일상적으로 누리는 문명의 혜택이 영원히 지속되리라 믿어 의심치 않았을 것이다. 하지만 세상에 출현한 모든 문명은 흥망성쇠의 과정을 겪었다. 비록 폼페이처럼 대규모 자연 재해에 의해 일순간 자취를 감출 정도로 비극적이지는 않더라도 운명처럼 쇠락의 길을 걸었다. 가장 강력한 제국을 건설한 로마도 예외가 아니었다.

인간의 인생으로 좁혀도 마찬가지다. 당시 폼페이 사람들이 그러했듯이 대부분 사람들은 죽음의 그림자가 늘 가까이에 있다는 사실을 인정하지 않는다. 삶이 영원히 이어질 것이라고 착각한다. 고대 로마 제국 시대의 정치인이자 사상가 세네카Lucius Annaeus Seneca, BC4~AD65가 《삶의 지혜를 위한 편지》에서 말한 다음 내용은 곱씹어 볼 만하다.

> 어느 날 갑자기 죽음의 심연으로 떨어지는 게 아니라 조금씩 죽어가네. 날마다 죽어가고 있네. 왜냐하면 하루하루 수명의 일부를 빼앗기고 있고, 자라는 동안에도 수명이 줄어들고 있기 때문이네. 우리는 이미 유년기를, 이어서 소년기를, 다시 청년기를 잃었네. 어제까지 줄곧, 지나간 모든 시간을 잃어온 것이네. 지금 지나고 있는 오늘 이 하루도, 죽음과 함께 나누고 있는 셈이지. 물시계를 비우는 것은 마지막에 떨어지는 물방울이 아니라, 그때까지 떨어진 모든 물방울이네. 이

와 마찬가지로 최후를 맞이하여 우리가 이미 존재하지 않게 될 때, 그 때만이 죽음이라는 현상이 일어나는 게 아니라는 것이네.

세네카는 폼페이가 최후의 날을 맞이하기 몇 년 전까지 활동했다. 그에 의하면 사람들은 살아가면서 죽음을 먼 미래의 일로 생각한다. 하지만 삶은 일상적으로 죽음과 연결되어 있다. 매일의 삶은 동시에 매일의 죽음이기도 하다. 물시계를 비우는 것은 마지막 물방울이 아니라 그때까지 떨어진 모든 물방울이다.

우리의 현실로 연결하면 하루하루가 물방울이다. 그만큼 매일 죽어가고 있을 정도로 우리는 죽음과 일상적 관계를 맺으며 살아간다. 폼페이는 수많은 사람이 같은 날 사라진 죽음의 현장이다. 누구 한 사람 그날 화산 폭발을 꿈에도 생각하지 못한 채 매일 반복된 삶을 이어갔다. 지금까지 그래 왔듯이 오늘이 내일로, 그리고 올해가 내년으로, 나아가 10년이든 20년이든 이어지리하고 생각하며 말이다.

오늘이 무수하게 이어지는 수많은 날의 하나일 뿐일 때 오늘의 소중함은 사라진다. 자기 삶에서 진정 소중한 것을 망각한다. 우리는 당장 닥친 일상에 매몰되어 소중한 일을 조건이 좋아지길 기다리며 먼 미래로 미루기 일쑤다. 죽음에 무관심한 현실의 사람들을 향해 세네카는 우리 옆에 바짝 다가와 있는 죽음을 항상 생각하라고 주문한다. 그럴 때만이 우리는 오늘이야말로 반복되지 않는, 유일하고 소중한 날이라는 사실을 절실하게 느낄 수 있다. 소중한 것을 미래로 미루는 관성을 버리고, 바로 오늘 실천하는 삶을 살라는 교훈이 세네카의 글 속에 담겨 있다.

브률로프가 〈폼페이 최후의 날〉을 통해 전하려는 메시지도 세네카와 비슷하지 않았을까 싶다. 오랜 기간 폼페이에 관한 기록과 발굴 현장을 살피면서 재난 자체보다는 죽음에 어떤 태도를 지녀야 하는지에 대한 성찰을 그림을 통해서 했던 듯하다. 엄청난 규모, 역동적인 동작과 섬세한 표정이 선사하는 감동에 머물지 말아야 할 이유다. 폼페이 재난이 주는 문명의 흥망성쇠에 대한 통찰과 함께 인간 삶에 던지는 깊은 고민과 만날 시간이다.

동서양의 동물 그림

김두량 〈긁는 개〉
장자 《장자》

조선을 대표하는 동물 그림

김두량 〈긁는 개〉 18세기

조선의 화가 김두량金斗樑, 1696~1763은 독특하게도 개 그림으로 유명하다. 〈긁는 개〉는 한 마리 개가 화면 전체를 차지한다. 개가 주인공으로 등장하는 옛 그림은 제법 있다. 조선 전기에는 이암李巖, 1499~?, 중후반기에는 김두량이 개 그림으로 일가를 이루었다. 김두량은 적어도 개 그림에 관한 한 최고의 기량을 발휘했다.

이암의 개 그림은 현대식 표현으로 하면 캐릭터에 가깝다. 귀엽고 아기자기하고, 약간 추상적인 느낌도 든다. 이에 비해 김두량은 현실에 살아있는 개를 직접 보는 생생함을 전해준다. 상세한 묘사에 머물지 않고 움직임의 순간을 잘 포착해낸다. 화가의 기능적인 능력만이 아니라 동물을 바라보는 동양적인 시선도 묻어난다.

그림을 보면 재미있게도 뒷발로 긁는 중이다. 강아지들은 뒤통수를 비롯하여 몸의 구석구석을 긁을 때 앞발보다는 뒷발을 이용하는 경우가 많다. 특유의 표정과 동작을 찾아내는 화가의 관찰력이 탁월하다. 가려워 죽겠다는 표정이 역력하다. 사람도 손이 잘 닿지 않는 등 구석이 가려우면 아주 난처한 표정을 짓기 마련이다. 뒤를 바라보는 눈, 어정쩡한 입 모양이 갑갑한 상태를 잘 보여준다.

실감나는 동작 묘사도 눈길을 끈다. 고개를 살짝 숙이고 어떻게든 발을 닿게 하려 애를 쓴다. 뒷다리로 긁으려니 아무래도 몸을 있는 대로 틀어야 한다. 이를 위해 앞다리 어깨를 최대한 들고 고개를 낮춘 후에 허리를 틀어 안 닿는 구석이 없도록 자세를 취한다. 동작의 사소한 특징 하나도 놓치지 않기 위해 얼마나 공을 들였는지 알 수 있다.

세부 표현도 정교해서 검은색 털에서 윤기가 흐를 듯하다. 세필을 이용해 한 올의 털도 놓치지 않는다. 머리는 짧은 털, 등은 좀 더 길고 거친 털, 배는 연하고 복슬복슬한 털, 꼬리는 길고 휘날리는 털의 차이까지 드러낸다.

귀의 안쪽 면과 바깥쪽 면이 동시에 드러나도록 해서 나풀거리는 모습도 생생하다. 또한 보통 개를 그리면 발은 형식적으로 발등 정도만 묘사한다. 하지만 김두량은 등을 긁으려 몸을 뒤트는 맛을 살리기 위해 한쪽 뒷다리의 발바닥이 보이도록 한다. 이 모든 요소가 결합되면서 감상자가 바로 앞에서 실제 장면을 바라보는 기분을 갖게 한다.

풍경화 요소도 매력적이다. 뒤에 있는 나무는 무심하게 툭툭 붓질을 한 것처럼 보이지만, 농담을 달리한 거친 표면 묘사로 고목의 느낌을 준다. 주변의 수풀도 언뜻 보기에는 그다지 정성들여 그린 것 같지 않지만 우거진 풀밭 효과를 내는 데 부족함이 없다. 흑백 수묵화임에도 연한 녹색이 떠오른다. 입체감도 과하지 않고 자연스럽다.

〈긁는 개〉가 유난히 뛰어난 면이 있지만 우연한 성취는 아니다. 〈삽살개〉를 보면 또 다른 흥미로운 구석이 있다. 삽살개 여부를 놓고 논쟁이 있지만 후대 사람들이 정한 제목이니 중요한 문제는 아니다. 털이 아주 길고 풍성하며 복슬복슬한 삽살개의 특징이 뚜렷하다.

〈긁는 개〉가 가려워서 긁는 모습을 담기에 적합하도록 최대한 이완된 분위기를 연출했다면 〈삽살개〉는 잔뜩 긴장한 분위기다. 경계하며 공격적으로 짖는다. 일반적으로 개의 공격적인 동작은 두 가지로 구분된다. 하나는 방어를 위해 공격적인 반응을 보이는 동작이다. 이 경우에 엉덩이를 뒤로 빼고 짖는다. 두려움의 표현이다. 이 그림은 전진하는 몸과 발걸음으로 짖는 공격적인 동작이다.

두 개의 눈초리 차이도 서로 다른 효과를 낸다. 삽살개는 안광을 바깥으로 강렬하게 발산시켜 흥분 상태를 강조한다. 드러낸 이빨, 끄트머리가 살짝 말려 올라간 혀, 찌그러져 있는 까만색 입술 등도 효과적으로 흥분을 전달한다. 화가의 놀라운 관찰력, 이를 회화로 실현해내는 기량이 얼마나 뛰어난지를 알 수 있다.

김두량 〈삽살개〉 1743년

그림에 윗부분에 영조의 글이 실려 있다. 영조도 이 그림을 접하며 흥분한 개의 감정이 인상적이었던 듯하다. 김두량은 당시에 실력을 꽤 인정받아 왕의 총애를 받았고, 도화서 화원 가운데 최고 직위인 별제 자리까지 올랐다. 영조의 화제 내용은 이렇다. "밤에 사립문을 지키는 것이 너의 소임인데, 어찌 낮에 길 가운데에서 이같이 하는가?" 화가는 누가 봐도 성난 모습으로 컹컹 짖는 분위기를 느낄 수 있게 했다.

구도를 통해서도 그림의 묘미를 살린다. 그냥 강아지 한 마리가 짖고 있는 장면이라면 단순한 화면 구성에서 벗어나기 어렵다. 삽살개가 수평 구도임에 비해 지면은 살짝 경사지게 연출한다. 이를 통해 조금이라도 단조로움을 보완하려는 의도를 보여준 게 아닐까?

김두량의 두 그림에서 주목해야 할 또 하나의 중요한 점이 있다. 긁는 개든 삽살개든 공통적으로 개가 주인공이다. 사람이나 주변 상황을 꾸미기 위한 부수적인 도구가 아니다. 화가의 관심이 다른 데로 흩어져 있지 않다. 관찰의 섬세함에서 대상에 대한 깊은 공감이 읽힌다.

서양 회화의 개 그림

코닌크 〈개와 올빼미, 그리고 사냥 노획물〉 1660년

서양 회화에서 접하는 개의 역할은 상당히 다른 편이다. 유럽의 근대와 현대 화가들도 개와 다른 동물을 회화 소재로 꽤 많이 다루었다. 종교적 메시지가 중심이었던 중세의 그림에는 동물이 끼어들 틈이 별로 없었다. 개인 취향에 대한 관심이 증가한 근대로 접어들면서 생활에서 흔히 접하는 소재

가 자주 등장한다. 특히 귀족들이 평소에 사냥을 즐겼던 까닭에 사냥개 그림이 많다.

플랑드르 화가 다비드 코닌크 David Koninck, 1636~1699의 〈개와 올빼미, 그리고 사냥 노획물〉이 대표적이다. 유화 특유의 풍부한 색채감과 질감에 명암을 이용한 입체감이 더해져 사실적인 느낌이 훨씬 강하다. 오른편의 점박이 개는 날렵한 몸에 입이 뾰족하게 튀어나와 있어서 빠르게 달리고 사납게 공격하는 사냥개의 특징을 잘 보여준다. 눈 · 코 · 입은 물론이고 몸의 각 기관까지 사진을 보는 듯하다.

그런데 전체적으로는 개가 주인공으로 보이지 않는다. 가장 비중이 큰 캔버스의 중앙은 사냥을 통해서 얻은 노획물과 총이 차지한다. 한 마리의 산토끼와 여러 마리의 새가 수북하다. 이날 자신이 얼마나 훌륭한 사냥 솜씨를 발휘했는지를 사람들에게 자랑하는 분위기다. 그림을 주문한 사람의 의도를 화가가 충실하게 반영해서 그렸다고 봐야 한다. 개는 사냥에 쓰였던 도구의 의미가 강하다. 같은 도구 중에는 중앙을 가로지르며 강조된 사냥총의 하위 도구로 느끼는 사람도 있겠다 싶다.

코닌크의 개는 김두량의 〈긁는 개〉와 사뭇 다른 점이 눈에 띄는데, 사냥으로 잡은 사슴이나 새를 방부 처리해서 전시해 놓은 박제와 비슷한 느낌이다. 혹은 사진관에서 찍는 가족사진처럼 고정된 자세로 한참을 가만히 있을 것 같은 인위적인 느낌이다. 색과 입체감을 이용하여 더 구체적이고 사실적으로 그렸지만 오히려 생명력은 덜하다. 이에 비해 김두량은 현실에서 만나는 한 순간의 동작을 스냅사진처럼 잡아낸다.

가족과 함께 있는 귀여운 강아지를 자주 그린 화가로 18세기 영국 미술

레이놀즈 〈안나 워드와 개〉 1787년

을 주도한 조슈아 레이놀즈Joshua Reynolds, 1723~1792가 손꼽힌다. 그는 풍경화로 영국 미술의 새 장을 열었지만 인물화로도 꽤 유명했다. 인물화에서는 특히 귀족을 비롯한 부유층의 가족이나 개인 초상화에서 뛰어난 기량을 보였다.

〈안나 워드와 개〉는 가족의 일상을 자연스럽게 담은 그림이다. 강아지는 인물의 친근한 이미지를 살리는 데 즐겨 이용된다. 부모와 아이들이 모여 있는 자리 옆에 앉아 있거나 아이들과 강아지가 노는 모습이 대부분이다. 다양한 상황을 다루지만 개는 주로 그림의 주인공을 꾸미는 역할로 나온다.

7~8세 정도의 소녀 안나 워드가 예쁜 옷을 입고 즐거운 한 때를 보내

는 중이다. 화가는 소녀만 그리면 밋밋함에서 벗어나기 어렵다고 생각했던 듯하다. 오른쪽에 강아지가 없다고 가정하면 훨씬 재미가 덜했으리라. 소녀와 강아지가 함께 놀고 있지만 비슷한 비중이 전혀 아니다. 강아지는 그림의 묘미를 더해주기 위해 동원된 소품에 머문다.

부차적인 도구로 사용되다 보니 나타나는 특이한 현상이 있다. 강아지는 머리와 앞발 부분만 남겨놓고 나머지는 캔버스에 의해 잘려 있다. 소녀를 중앙에 충분한 크기로 넣고 옆으로 재롱떠는 개를 배치하다보니 나타나는 현상이다. 효과를 살려내는 수단으로서의 역할만 하면 된다는 화가의 생각이 반영된 배치다. 물론 레이놀즈 그림이 다 그러한 것은 아니지만, 개는 화폭 아래나 옆의 한 구석에 조연으로 나온다는 점은 마찬가지다.

이러한 구도는 레이놀즈뿐 아니라 당시 대부분 화가가 공통적으로 즐겨 채택한 것으로, 서구인들이 개를 보는 시각의 반영이라고 볼 수 있다. 인간이 확고한 주체이고, 개를 비롯한 동물은 인간을 보완하거나 생활의 편리를 위한 도구로 여긴다. 동물은 단순히 관찰의 대상일 뿐, 독립적인 의미는 찾아보기 어렵다. 근대 이후 자연지배사상에 기초한 서구 문명이 동물에 대해 취하는 전형적인 태도다.

장자
본성대로 사는 즐거움

김두량과 서양화가의 개 그림을 비교하면서 서구적 사고방식과 동양사상의 차이를 발견할 수 있었다. 근대로 들어와 정립된 서구적 사고에서 자연은 하나의 객체이고 대상일 뿐이다. 정복자이자 지배자인 인간이 대상인 동물을 어떻게 해도 된다는 생각이 짙었다.

중국이나 우리는 비록 상대적이긴 하지만 더 자연친화적이다. 인간은 문명이 시작된 이후로는 자연과 동물을 대상화시키는 면이 있었다. 하지만 그 정도가 덜했다는 의미다. 다양한 동양사상의 중에서도 도가 사상이 인간과 자연의 공존에 보다 적극적이다. 장자莊子, BC 369~289의 《장자》 〈천지天地〉편에 나오는 다음 내용이 좋은 참고가 된다.

> 새장 속에 있는 비둘기나 부엉이는 본성을 따르지 못한다. (…) 가죽이나 비취새의 깃으로 장식한 관을 쓰고 홀을 꽂고, 큰 띠와 긴 바지를 입는 것은 외모를 제약한다. 마음은 울 안에 갇히고 막힌 듯이 되고, 외모는 여러 겹으로 줄에 묶인 듯이 된다. 몸은 꽁꽁 줄로 묶여진 가운데 있는 듯한데도 스스로는 본성을 따른다고 생각한다. 그렇다면 죄인이 팔을 뒤로 돌려 묶이고 손가락에 깍지가 끼여 있거나, 호랑이

와 표범이 우리 속에 갇혀 있다 하더라도 역시 본성을 따르는 것이라 할 수 있게 된다.

인간과 사회에 대한 생각을 말하기 위해 든 예이지만, 이 과정에서 동물을 바라보는 시선이 드러난다. 장자에 의하면 우리 안에 갇혀진 동물은 아무리 인간이 보살피고 사랑을 쏟는다 해도 본성이 억압된 상태다.

흔히 애완견이나 반려견이라는 표현을 쓴다. 반려는 강아지가 수명을 다할 때까지 함께 살아간다는 말이다. 바깥에 뛰어다닐 수 있었던 전통사회와 달리 현재 한국사회에서 반려견은 아파트의 좁은 공간 안에서 지내는 경우가 많다. 실내에서 함께 하는 생활이 강아지에 대한 애정이 얼마나 깊은지를 보여주는 하나의 지표라고 여기는 사람도 많다.

하지만 쾌적하게 잘 꾸민 실내라 하더라도 강아지의 시각에서 보면 고정된 공간에 갇혀 있기는 마찬가지다. 아무리 맛있는 사료를 주고 늘 쓰다듬어 주어도 강아지의 본성을 따르는 상태라고 보기는 어렵다. 억압은 단순히 제한된 좁은 공간에 갇혀 있는 것만을 의미하지 않는다. 억압은 여러 측면으로 나타난다.

실내에서 기르다보니 털이 날리지 않도록 바짝 깎는다. 강아지를 위해서가 아니라 사람을 위해 깎는다. 기계 이발 과정에서 아프고 살을 다치기도 하기에 끔찍하게 스트레스를 받는다. 수컷의 경우 발정기가 되면 짖고 나가려 하기 때문에 대체로 불임수술을 시킨다. 산책 나갈 때는 모두 목줄의 길이 안에서만 움직여야 한다.

나아가 각 가정에 격리되어 있기 때문에 개가 본래 갖고 있는, 자기들

끼리 몰려다니는 집단적인 습성이 퇴화되고, 사회성이 극도로 제한된다. 개의 본성을 인간에게 맞도록 강제로 왜곡하는 것이다. 장자의 문제의식에 따르면 동물원 우리에 동물을 가두고, 집에서 강아지나 고양이를 키우면서 보호한다고 생각하는 것은 착각이다. 동물의 타고난 본성을 억누르면서 오히려 사랑하는 마음이라고 스스로를 속이는 것이다.

장자는 본성의 억압을 사람에게 연결시킨다. 관을 쓰고 홀을 꽂는 것은 관직이라는 틀에 자신을 꿰어 맞추는 경향을 말한다. 관직에 나간 사람들은 관모를 쓴다. 홀은 관직에 진출한 사람들이 등급에 맞게 손에 들고 있던 일종의 팻말이다. 우리나라는 조선 후기에는 거의 사라졌지만, 삼국시대부터 홀을 들거나 허리춤에 꽂고 있었다. 관직에 따라 길이나 재질이 달랐다. 자신의 신분을 나타내기 위한 도구였다.

관직 진출에 급급한 선비들에 대한 비판이다. 삶이 관직이라는 고정된 틀에 얽매어 있을 때 인간으로서 갖는 자연적 본성이 훼손된다는 비판이다. 우리는 일상에서 국가 기관의 요구에 맞추면서 억압된 삶을 살아야 한다. 그러한 점에서 우리 안에 갇힌 채 사육되고 있는 짐승과 크게 다를 바가 없다는 것이다. 입신출세를 선비의 가장 중요한 책무로 여기던 유가적 가치에 대한 비판적 문제의식이다.

김두량의 〈긁는 개〉를 감상하는 묘미는 생생함을 느끼는 데 머물지 않는다. 제한된 조건에서나마 수풀 속에서 뛰놀며 자연의 습성을 간직한 강아지를 마주하는 느낌도 준다. 장자와 동일한 문제의식은 아니겠지만, 인간과 동물의 관계, 동물과 인간의 자연스러운 본성을 존중하고 보존하는 것의 중요성을 생각하는 계기가 된다.

노동의 의미를 찾다

슐츠 〈노동의 수치〉
러셀《게으름에 대한 찬양》

직업에는 귀천이 없다고?

숄츠 〈노동의 수치〉 1921년

독일 화가 게오르크 숄츠Georg Scholz, 1890~1945는 신즉물주의 회화로 유명하다. 신즉물주의는 제1차 세계대전 이후 독일을 중심으로 나타난 경향으로, 사회적 풍자를 매개로 한 리얼리즘 미술이다. 이전의 독일 표현주의가 개인의 감정에 치중했다면, 신즉물주의는 사회 부조리와 구조적 문제를 비판하는 데 주목한다. 이 때문에 나중에 나치에 의해 퇴폐미술로 낙인찍힌다.

슐츠의 대표작 중의 하나인 〈노동의 수치〉도 사회에 대한 비판적 시각이 짙게 묻어난다. 중년의 노동자와 아들이 함께 길을 걷는다. 차를 타고 가는 부자가 담배를 느긋하게 손에 들고 둘을 보고 있다. 뒤로는 공장 굴뚝에서 검은 연기가 피어오른다. 그 옆으로는 대규모 공장 건물과 시설이 즐비하게 늘어서 있다. 노동의 수치라는 제목이 심상치 않다. 우리는 직업에는 귀천이 없다고, 노동은 수치가 아니라고 배운다. 하지만 이 그림에는 당시의 노동문제라든가 빈부격차를 염두에 둔 메시지가 담겨 있다.

중년의 노동자는 어깨가 힘없이 처져 있다. 눈길도 아래로 내리깔고 있다. 당당한 모습과는 거리가 멀다. 자신의 처지에 대해 스스로 부끄러워하며 시선을 회피한다. 거드름을 피우며 경멸을 던지는 부자의 시선과 대조적이다. 어찌 보면 노동자에게 부끄러움을 느끼도록 강제하는 듯한 거만한 표정이다. 슬픈 것은 아들의 표정도 비슷하다는 점이다. 물질적인 빈곤뿐 아니라 노동을 수치로 여기는 우울한 정서까지 대물림되는 현상을 보여준다.

현실에서 정말 직업에는 귀천이 없고 어떠한 종류의 노동이든 자부심을 가질 수 있을까? 우선 직업에 귀천이 없다는 말은 누가 만들었을까? 노동자 스스로가 내 직업도 사회에 기여하는 역할을 하기 때문에 당당할 수 있다며 만든 말이라고 보기 어렵다. 오히려 사회적 강자와 부자들이 만들어서 노동하는 다수에게 유포했을 가능성이 크다. 너희들은 다른 생각 말고, 오직 노동에서 가치를 찾으라, 가난하면 가난한 대로 맡겨진 일에 평생 근면성실하게 몰두하라는 요구이리라. 이러한 근로의 도덕을 퍼뜨리기 위해 만들어진 말에 가깝지 않을까 하는 생각이 든다.

우리에게도 노동이 자부심과 희망이 아니라 수치와 절망으로 느껴지던 시절이 있었다. 물론 현재도 동일한 감정을 가진 노동자가 적지 않겠지만 더욱 극심하던 때가 한국의 산업화 초기다. 이 시기의 한국 노동을 상징하는 노동자를 꼽으라면 단연 전태일全泰壹, 1948~1970이다. 청계천의 평화시장 노동자였던 그는 1970년 11월 13일에 "노동자는 기계가 아니다!", "근로기준법을 준수하라!"고 외치면서 자기 몸에 불을 붙였다. 한국 노동운동의 분기점이 된 사건이다.

청년 전태일이 일을 하며 겪었던 감정 가운데 하나가 노동이 긍지가 되지 못하고 수치가 되는 현실에 대한 절망이다. 조영래의 《전태일 평전》에는 노동자로 일하던 초기의 심정을 담은 글이 있다. "한 가지 억울한 것은 너무 힘들게 작업시간이 길고 힘에 겨운 야간작업을 시키는 것이다. … 직공들이 매수를 많이 올려도 겨우 평균 월급보다 조금 더 받을 뿐이다. … 너무 억울했다. 아무리 열심히 밤잠 못 자고 많은 바지를 만들어봐야, 피땀 흘린 대가를 못 찾았기 때문이다."

전태일이 직접 쓴 글이다. 봉제 공장을 비롯하여 다양한 섬유 업종이 몰려있던 곳이 청계천 평화시장이었다. 밤샘 작업이 밥 먹듯이 이어지는 노동 환경이었다. 그럼에도 불구하고 보수는 거의 차이가 없었다. 노동 공간도 열악하기 그지없었다. 제대로 일어설 수도 없을 지경인 좁은 다락방 같은 공간이었다. 천정은 여기저기 구멍이 나서 너덜너덜한 모습이기 일쑤였다.

난방이라고는 고작 구식 석유난로 하나로 때워야 해서 겨울이면 매일 추위에 떨어야 했다. 여름이면 덜덜거리는 선풍기뿐이어서 땀으로 샤워를

했다. 섬유 관련 업종의 특징상 먼지가 자욱하지만 환풍기는 없었다. 비인간적이고 비위생적인 환경에서 밤샘작업을 해도 최저생계비에도 미치지 못하는 보수만 지급되었다.

전태일은 노동청에 근로개선 진정서를 낸다. 주요 요구사항이 "다락방을 철폐해라!", "환풍기를 설치하라!", "생리휴가 보장하라!"였다. 근로기준법이 보장하는 기본적인 것조차 마련되어 있지 않을 정도로 열악한 환경이었다. 근로기준법의 준수를 요구하고, 이를 일상적으로 관철하기 위해 동료 노동자들과 함께 법으로 규정된 노동조합을 만들려 했다.

하지만 기업과 정부의 탄압으로 가로막힌다. 이에 대한 항의 표시로 11월 13일에 근로기준법 화형식을 열려 했으나 정보경찰들에 의해 봉쇄된다. 전태일은 자기 몸에 휘발유를 뿌린 후에 불을 붙인다. 한 손에 근로기준법 책자를 들고, "근로기준법을 지켜라!", "내 죽음을 헛되게 하지마라!"라는 구호를 외치며 죽어갔다. 노동자들은 물론이고 최소한의 양심을 가진 학생과 지식인, 종교인들의 각성을 불러온 사건이었다.

전태일의 죽음은 개인적으로도 내게 큰 영향을 주었다. "내 죽음을 헛되이 하지 말라!"는 말이 폐부에 깊숙이 들어와서 박혔다. 1980년대 초반의 한국사회를 겪으면서 노동운동을 선택하게 했다. 그를 통해 노동자의 현실에 눈을 떴다. 대학에서 학생운동 하면서 야학운동에 참여하며 노동자의 삶에 한 발짝이라도 다가서려 했다.

야학을 하며 접한 노동자의 삶은 참혹했다. 대부분 한 뼘의 햇볕도 들지 않는 지하 단칸방에서 살아가는 처지였다. 염색공장에 다니던 여성 노동자에게서 독한 염색약품과 옷감이 섞여 있는 큰 통에 직접 들어가서 발로 밟는다는 이야기를 듣고 경악했다. 1980년대 중반에 노동운동을 하면서 접한 현실도 전태일 시절보다 나아지지 않았다. 프레스 업종에서 일하는 남성 노동자의 경우에 산업재해로 인해 손가락이 하나 둘씩 없는 경우가 흔했다. 신발공장에서 몇 겹의 밑창을 본드로 붙이는 작업을 하다 거의 몽롱한 환각 상태로 퇴근하는 노동자들을 만나야 했다.

전태일이 노동자의 더 나은 삶을 향해 자기 몸을 불사른 후 50년이 더 지난 지금 '노동의 수치'는 사라졌을까? 과거에 비해 몇몇 부분에서 뚜렷한 개선이 있는 것은 사실이다. 그럼에도 불구하고 현재 한국을 살아가는 노동자의 처지를 보여주는 대표적인 지표가 산업재해 사망률이다. 여전히 경제협력개발기구OECD 최고의 수치를 기록하고 있다. 매년 약 2,000명 정도가 산업재해로 세상을 떠난다. 한국과 비슷한 일인당 국민소득을 가진 나라들의 평균 산업재해 사망률의 거의 네다섯 배에 이른다.

자기실현과 희망으로서의 노동

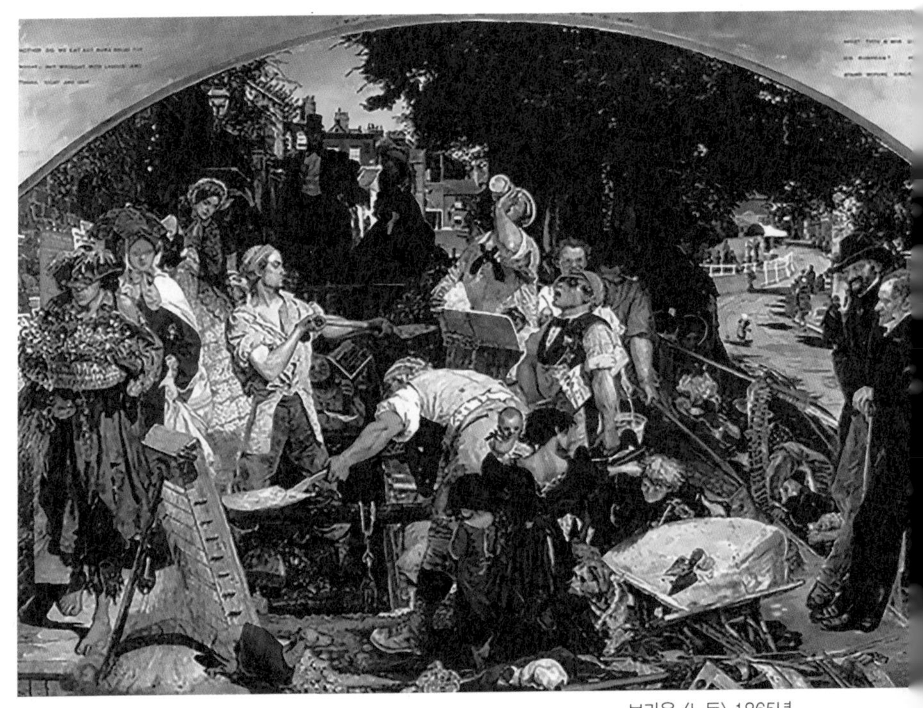

브라운 〈노동〉 1865년

물론 노동을 고통과 수치로 묘사한 그림만 있는 것은 아니다. 영국 화가 포드 매독스 브라운Ford Madox Brown, 1821~1893의 〈노동〉은 전혀 다른 이미지를 보여준다. 노동에 열중하는 현장을 전반적으로 밝게 그린다. 대여섯 명 노동자가 도로에서 일을 하는 중이다. 마을 사람들과 함께 어우러져 희망으로 가득한 일상을 연출한다.

런던 어느 길거리의 하수시설 공사를 하고 있다. 한국사회에서도 수십 년 전까지 길이나 공사장 인근에서 흔히 접할 수 있었던 장면이다. 앞에서 삽으로 모래를 떠서 촘촘한 망에 뿌려 돌을 거른다. 바로 뒤에서는 모래 · 자갈 · 시멘트에 물을 섞어 콘크리트를 만든다. 지하 수로에서도 시설물 작업을 하는 노동자의 상체나 손이 보인다. 일을 하다 목이 마른지 물을 들이키는 노동자도 있다.

공사 현장 주변으로 재미있게 볼 수 있는 요소들을 아기자기하게 배치했다. 평소에 못 보던 장면이어서인지 동네 아이들이 몰려와 신기한 듯 바라본다. 어떤 아이는 공사 도구를 이용해 장난을 친다. 엄마가 위험하니 장난치지 말라며 아이 머리에 꿀밤을 먹인다. 동네 강아지들도 덩달아 신이 나서 모여든다.

힘들고 고통스러운 노동이 아니다. 활기차고 밝은 분위기로 가득하다. 노동자들의 표정도 환하고 근육이 꿈틀거리는 팔뚝에서 힘이 느껴진다. 공사장 주변 사람들의 모습도 마찬가지다. 공사 때문에 통행이 불편할 텐데도 별로 짜증을 내는 표정이 아니다. 오른쪽의 나무 그늘 아래에서는 가족들이 소풍을 나와 한가한 낮 시간을 즐긴다. 소음이 귀에 거슬리기는커녕 음악이라도 되는 듯 편안하다.

건강한 노동 현장 분위기가 우연은 아니다. 맨 오른쪽에 서있는 인물 두 명이 힌트가 된다. 뒷짐 진 손에 책을 들고 있는 사람은 우리에게 여러 가지 명언으로 유명한, 19세기 사상계에 많은 영향을 주었던 토마스 칼라일

Thomas Carlyle, 1795~1881이다. 그 옆에 모자를 쓰고 있는 사람은 노동자대학을 설립했던 프레더릭 모리스John Frederick Denison Maurice, 1805~1872다. 화가가 두 사람의 생각에 공감했기 때문에 굳이 그려 넣었다고 봐야 한다.

칼라일이나 모리스가 어떤 생각을 가지고 있었기에 노동을 밝게 그렸을까? 칼라일은 〈노동〉이라는 글에서 다음과 같이 말한다. "일은 늘 고귀하고 신성하다. 사람이 아무리 몽매하고 자기의 할 바를 모른다 해도, 진지하게 일을 한다면 그에게는 항상 희망이 있다. (…) 사람은 일을 함으로써 자신을 완성해 나간다."

노동의 고귀함과 신성함은 인간이 노동을 통해 문명을 만들고 발전시켜 왔음을 의미한다. 노동이 문명사회의 뿌리이자 원동력이다. 근면한 노동은 희망을 품는다. 반대로 말하자면 절망은 노동하지 않으려는 나태함에서 온다. 게으름은 개인만이 아니라 사회도 절망에 빠뜨린다. 그러하니 나태함을 떨치고 근면성실하게 노동에 임하라는 권고다. 마지막으로 사람은 일을 통해서 스스로 완성해 나간다. 노동에서 건강한 정신이 생기고, 그 결과 육체와 정신의 조화가 이루어진다. 노동의 가치가 곧 인간의 가치라는 노동 예찬이다.

모리스도 노동에서 개인과 사회의 희망을 발견한다. 그는 신학을 삶에 적용한 실천 신학자였다. 그가 보기에 이기심에 의존하는 경제체제는 신학에 맞지 않는다. 이기적인 경쟁만을 강조하는 현실의 자본주의 체제가 그리스도가 바라는 세상이기 어렵다. 모두를 형제자매로 여기는 기독교의 이상을 실현하기에는 협동 노동이 적합하다. 모리스는 이를 위한 의식개혁운동에 힘썼고, 구체적인 방법으로 노동자대학을 설립했다.

화가는 이들의 주장에 공감하면서 〈노동〉이라는 그림을 구상했던 듯하다. 칼라일이 주장한 노동의 고귀함과 신성함을 건강하고 밝게 일하는 노동자를 통해 회화적으로 실현한다. 그림의 여러 요소를 통해 노동이 보람과 즐거움으로 가득한 행위임을 보여준다. 나아가 노동과 협동이 사회를 발전시키고, 인간의 가치도 실현한다는 사실을 표현한다.

러셀

근로의 미덕과 노예의 도덕

노동에 대해 전혀 다른 문제의식을 갖고 있는 사상가도 있다. 우리에게 꽤 유명한 철학자 버트런드 러셀Bertrand Russell, 1872~1970이 《게으름에 대한 찬양》에서 주장한 내용은 충분히 경청할 만하다.

> 현대 기술은 여가를 소수 특권 계층만의 전유물에서 벗어나 공동체 전체가 고르게 향유할 수 있는 권리로 만들어주었다. 근로의 도덕은 노예의 도덕이며 현대 세계는 노예 제도를 필요로 하지 않는다. (…) 처음에 전사와 사제들은 힘으로 강제하여 농부들을 생산케 하고 잉여를 내놓도록 만들었다. 그러나 시간이 흐르면서 일한 대가의 일부가 놀고 있는 사람의 부양으로 빠져나가도 열심히 일하는 것이 농부의 본분이라는 윤리를 받아들이도록 유도할 수 있음을 깨달았다. (…) 만일 사회를 현명하게 조직해서 아주 적정한 양만 생산하고 보통 근로자가 하루 4시간씩만 일한다면 모두에게 충분한 일자리가 생겨나고 실업도 없을 것이다.

그에 의하면 근면성실하게 노동에 임해야 한다는 사회적 도덕률은 노예의 도덕에 불과하다. 근로의 도덕은 당연히 일을 시키는 사람이 만들었다. 사회에서 부와 권력을 쥐고 있는 소수의 강자가 나머지 대다수를 노동에서 벗어나지 못하도록 강제하기 위해서 퍼뜨린 도덕률이다. 고대 문명이 시작된 이래 현재에 이르기까지 오랜 세월동안 노예의 도덕이 인류의 내면을 지배했다.

하지만 현대사회는 근로의 도덕이 필요없다. 비약적으로 발전한 생산력에 기초한 사회이기 때문이다. 산업 문명이 본격화된 100년 전과 비교해도 생산력은 업종에 따라 수십 배에서 수백 배 발전했다. 같은 시간에 하나를 생산하던 물건을 이제는 수십 개, 수백 개 이상을 만들 수 있게 되었다.

하지만 노동시간은 여전히 100년 전에 자리 잡은 하루 8시간 노동제에서 크게 벗어나지 못하고 있다. 임금은 과연 수십 배, 수백 배 이상 올랐을까? 물가 인상에 대비한 실질 임금은 약간 상승했을 뿐이다. 그나마 지난 몇십 년 동안에는 실질 임금이 하락하는 경향조차 나타났다. 현대사회에서 생산력이 엄청나게 발달했음에도 불구하고 끊임없이 노동으로 사람들을 몰아넣는 현실은 부당하다는 비판이다.

이 부당한 현실과 사고방식에서 벗어나기 위해서는 노동시간을 획기적으로 줄여야 한다. 현대 문명은 대부분의 노동자가 하루 4시간만 일해도 인류에게 필요한 물자를 생산할 능력을 충분히 갖추었다. 하루 4시간만 일하고 나머지는 여가를 향유를 할 수 있는 조건이다. 게다가 노동시간이 줄어든 만큼 일자리는 대폭 늘어난다.

러셀은 칼라일처럼 노동의 가치를 인간의 가치로 보지 않는다. 삶의 가치와 목적이 노동에 있지 않다. 노동은 자신이 추구하는 바를 성취하는 데 필요한 하나의 수단에 불과하다. 오히려 근로의 도덕에서 빠져나오라고 권한다. 아직도 여러 측면에서 노동이 긍지가 아닌 수치로 느껴지는 한국사회에서 러셀의 충고는 더 큰 울림으로 다가온다.

비슷한 산업 생산력과 국민소득 수준을 갖고 있는 나라에 비해 무려 5배 가까이 높은 산업재해 사망률을 기록하는 현실에서 벗어나려면 사회와 개인 모두 근로의 도덕에서 벗어나야 한다. 최고 수준의 산업재해 사망률의 뿌리에는 세계에서 최상위권에 속해 있는 장시간 노동이 자리 잡고 있기 때문이다. 위험에 노출된 작업장 환경이 큰 문제지만, 장시간 노동으로 인한 극도의 피곤도 산업재해의 주요 원인으로 작용한다. 또한 장시간 노동과 열악한 노동조건은 쌍둥이처럼 함께 나타난다는 점도 부인하기 어렵다.

한국사회에서 장시간 노동의 해소가 사실상의 노예 상태를 강요하는 근로의 도덕에서 벗어나는 첫걸음이다. 노동이 수치가 아니라 자신을 실현할 소중한 수단이 되고, 진정 귀하고 천함이 없게 되는 길이다. 개인의 의식개혁이 아니라 사회의 구조개혁 문제다.

그림 속 숨겨진 이야기

화가는 왜 그렇게 그렸을까?

초판 1쇄 펴낸 날 2024년 1월 5일

지은이 박홍순
펴낸이 이광호
펴낸곳 도서출판 레디앙
디자인 Annd

등록 2014년 6월 2일 제25100-2022-000017
주소 서울특별시 구로구 구로중앙로 19길 28 3층
전화 02-3663-1521 팩스 02-6442-1524
전자우편 redianbook@gmail.com

ISBN 979-11-87650-09-6 03650